Moskau, 1946: Im Büro eines literarischen Magazins begegnen sich der gefeierte Schriftsteller Boris Pasternak und die mehr als zwanzig Jahre jüngere Olga Iwinskaja. Es ist der Beginn einer leidenschaftlichen Liebesbeziehung zwischen dem verheirateten Autor und der schönen Witwe, die bis zu Pasternaks Tod währen soll. Doch Olga zahlt einen hohen Preis: Stalins Schergen verbannen sie zweimal in den sibirischen Gulag, und auch Pasternaks Familie setzt alles daran, den Dichter von seiner Geliebten und Muse fernzuhalten. Basierend auf Archivmaterial und Quellen aus Familienbesitz erzählt die Großnichte des Literaturnobelpreisträgers die Lebensgeschichte der Frau, die Pasternak zu Lara in *Doktor Schiwago* inspirierte.

ANNA PASTERNAK ist Journalistin und Schriftstellerin. Sie entstammt der berühmten Pasternak-Familie und ist die Großnichte von Literatur-Nobelpreisträger Boris Pasternak. Anna Pasternak lebt mit ihrem Mann in Oxfordshire im Süden Englands.

ANNA PASTERNAK

LARA

Die wahre Geschichte hinter
DOKTOR SCHIWAGO

*Aus dem Englischen
von Liselotte Prugger*

btb

Die englische Originalausgabe erschien 2016 unter dem Titel
»LARA. The Untold Lovestory That Inspired Doctor Zhivago«
bei HarperCollins Publishers Ltd., London.

Sollte diese Publikation Links auf Webseiten Dritter enthalten,
so übernehmen wir für deren Inhalte keine Haftung,
da wir uns diese nicht zu eigen machen, sondern lediglich auf
deren Stand zum Zeitpunkt der Erstveröffentlichung verweisen.

Dieses Buch ist auch als E-Book erhältlich.

Verlagsgruppe Random House FSC® N001967

1. Auflage
Deutsche Erstausgabe Dezember 2019
btb Verlag in der Verlagsgruppe Random House GmbH
Copyright © 2016 by Anna Pasternak
Copyright © der deutschsprachigen Ausgabe 2019 by btb Verlag
in der Verlagsgruppe Random House GmbH,
Neumarkter Straße 28, 81673 München
Covergestaltung: semper smile, München unter Verwendung
einer Fotografie aus dem Privatarchiv Anna Pasternak
Covermotiv: © Privatarchiv Anna Pasternak
Karte und Stammbaum: © Martin Brown
Satz: Uhl + Massopust, Aalen
Druck und Einband: GGP Media GmbH, Pößneck
MK · Herstellung: sc
Printed in Germany
ISBN 978-3-442-71799-6

www.btb-verlag.de
www.facebook.com/btbverlag

In liebevoller Erinnerung an meine Mutter
Audrey Pasternak

Die Schriftsteller kann man ferner einteilen in Sternschnuppen, Planeten und Fixsterne. Die ersteren liefern die momentanen Knalleffekte; man schaut auf, ruft »siehe da!« und auf immer sind sie verschwunden.... Die [Fixsterne]... sind unwandelbar, haben eigenes Licht, wirken zu einer Zeit, wie zur andern. Sie gehören... der Welt. Aber wegen der Höhe ihrer Stelle braucht ihr Licht meistens viele Jahre, ehe es dem Erdenbewohner sichtbar wird.

Arthur Schopenhauer

Du stehst nicht zufällig am Ende meines Lebens, mein heimlicher, verbotener Engel, unter dem Himmel der Kriege und Aufstände, du hast ja schon am Anfang meines Lebens gestanden, unter dem friedlichen Himmel der Kindheit.

Boris Pasternak *Doktor Schiwago*

INHALT

PROLOG

Spinnennetze entwirren

Gemessen an den heute geltenden Standards ist es fast unmöglich, den Grad der Berühmtheit nachzuvollziehen, den Boris Pasternak von den 1920er Jahren an in Russland genoss. Pasternak mag in der westlichen Welt als Verfasser des Liebesromans *Doktor Schiwago*, für den er den Nobelpreis erhalten hat, weltberühmt sein, in Russland hingegen ist er in erster Linie als Lyriker bekannt und wird dafür noch heute gefeiert. 1890 geboren, wuchs sein Ruhm mit Anfang dreißig sprunghaft an; bald füllte Pasternak große Vortragssäle mit jungen Studenten, Revolutionären und Künstlern, die zusammenkamen, um die Lesungen seiner Gedichte zu hören. Wenn er eine Kunstpause einlegte oder einen Hänger hatte, brüllte das ganze Publikum – ähnlich wie heutzutage bei Popkonzerten – die nächste Zeile seines Gedichtes im Chor.

»In Russland gab es einen sehr realen Kontakt zwischen dem Dichter und dem Publikum, viel intensiver als irgendwo sonst in Europa«, schrieb Boris' Schwester Lydia über diese Zeit, »ganz bestimmt aber viel unmittelbarer, als man sich das in England vorstellen kann. Gedichtbände wurden in enormen Auflagen gedruckt und waren innerhalb weniger Tage nach Erscheinen ausverkauft. Überall in der Stadt hingen Plakate, die Lyrikabende ankündigten, und alle, die sich für Lyrik interessierten (und wer in Russland tat das nicht), strömten scharenweise in die Vortragssäle oder Theater, um ihre Lieblingsdichter zu hören.«[1] Schriftsteller waren in der russischen Gesellschaft ungemein einflussreich. Während dieser unruhigen Jahre gab es keine glaubwürdigen Politiker, und so orientierte sich die Öffentlichkeit an ihren Schriftstellern. Literaturzeitschriften waren mächtige Instrumente für politische Meinungsmache. Boris Pasternak war nicht nur ein populärer Poet, der für seinen Mut und seine Aufrichtigkeit hochgeschätzt wurde. Eine ganze Nation verehrte ihn wegen seiner furchtlosen Stimme.

Schon in frühen Jahren wollte Pasternak einen großen Roman schreiben. Seinem Vater Leonid gestand er 1934: »Nichts von dem, was ich geschrieben habe, existiert… und jetzt verwandle ich mich schnell in einen Prosaiker der Dickens'schen, und anschließend, wenn die Kräfte ausreichen, in einen Lyriker – der Puschkin'schen Richtung. Glaub nicht, ich wollte mich mit ihnen vergleichen. Ich nenne sie, um dir einen Begriff von meiner inneren Verwandlung zu geben.«[2] Pasternak tat seine Lyrik als zu einfach zu schreiben ab. Mit seinem ersten, 1917 veröffentlichten Gedichtband *Über die Barrieren* hatte er schon frühzeitig unerwarteten Erfolg. Dieses Werk gehörte bald zu den einflussreichsten Sammlungen, die jemals in russischer Sprache veröffentlicht wurden. Die Kritik pries den biographischen und historischen Stoff und bewunderte die kontrastierenden lyrischen und epischen Eigenschaften des Bandes. A. Manfred, der für die *Kniga I revoljucija* (Das Buch und die Revolution) schrieb, beobachtete eine neue, »expressive Klarheit« und hoffnungsvolle Signale, dass der Schriftsteller »in die Revolution hineinwachsen«[3] werde. Pasternaks zweite Sammlung von zweiundzwanzig Gedichten, *Meine Schwester, das Leben*, 1922 veröffentlicht, erntete eine noch nie dagewesene literarische Würdigung. Die hier verbreitete Jubelstimmung verzückte die Leser, vermittelte sie doch die Euphorie und den Optimismus des Sommers 1917. Pasternak schrieb[4], dass die Februarrevolution[5] wie »aus Versehen« stattgefunden habe, und alle sich plötzlich frei fühlten. Es war Boris' »berühmtester Gedichtband«[6], wie seine Schwester Lydia bemerkte. »Die kultiviertere jüngere Generation literarisch interessierter Russen riss sich um das Buch.« Sie fanden, dass er die feinfühligsten Liebesgedichte im Bann seiner ganz persönlichen Bildersprache schrieb. Nachdem der Dichter Ossip Mandelstam *Meine Schwester, das Leben* gelesen hatte, verkündete er: »Pasternaks Verse zu lesen heißt, sich zu räuspern, seine Atmung zu kräftigen, die Lungen zu füllen; mit solcher Poesie ließe sich Tuberkulose heilen. Keine Dichtung ist zum gegenwärtigen Zeitpunkt gesünder! Sie ist Kumys [vergorene Stutenmilch] verglichen mit Büchsenmilch.«[7]

»Die Gedichte meines Bruders sind ausnahmslos strikt rhythmisch und überwiegend im klassischen Versmaß gehalten«, schrieb Lydia später. »Pasternak hat wie Majakowski, der revolutionärste der russischen Dichter, niemals in seinem Leben eine einzige Zeile unrhythmischer Lyrik geschrieben, nicht, weil er sich etwa pedantisch an überholte Regeln klammerte, sondern weil ein instinktives Gefühl für Rhythmus und Harmonie in seiner Natur lag und er schlicht nicht anders schreiben konnte.«[8] In einem Gedicht, das er kurz nach Erscheinen von *Meine Schwester, das Leben* schrieb, nahm Boris Abschied von der Lyrik. »Lebt wohl, meine Verse, meine Manie, ich habe eine Verabredung mit euch in einem Roman.«[9] Und dennoch glorifizierte er das Schreiben von Prosa als zu schwierig. Doch unabhängig vom Genre verschmolz sein Werk die beiden Schreibformen miteinander. In seiner 1931 veröffentlichten Autobiographie *Sicheres Geleit*, einem manierierten Bericht über sein frühes Leben, seine Reisen und privaten Beziehungen, schrieb er: »Wir zerren den Alltag in die Prosa um der Poesie willen. Wir ziehen Prosa in die Poesie hinein um der Musik willen. So nannte ich in der weitesten Bedeutung des Wortes das Kunst ...«[10]

1935 sprach Pasternak erstmals von seiner Absicht, sein künstlerisches Potenzial mit einem monumentalen Roman zu krönen. Und meine Großmutter, seine jüngere Schwester Josephine Pasternak[*], war die Erste, der er bei ihrem letzten Treffen am Bahnhof Friedrichstraße in Berlin sein Vorhaben anvertraute. Boris erzählte Josephine, dass in seinem Kopf die Saat eines Buches keimte; eine große Liebesgeschichte mit Symbolcharakter, die in der Zeit nach der Russischen Revolution spielen sollte.

Doktor Schiwago basiert auf Boris Pasternaks Beziehung zu der Liebe seines Lebens, Olga Wsewolodowna Iwinskaja, welche die Muse für Lara, die temperamentvolle Heldin des Romans, werden sollte. In dessen Mittelpunkt steht die leidenschaftliche Liebe zwischen Juri Schiwago, einem Arzt und Lyriker (eine Reverenz an Anton Tschechow, der ebenfalls Arzt war), und der Heldin Lara Guichard, einer Krankenschwester. Ihre Liebe wird auf eine harte Probe gestellt, denn Juri ist ebenso wie Boris verheiratet. Juris praktisch veranlagte Ehefrau Tonja ist Boris' zweiter Frau Sinaida Neuhaus nachempfunden. Juri Schiwago ist ein halbautobiographischer Held; es ist das Buch einer Kämpfernatur.

Doktor Schiwago wurde zwar millionenfach verkauft, doch die wahre Liebesgeschichte dahinter ist bislang noch nie ganz erforscht worden. Pasternaks Familie wie auch seine Biogra-

---

[*] Josephine heiratete ihren Cousin Frederick Pasternak, weshalb der Familienname fortgeführt wurde.

phen haben die Rolle der Olga Iwinskaja in Boris' Leben konsequent kleingeredet. Olga wurde regelmäßig geringgeschätzt und als »abenteuerlustig«, als »Verführerin« und als raffgierige Frau verunglimpft, die im Leben des Mannes und bei der Entstehung seines Buches nur eine unbedeutende Nebenrolle gespielt hatte. Als Pasternak den Roman zu schreiben begann, kannte er Olga noch nicht. Das traumatische Erlebnis der Lara, die als Teenager vom viel älteren Viktor Komarowski vergewaltigt wurde, erinnert stark an Sinaidas Erlebnisse mit ihrem sexuell übergriffigen Cousin. Doch kaum hatte Boris Olga getroffen und sich in sie verliebt, veränderte sich auch seine Lara, blühte auf und entwickelte sich zu Olgas Ebenbild.

Früher waren sowohl Olga wie auch deren Tochter Irina bei meiner Familie schlecht angesehen. Die Pasternaks spielten bei jeder Gelegenheit Olgas Bedeutung in Boris' Leben und seinen literarischen Errungenschaften herunter. Die Familie hatte eine derart hohe Meinung von Boris, dass die Tatsache, dass er zwei Ehefrauen – Evgenija und Sinaida – hatte und obendrein in aller Öffentlichkeit eine Geliebte, nicht mit ihrem starren Moralkodex zu vereinbaren war. Hätten sie Olgas Platz in Boris' Leben und in seinem Herzen akzeptiert, hätten sie zwangsläufig auch seine moralische Fehlbarkeit einräumen müssen.

Kurz bevor Josephine Pasternak starb, sagte sie wutentbrannt zu mir: »Es ist eine Schnapsidee, dass diese... *Bekannte* da überhaupt in *Schiwago* aufscheint.« Ihre Verachtung für »diese Verführerin« war tatsächlich so groß, dass sie sich standhaft weigerte, ihre Lippen mit deren Namen zu beschmutzen. Geblendet von der Verehrung für ihren Bruder, wollte sie der Wahrheit einfach nicht ins Auge sehen. Obwohl Boris in seinem letzten Brief an seine Schwester am 22. August 1958 schrieb, er hoffe, »mit Olga« in Russland zu reisen, und so den Stellenwert seiner Geliebten in seinem Leben unterstrich, weigerte Josephine sich, deren Existenz zur Kenntnis zu nehmen. Evgenij Pasternak, Boris' Sohn aus erster Ehe, war da schon pragmatischer. Vielleicht mochte auch er Olga nicht, denn er ließ kaum Sympathien für sie erkennen, doch kam er mit der Situation deutlich besser zurecht. »Mein Vater hatte Glück, dass Lara ihn liebte«, sagte er mir 2012, kurz bevor er mit 89 Jahren starb. »Mein Vater brauchte sie. Er sagte immer: ›Lara existiert, also geh und besuch sie‹. Das war ein Kompliment.«

Erst 1946, als Boris 56 Jahre alt war, griff das Schicksal ein. Später schrieb er in *Doktor Schiwago*: »So hat der Sturm des Lebens dich zu mir geschleudert.«[11] Es war in den Räumen von *Nowy Mir*, wo er die 34 Jahre alte Redaktionsassistentin Olga Iwinskaja kennen lernte. Sie war blond, von cherubinischer Schönheit, mit kornblumenblauen Augen und beneidenswert durchscheinender Haut. Ihr Auftreten war betörend – übernervös und stark gefühlsbetont, doch mit einer unterschwelligen Zartheit, die auf die Widerstandsfähigkeit einer Überlebenskünstlerin schließen ließ. Schon immer war sie ein glühender Fan von Pasternak gewesen, dem Helden der Lyrik. Beide fühlten sich gleichermaßen und unmittelbar voneinander angezogen, und der Grund dafür ist leicht zu erkennen. Beide waren melodramatische Romantiker, mit denen oft die Phantasie durchging. »An meinem Tisch am Fenster«, schrieb sie später, »stand unversehens dieser freigiebigste Mensch der Welt, dem das Recht zuteil geworden war, im Namen der Wolken, der Sterne und des Windes zu sprechen, er hatte ewig gütige Worte für männliche Leidenschaft und weibliche Schwäche gefunden. … Es hieß von Pasternak: Er lädt die Sterne an seinen Tisch zu Gast, die ganze Welt versammelt er auf seinem Bettvorleger.«[12]

Die Liebesgeschichte meines Großonkels hat mich so in ihren Bann gezogen, dass ich mittlerweile leidenschaftlich davon überzeugt bin, dass *Doktor Schiwago* weder beendet noch veröffentlicht worden wäre, wenn es Olga nicht gegeben hätte. Olga Iwinskaja bezahlte für ihre Liebe zu »ihrem Borja« einen enorm hohen Preis. In einem hochpolitischen Spiel wurde sie zu einem Bauernopfer. Ihre Geschichte zeugt von unvorstellbarer Courage, Loyalität, von Leid, Tragik, Drama und Verlust.

Ab Mitte der 1920er Jahre, als Stalin nach Lenins Tod die Macht übernahm, wurde verfügt, dass der Kommunismus individuelle Tendenzen nicht tolerieren werde. Stalin, ein Anti-Intellektueller, nannte Schriftsteller »Ingenieure der Seele« und sah in ihnen einflussreiche Kräfte, welche den kollektiven Interessen des Staates unterzuordnen seien. Er begann seinen Vorstoß zur Kollektivierung und damit zum Massenterror. Die Atmosphäre für Lyriker und Autoren, die ihre eigene Kreativität ausdrückten, wurde unerträglich repressiv. Nach 1917 wurden in der Sowjetunion fast anderthalbtausend Schriftsteller wegen angeblicher Gesetzesverstöße hingerichtet oder starben in Arbeitslagern. Unter Lenin waren willkürliche Verhaftungen zum Bestandteil des Systems geworden, da man glaubte, es sei im Interesse des Staates, lieber hundert Unschuldige einzusperren, als einen einzigen Staatsfeind laufen zu lassen. Eine Atmosphäre der Angst, von Kollegen oder früheren Schriftstellerfreunden denunziert zu werden, wurde in Stalins Regime, in dem alle ums Überleben kämpften, sogar aktiv gefördert. Viele Schriftsteller und Künstler begingen aus Furcht vor Verfolgung Selbstmord. Während Pasternaks halbautobiographischer Held Juri Schiwago 1929 stirbt, überlebte Boris selbst, obwohl er sich weigerte, sich den literarischen und politischen Diktaten jener Zeit zu unterwerfen.

Stalin, der Boris Pasternak aus unerfindlichen Gründen bewunderte, ließ den kontroversen Schriftsteller nicht verhaften; stattdessen schikanierte und verfolgte er dessen Geliebte. Zweimal wurde Olga Iwinskaja zu Haftstrafen in Arbeitslagern verurteilt. Sie wurde zu dem Buch verhört, an dem Boris arbeitete, weigerte sich jedoch hartnäckig, den Geliebten zu verraten. Die Nachsicht, die Stalin bei dem Schriftsteller walten ließ, konnte dessen Empörung über den Führer seines Landes nicht lindern: Er sei, wie Boris beklagte, »ein schrecklicher Mann, der Russland in Blut ertränkte.«[13] In jener Zeit wurden schätzungsweise zwanzig Millionen Menschen getötet und achtundzwanzig Millionen deportiert, von denen die meisten Zwangsarbeiter in »Strafarbeitslagern« waren.[14] Olga gehörte zu den Unzähligen, die grundlos in den Gulag geschickt wurden, wo man ihr wegen ihrer Beziehung zu Pasternak kostbare Jahre ihres Lebens stahl.

1934 hielt Alexej Surkow, ein Dichter und angehender Parteifunktionär, auf dem Ersten Kongress des sowjetischen Schriftstellerverbands eine Rede, in welcher er die sowjetische Sicht zusammenfasste: »Das riesige Talent B. L. Pasternaks wird sich erst dann gänzlich entfalten, wenn er sich mit dem gigantischen, bedeutenden und strahlenden Gegenstand, den die Revolution [darbietet], vollständig verbunden hat, und er wird nur ein großer Dichter werden, wenn er die Revolution organisch in sich aufgenommen hat.«[15] Als Pasternak die Realität der Revolution erkannte, als er zusehen musste, wie seinem geliebten Russland das »Dach heruntergerissen« wurde, schrieb er seine eigene Version der Geschichte dieser Zeit in *Doktor Schiwago*, womit er das tyrannische Regime offen kritisierte. Dort sagt Juri zu Lara:

Die selbsternannten Vollstrecker der Revolution sind nicht deshalb so grausig, weil sie Unholde wären, sondern weil sie wie unlenkbare Mechanismen sind, wie entgleiste Lokomotiven.... Es zeigt sich aber, daß die Inspiratoren der Revolution im Chaos der Veränderungen und Umstellungen in ihrem Element sind und daß sie nicht Brot wollen, sondern irgend etwas von globalem Maßstab. Der Aufbau von Welten, Übergangsperioden, das ist ihnen Selbstzweck. Etwas anderes haben sie nicht gelernt, sie können nichts. Wissen Sie, woher die Hektik dieser ewigen Vorbereitungen kommt? Vom Fehlen ausgeprägter Begabungen, von ihrer Unfähigkeit.[16]

Im letzten Jahrhundert machten nur wenige literarische Werke eine solche Furore wie *Doktor Schiwago*. Erst 1957, über zwanzig Jahre, nachdem Pasternak sich zum ersten Mal Josephine anvertraut hatte, wurde das Buch publiziert, in Italien. Obwohl es unmittelbar zum internationalen Bestseller avancierte und obwohl Pasternak damals als »größter, lebender Schriftsteller« Russlands galt, sollte es dreißig Jahre dauern, bis sein Buch, das als antirevolutionär und unpatriotisch angesehen wurde, 1988 in seinem heißgeliebten »Mütterchen Russland« veröffentlicht werden durfte. Der Kulturkritiker Dmitri Lichatschow, Ende des 20. Jahrhunderts weltweit führender Experte für altrussische Sprache und Literatur, sagte, dass *Doktor Schiwago* kein Roman im herkömmlichen Sinne sei, sondern vielmehr »eine Art Autobiographie«[17] des Seelenlebens des Dichters. Der Held, so glaubte er, sei kein aktiv Handelnder, sondern ein Fenster zur Russischen Revolution.

1965 schrieb David Lean Filmgeschichte mit seiner Umsetzung des Romans, in den Hauptrollen Julie Christie als Lara und Omar Sharif als Juri Schiwago. Der Film gewann fünf Oscars und war für fünf weitere nominiert. Leans Hollywood-Klassiker hat bei seinen Besuchern die gleichen magischen, unauslöschlichen Bilder hinterlassen wie Pasternaks Prosa. Es ist der Film mit den achthöchsten Einspielergebnissen in der amerikanischen Filmgeschichte. Robert Bolt, der einen Oscar für das Drehbuch erhielt, sagte zur Adaption von Pasternaks Werk: »Ich habe noch nie etwas so Schwieriges gemacht. Es war, als wollte ich Spinnennetze entwirren.«[18] Omar Sharif kommentierte es so: »*Doktor Schiwago* umspannt Generationen, doch ohne den menschlichen Geist zu überfordern. Das ist das Geniale an Boris Pasternak.« Zur ungebrochenen Aktualität der Story stellte er fest: »Das Buch beweist, dass wahre Liebe zeitlos ist. *Doktor Schiwago* war ein Klassiker und wird es für alle Generationen bleiben.«[19]

Ein russisches Sprichwort sagt: »Russland lässt sich nicht mit dem Verstand begreifen. Man kann es nur mit dem Herzen verstehen.« Als ich Russland zum ersten Mal besuchte und durch Moskau schlenderte, beschlich mich ein fast unheimliches Gefühl: Ich empfand mich nicht als Tourist, sondern als jemand, der nach Hause kam. Es war nicht so, dass mir Moskau vertraut gewesen wäre, aber ich fühlte mich auch nicht fremd hier. An einem verschneiten Abend im Februar stapfte ich auf der breiten Twerskaja-Straße durch den Schnee, um im Café Puschkin zu Abend zu essen, als mir schlagartig bewusst wurde, dass die Jungverliebten Boris und Olga vor über sechzig Jahren viele Male genau denselben Bürgersteig entlanggelaufen waren.

Als ich inmitten der unzähligen flackernden Wachskerzen im Café Puschkin saß, das einer Aristokratenwohnung aus den 1820er Jahren nachempfunden ist – eine Bibliothek auf der umlaufenden Galerie, Bücherregale an den Wänden, üppig verzierte Schmuckleisten, Fresken an den hohen Zimmerdecken, zurückhaltende Atmosphäre –, spürte ich, wie mich der Hauch der Geschichte umwehte. Das Restaurant liegt in der Nähe des ehemaligen Verlagshauses der *Nowy Mir*, Olgas früherer Arbeitsstelle auf dem Puschkin-Platz. Ich stellte mir vor, dass Olga und Boris draußen vorbeigingen, eingepackt in ihren schweren Mänteln, die Köpfe zusammengesteckt, die Kragen ihrer Mäntel zum Schutz gegen den Schnee hochgeschlagen, die Herzen brennend vor Verlangen.

Fünf Jahre später spazierte ich bei einem weiteren Besuch in Moskau zur Puschkin-Statue, die 1898 errichtet worden war und unter welcher Boris und Olga sich in den Anfängen ihrer Liebesbeziehung regelmäßig verabredeten. Hier war es auch gewesen, wo er Olga zum ersten Mal seine tiefen Gefühle offenbarte. 1950 war die gewaltige Statue von einer Seite des Puschkin-Platzes zur anderen versetzt worden; so hatten die beiden ihre Liebesbeziehung vermutlich an der Westseite des Platzes begonnen und waren 1950 zur Ostseite übergewechselt, wo ich nun stand und zu den riesigen Bronzefalten des Umhangs hinaufsah, die über Puschkins Rücken fielen. Marina, meine Moskauer Fremdenführerin, die Putin und die aktuelle Regierung verehrte, sah mich unter der Puschkin-Statue stehen, stellte sich Boris genau an dieser Stelle vor und sagte: »Boris Pasternak ist jetzt im Himmel. Er ist für so viele von uns ein Idol, selbst für diejenigen, die mit Lyrik nichts am Hut haben.«

Bei dieser respektvollen Betrachtung dachte ich an mein Treffen mit Olgas Tochter Irina Jemeljanowa ein paar Monate zuvor in Paris. »Ich danke Gott dafür, dass ich diesen großen Dichter kennen lernen durfte«, sagte sie zu mir. »Bevor wir uns in den Mann verliebten, waren wir ja schon in den Dichter verliebt. Ich war immer verrückt nach Gedichten, und meine Mutter war wie Generationen von Russen verrückt nach Pasternaks Gedichten. Du kannst dir nicht vorstellen, welch eine Wirkung es hatte, Boris Leonidowitsch [sein russischer Vatername*] nicht nur in unseren Gedichten zu haben, sondern auch in unserem Leben.«

In *Doktor Schiwago* machte Pasternak Irina in der Figur von Laras Tochter Katenka unsterblich. Als Irina heranwuchs, entwickelte sich zwischen ihr und Boris eine ausgesprochen enge Beziehung. Er liebte sie als die Tochter, die er nie hatte, und vertrat bei ihr die Vaterfigur besser als jeder andere Mann in ihrem Leben. Irina stand vom Tisch auf, an dem wir saßen, und holte ein Buch aus ihren gut sortierten Regalen. Es war eine Übersetzung von Goethes *Faust*, die Boris ihr geschenkt hatte; auf dem Titelblatt gab es seine mit schwarzer Tinte geschriebene Widmung, in seiner schwungvollen, flüssigen Handschrift, die nach Olgas Worten »wie Kranichschwingen über das Papier«[20] flog. Boris hatte der damals 17-jährigen Irina auf Russisch geschrieben: »Iroschka, das ist Dein Exemplar. Ich baue auf Dich, und ich glaube an Deine Zukunft. Sei kühn in Deiner Seele und Deinem Verstand, in Deinen Träumen und Deinen Vorhaben. Setze Dein Vertrauen in die Natur, in den Geist Deiner Bestimmung, in Ereignisse von Bedeutung – und nur in die wenigen Menschen, die Du tausendmal geprüft und Deines Vertrauens für würdig befunden hast.«

Stolz las Irina mir seinen letzten Eintrag auf der Seite vor:

---

* Alle Russen haben drei Namen. Einen Vornamen, den Namen des Vaters und einen Familiennamen. Der Vatername ergibt sich aus dessen Vornamen. Die übliche Anredeform unter Erwachsenen ist der Vorname und der Vatername.

»Fast wie ein Vater, Dein BP. 3. November 1955, Peredelkino.«
Zärtlich strich sie mit der Hand über die Seite und sagte
traurig: »Es ist ein Jammer, dass die Tinte allmählich aus-
bleicht.«

Einen zeitlosen Augenblick lang betrachteten wir die Widmung, und vielleicht dachten wir dasselbe, dass irgendwann
alles Kostbare im Leben schwindet. Irina klappte das Buch zu,
streckte sich und sagte: »Du kannst dir nicht vorstellen, wie
unsere Bekanntschaft mit Pasternak unser Leben verändert
hat. Immer wenn ich zu seinen Lyriklesungen ging, benei-
deten mich alle meine Freundinnen, meine Englischlehrerin
und die anderen Lehrer darum. ›Du kennst Boris Leonidowitsch wirklich persönlich?‹, fragten sie mich oft ehrfuchts-
voll. ›Sag mal, kannst du uns sein neuestes Gedicht besorgen?‹
Dann fragte ich seine Sekretärin, ob er vielleicht nur eine einzige Zeile seines Gedichts herausrücken würde, und manchmal gab er mir dann ein ganzes Gedicht, das ich verteilen
durfte. In der Schule war ich der absolute Star; man könnte
sagen, dass sein Ruhm auf mich abgefärbt hat.«

Dass das russische Volk Pasternak bis heute verehrt, liegt
nicht allein an der unverändert großen Kraft seiner Worte,
sondern auch daran, dass er seine Loyalität zu Russland
niemals in Frage gestellt hat. Seine große Liebe galt seinem
Vaterland; am Ende war sie stärker als alles. Er verweigerte
die Annahme des Nobelpreises für Literatur, nachdem die
sowjetischen Behörden gedroht hatten, ihm die Wiederein-
reise zu verwehren, falls er sein Land verließe. Und er emigrierte nie, verzichtete darauf, seinen Eltern nach der Revolution von 1917 zunächst nach Deutschland und dann nach
England zu folgen.

Als ich nach Peredelkino zur Schriftstellerkolonie hinaus-
fuhr, fünfzig Autominuten von der Stadtmitte Moskaus ent-

fernt, wo Boris fast zwei Jahrzehnte lang gelebt und an *Doktor Schiwago* geschrieben hatte, befiel mich eine tiefe Traurigkeit. Ich setzte mich an seinen Schreibtisch im Arbeitszimmer im oberen Stockwerk der Datscha und strich mit dem Finger über die schwach sichtbaren Ringe, die seine Kaffeetasse vor gut fünfzig Jahren auf dem Holz hinterlassen hatte. Vor dem Fenster hingen Eiszapfen, was mir David Leans Film ins Gedächtnis rief: Ich erinnerte mich an Varykino, das verlassene Anwesen aus dem Roman, wo Juri seine letzten Tage mit Lara verbringt und das in der Sonne und im Schnee glitzert; an das zarte Spitzenmuster des Raureifs auf den Fensterscheiben; an die kristalline, so wunderbar auf die Filmleinwand gezauberte Magie. Und ich hatte die natürliche Schönheit der Julie Christie unter der Pelzmütze vor Augen, die seine Lara verkörperte. Ich dachte an meinen Großonkel Boris, stellte mir vor, wie er aus dem Fenster in den Garten schaut, den er so liebte, an den Kiefern vorbei hinaus zur Preobraschenski-Kirche. Ganz hinten liegt der Friedhof von Peredelkino, auf dem er beerdigt wurde. Ein paar Stunden zuvor waren mein Vater – Boris' Neffe – und ich durch die tiefen Schneeverwehungen auf dem Friedhof zu seinem Grab gestapft; ich war tief berührt, als ich dort einen Strauß langstieliger gefrorener rosaroter Rosen sah, die vermutlich einer seiner Verehrer an seinen Grabstein gelegt hatte. Mir fiel auf, dass keines von Boris' Worten den Grabstein schmückte. Nur sein Gesicht war in den Stein geätzt. Kraftvolle Einfachheit: Es bedarf keiner Worte.

In Boris' Arbeitszimmer lehnte ich mich in seinem Stuhl zurück und sinnierte, wie oft er wohl den Blick von der sanften Hügellandschaft abgewandt und sich mit neu gewonnener Inspiration seinem Blatt zugewandt haben mochte (er schrieb mit der Hand), um sehnsuchtsvolle Szenen zwischen

Juri und Lara zu erschaffen. Während ich dort saß, fiel draußen leichter Schnee und vertiefte die Stille. Die Schlichtheit des Zimmers schmerzt fast. In einer Ecke steht ein schmales schmiedeeisernes Bett, darüber hängt eine Skizze von Tolstoj und links und rechts davon Skizzen der Familie von seinem Vater Leonid. Das Bett hätte mit seinem tristen, grau gemusterten Überwurf und dem rötlich braunen quadratischen Teppichabschnitt davor auch gut in eine Klosterzelle gepasst. An der gegenüberliegenden Wand ein Bücherregal: die russische Bibel, Werke von Einstein, eine Gedichtsammlung von W. H. Auden, T. S. Eliot, Dylan Thomas, Emily Dickinson, Romane von Henry James, die Autobiographie von Yeats und sämtliche Werke von Virginia Woolf (Josephine Pasternaks Lieblingsautorin), dann noch Shakespeare und die Lehren von Jawaharlal Nehru. Zum Schreibtisch hin ausgerichtet eine Staffelei mit einem großen Schwarz-Weiß-Foto von Boris. Er trägt einen schwarzen Anzug, ein weißes Hemd und eine dunkle Krawatte; damals war er schätzungsweise in meinem Alter, also um Mitte vierzig. Aus seinen Augen sprechen Qual, Leidenschaft, Entschlossenheit, Resignation, Angst und Wut. Seine fast geschürzten Lippen künden von tiefer Überzeugung. Sein Allerheiligstes ließ das Weiche, Tröstliche vermissen; seine Sinnlichkeit war seiner Prosa vorbehalten.

Ich dachte über Boris' Mut nach, den Mut, auf diesem Stuhl zu sitzen und seine Wahrheit über Russland zu Papier zu bringen. Wie er den sowjetischen Machthabern trotzte und wie Verfolgung und Todesdrohungen irgendwann ihren Tribut forderten. Wie er, ungeachtet dessen, dass er Stalin überlebt hatte und ungeachtet seiner kolossalen literarischen Errungenschaften seine letzten Jahre hier in erzwungener Isolation lebte, während die sowjetischen Machthaber ihn beobachteten und jeden seiner Schritte überwachten. Sein Arbeitszimmer wurde zu seiner persönlichen Quarantänestation; er schrieb im oberen Stockwerk; seine Frau Sinaida hielt sich unten auf, rauchte Kette, spielte Karten oder saß vor dem Ungetüm eines uralten Sowjetfernsehers, eines der ersten, die je gebaut worden waren.

Und ich stellte mir seine Geliebte Olga Iwinskaja in seinen letzten Lebensjahren vor, wie sie jeden Nachmittag ungeduldig in dem einen Kilometer entfernten »Kleinen Haus« in Ismalkowo auf der anderen Seite des Sees auf ihn wartete. Hier tröstete und unterstützte sie ihn, baute ihn auf und tippte seine Manuskripte ab. Doch in diesem Haus deutet weder ein lieb gewordenes Foto oder ein Gemälde auf sie hin – das erzeugt einen Missklang. Denn was soll die Liebesgeschichte in *Doktor Schiwago* anderes sein als ein leidenschaftlicher *cri de cœur* nach Olga? Ich dachte darüber nach, wie unermüdlich sie ihn für sein Talent pries, als die Machthaber höhnisch verkündeten, er habe keines; wie sie Freude und Zärtlichkeit in sein Leben brachte, als alles um ihn herum so strategisch, politisch und zermürbend war. Wie sie ihn liebte, aber ebenso wichtig, wie sie ihn verstand. Viele Künstler sind egoistisch und maßlos; er war es auch. Es wäre ein Leichtes, daraus den Schluss zu ziehen, dass Boris Olga benutzte. Es ist meine Absicht zu zeigen, dass sein großes Versäumnis vielmehr darin lag, dass er ihrer unerschütterlichen Loyalität und moralischen Beharrlichkeit nichts gleichzusetzen hatte. Er versäumte es, das Einzige zu tun, was in seiner Macht gestanden hätte: Er hat sie nicht geschützt.

Als ich mich ein letztes Mal in seinem Arbeitszimmer umsah, war mir klar, dass ich ein Buch schreiben und einen Erklärungsversuch wagen wollte, weshalb er diesen für ihn uncharakteristischen Akt moralischer Feigheit beging und seinen Ehrgeiz über sein Herz stellte. Könnte ich verstehen lernen, weshalb er sich so und nicht anders verhielt, und könnte ich das Ausmaß seines Leids und seiner Selbstzerfleischung nachvollziehen – wäre ich dann in der Lage, ihm zu vergeben, dass er sich und seine wahre Liebe verraten hat? Dass er sich nicht öffentlich zu Olga bekannte und dass er sie nicht heiratete, als sie ihr Leben wegen ihrer Liebe zu ihm aufs Spiel setzte? In *Doktor Schiwago* schrieb er: »Wie er sie liebte! Wie schön sie war! Sie war genauso beschaffen, wie er immer geglaubt und geträumt hatte, dass es für ihn notwendig sei! … Es war die unvergleichliche einfache und behende Linie, mit der der Schöpfer sie in einem einzigen Zug gezeichnet hatte, und dieser göttliche Umriß war seiner Seele in die Hände gegeben, so wie ein gebadetes Kind in das Laken gewickelt wird.«[21]

1

Ein Mädchen aus anderen Kreisen

Nowy Mir (»Neue Welt«), die führende literarische Monats-
zeitschrift der Sowjetunion, bei der Olga Iwinskaja arbeitete,
wurde 1925 gegründet. Literaturzeitschriften wie *Nowy Mir*,
das offizielle Organ des Schriftstellerverbands der UdSSR,
genossen in der stalinistischen Ära enormen Einfluss und
konnten sich einer zigmillionenfachen Leserschaft erfreuen.
Sie sorgten für die Verbreitung politischer Ideen in einem
Land, in dem politische Auseinandersetzungen einer strengen
Zensur unterlagen, und deren Macher verfügten in der russischen Gesellschaft über ungeheure Macht. Die Büroräume
am Puschkin Platz befanden sich in einem vornehmen, ehemaligen Ballsaal mit kräftig dunkelrot gestrichenen Wänden
und vergoldeten Deckenleisten. Dort hatte einst Puschkin ge-
tanzt. Der Herausgeber der Zeitschrift, der Dichter und Autor
Konstantin Simonow, war eine flamboyante Erscheinung mit
silbriger Haarmähne, der gern protzige Siegelringe trug und
lose geschnittene Anzüge, die in Amerika gerade der letzte
Schrei waren. Er legte größten Wert darauf, »lebende Klassiker« für das Magazin zu gewinnen, und zählte Pawel Anto-
kolski, Nikolai Tschukowski und Boris Pasternak zu seinen
Aushängeschildern. Olga war für die Abteilung Neue Autoren zuständig.

An einem frostigen Tag im Oktober 1946, als draußen feiner

Schnee vom Himmel wirbelte, wollte Olga mit ihrer Freundin Natascha Bianchi, der Herstellungsleiterin der Zeitung, zum Mittagessen gehen. Als Olga gerade ihren Fehfellmantel anzog, hielt ihre Kollegin Sinaida Piddubnaja sie auf: »Boris Leonidowitsch, erlauben Sie mir, Ihnen eine ihrer glühendsten Verehrerinnen vorzustellen«, sagte sie und deutete auf Olga.[22]

Olga war wie vom Donner gerührt. »Dieser Gott stand nun... auf dem Teppichläufer, und er lächelte ausgerechnet mich an.«[23] Mutig hielt sie ihm die Hand zum Handkuss hin. Boris beugte sich über ihre Hand und fragte, welche seiner Bücher sie denn besitze. Verblüfft und verzückt, ihrem Idol Auge in Auge gegenüberzustehen, antwortete Olga, dass sie nur eines habe. Er sah überrascht aus. »Nun, dann werde ich ihnen noch ein paar beschaffen«, sagte er, »obwohl ich fast alle Exemplare weggegeben habe.« Boris erzählte, dass er sich hauptsächlich mit Übersetzungsarbeiten beschäftigte, wegen der momentanen harten Restriktionen kaum noch Gedichte schrieb und nach wie vor Shakespeare-Theaterstücke übersetzte.

Während seiner ganzen schriftstellerischen Karriere bestritt Pasternak sein Einkommen vorwiegend mit solchen Aufträgen. Er beherrschte mehrere Sprachen, darunter Französisch, Deutsch und Englisch, und so galt sein besonderes Interesse den Feinheiten und Problemen der Übersetzungsarbeit. Dank seiner außergewöhnlichen Interpretationsgabe und seiner Fähigkeit, das Wesentliche umgangssprachlich vollendet umzusetzen, wurde er später der führende Shakespeare-Übersetzer in Russland und für seine Errungenschaften auf diesem Gebiet sechs Mal für den Nobelpreis vorgeschlagen. 1943 hatte die britische Botschaft ihm brieflich ihre Anerkennung und Dankbarkeit für seine Leistungen bei der Übersetzung dieses Dichters ausgesprochen. Die Arbeit sicherte ihm jahrelang ein regelmäßiges Einkommen. 1945 erzählte er einem Freund: »Shakespeare, der alte Mann aus Tschistopol, ernährt mich wie eh und je.«[24]

»Und dann, wissen Sie, arbeite ich an einem Roman«, erzählte er Olga bei *Nowy Mir*, »was dabei herauskommen wird, weiß ich noch nicht. Ich möchte vom alten Moskau erzählen – davon wissen Sie nichts mehr –, und ich möchte über Kunst sprechen, wie ich sie auffasse, und ein paar Gedanken darüber formulieren.«[25] Damals trug der Roman den Arbeitstitel »Jungen und Mädchen«. Er hielt kurz inne und setzte ein wenig verlegen hinzu: »Wie interessant, dass ich noch Anhängerinnen habe.« Auch mit sechsundfünfzig Jahren und damit über zwanzig Jahre älter als Olga, galt Pasternak mit seiner athletischen, auffälligen Erscheinung als gutaussehend, auch wenn sein in die Länge gezogenes Gesicht oft mit dem eines Araberhengstes verglichen wurde – was auch angesichts seiner großen gelblichen Zähne nicht unbedingt ein Kompliment war. Dass Boris bezweifeln sollte, Anhänger zu haben, entbehrt nicht einer gewissen Koketterie, denn er wusste sehr genau, dass er auf Menschen hypnotisierend wirkte und von Männern wie Frauen gleichermaßen angebetet wurde. Der russische Lyriker Andrej Wosnessenski, der Pasternak später als Mentor gewinnen sollte, war schon bei seinem ersten Zusammentreffen mit dem Dichter ebenfalls im Jahr 1946 von dessen blendender Erscheinung fasziniert:

»Er war gleich mitten im Gespräch. ... Seine Wangenknochen bebten sacht, wie dreieckige Schwingen, wenn sie vor dem Flügelschlag eng an den Körper gepreßt sind. Ich vergötterte ihn. In ihm war Kraft und Schwung und eine himmlische Ungeschicklichkeit.

Beim Sprechen ruckte und reckte er das Kinn hoch, als wollte er sich des Kragens entledigen und des eigenen Leibes. ... Seine kurze Nase hatte unmittelbar unter der Nasenwurzel einen Höcker und verlief dann gradlinig, einem dunkel getönten winzigen Gewehrkolben gleich. Die Lippen einer Sphinx. Kurzgeschorenes graues Haar. Das Wichtigste aber war die rollende, dampfende Welle von Magnetismus.«[26]

Sein ganzes Leben lang waren die Frauen hinter Boris Pasternak her. Dabei hatte er nichts von einem Don Juan an sich; es war eher das Gegenteil. Er verehrte Frauen, empfand für sie eine tiefe Empathie, da er sah, dass Frauen wie auch Dichter in ihrem Seelen- und Gefühlsleben oft mit komplexen und verwickelten Situationen zu kämpfen hatten. Sein schicksalhaftes Treffen mit Olga bei *Nowy Mir* sollte sich als die größte Verwicklung erweisen, die sein emotionales und kreatives Leben untrennbar miteinander verwob.

Nachdem er ein paar Worte mit Sinaida Piddubnaja gewechselt hatte, küsste er beiden Frauen die Hand und ging. Olga war wie vom Donner gerührt. Es war einer dieser lebensverändernden Momente, in denen sie fühlte, dass ihre Welt aus den Angeln gehoben wurde. »Ich war im Innersten erschüttert von etwas Unbenennbarem, als der Blick meines Gottes mich durchdrang. Dieser Blick war so fordernd, so männlich prüfend, daß es überhaupt keinen Irrtum gab: Der einzige mir notwendige Mensch war gekommen, jener Mensch, der im Grunde genommen schon immer bei mir war. Das war das erschütternde Wunder.«[27]

In *Doktor Schiwago* lernt der Leser Lara im Kapitel 2 »Ein Mädchen aus anderen Kreisen« kennen. Juri Schiwagos erste Eindrücke von Lara basieren auf den ersten Treffen zwischen

Boris und Olga: »›Sie legt keinen Wert darauf zu gefallen, schön oder gewinnend zu sein‹, dachte er. ›Sie verachtet diese Seite des weiblichen Wesens und hadert gleichsam mit sich wegen ihrer Schönheit. Diese stolze Feindseligkeit gegen sich selbst macht sie noch zehnmal anziehender.‹«[28]

Irina erinnerte sich, dass es zwischen Boris und Olga sofort funkte: »Boris hatte eine Schwäche für die spezielle Schönheit meiner Mutter. Es war eine müde Schönheit, nicht die einer strahlenden Siegerin, es war fast schon die Schönheit eines bezwungenen Opfers. Die Schönheit des Leidens. Wenn Boris in die schönen Augen meiner Mutter blickte, konnte er wahrscheinlich unendlich vieles darin sehen.«

Am folgenden Tag schickte Pasternak ein Paket an Olga. Fünf Gedichtbändchen und Übersetzungen landeten auf ihrem Schreibtisch bei *Nowy Mir*. Sein beharrliches Werben um sie hatte begonnen.

Vierzehn Jahre zuvor hatte Olga Boris zum ersten Mal gesehen. Damals war sie Studentin an der Moskauer Fakultät für Literatur und besuchte einen seiner Lyrikabende. Sie eilte gerade durch den Korridor zu ihrem Sitzplatz im Herzen-Haus in Moskau und freute sich darauf, dem »Helden der Lyrik« zu lauschen, der sein berühmtes Gedicht »Marburg« vortragen wollte, eine Chronik seiner ersten Liebe und seines ersten Liebeskummers. Gerade kündigte die Glocke den Beginn der Lesung an, da lief der nervöse schwarzhaarige Dichter plötzlich an ihr vorbei. Ihr war, als durchzuckte ihn eine elektrische Energie, als sei er jemand, den »die Leidenschaft... schüttelt«[29]. Nachdem er seine Lesung beendet hatte, drängte die erregte Menge zum Podium und umringte ihn. Olga sah, wie ein Taschentuch, das ihm gehörte, in Fetzen gerissen wurde und die Fans sogar die letzten Tabakbrösel aus seinen Zigarettenkippen aufsammelten und als kostbare Trophäen mitnahmen.

1946, über ein Jahrzehnt später, Olga war nun vierunddreißig, bekam sie eine Eintrittskarte für einen Abend in der Bibliothek des Historischen Museums, wo Pasternak aus seinen Shakespeare-Übersetzungen lesen sollte. Pasternaks erste Liebe, Ida Davidowna Wisotskaja, hatte ihn mit den Werken von Shakespeare in Berührung gebracht, als Boris an der Universität Marburg studierte; Ida war die Inspiration für sein Gedicht »Marburg« gewesen. Er hatte der Tochter eines wohlhabenden Moskauer Kaufmanns als jungem Mädchen Privatunterricht erteilt. 1912 waren Ida und ihre Schwester zu Besuch in Cambridge, wo Ida William Shakespeare und die englische Lyrik für sich entdeckte. Später im gleichen Sommer verbrachte sie drei Tage mit Boris in Marburg und schenkte ihrem Freund, der ernste Absichten hatte, eine Ausgabe der Stücke Shakespeares. Damit gab sie ihm indirekt den Anstoß zu einer neuen Berufung.

Am 5. November 1939 wurde Pasternaks Übersetzung des *Hamlet*, die der große Theaterdirektor Wsewolod Meyerhold angefordert hatte, im Moskauer Tschechow-Kunsttheater zur Aufführung freigegeben. Dies erfüllte Pasternak mit unendlichem Stolz, nicht zuletzt deshalb, weil die 1930er für ihn ein Jahrzehnt des Terrors und der Enttäuschungen gewesen waren. Gerade, als Pasternak sich für sein Vorhaben erwärmt hatte, den Roman zu schreiben, hielten äußere Umstände ihn von der Verwirklichung seines kreativen Traums ab. Zunächst hinderten ihn finanzielle Schwierigkeiten daran und später Isolation, Depressionen und Angst. 1933 hatte er an Maxim Gorki, den Patriarchen der Sowjetliteratur und Gründer des Literaturstils »Sozialistischer Realismus« geschrieben, dass er unbedingt kurze Arbeiten schreiben und schnell veröffentlichen müsse, um seine Familie zu ernähren, die sich nach Scheidung und Wiederverheiratung verdoppelt hatte.[30] Damals schon war Pasternaks Einstellung zu seiner Arbeit von Risikofreude geprägt. Für ihn, der sich dagegen sperrte, als Sprachrohr der sowjetischen Propaganda zu dienen, war es ein moralisches Gebot, die Wahrheit über diese Epoche zu schreiben. Er fand es unredlich, vor einem Hintergrund allgemeiner Entbehrungen in einer privilegierten Position zu sein. Doch wurde die Veröffentlichung seiner Arbeiten wegen Problemen mit der Zensur regelmäßig verzögert.

Im August 1929 wurde die gesamte literarische Zunft von einem Thema betroffen, das in der Presse hochkochte. Während der 1920er war es bei sowjetischen Schriftstellern gängige Praxis, im Ausland zu veröffentlichen, um sich ein internationales Copyright zu sichern (die UdSSR gehörte nicht zu den Unterzeichnerstaaten einer internationalen Copyright-Konvention) und die amtliche Zensur zu umgehen. Am 26. August beschuldigte die Sowjetpresse zwei Autoren, Evgenij Samjatin und Boris Pilnjak, die im Ausland publizierten, des schweren Landesverrats und antisowjetischer Verleumdung.[31] Die von Partei und Staat organisierte Verunglimpfungskampagne, die durch die Presse ging, hielt mehrere Wochen an und rief bei der schreibenden Zunft Angst und Verunsicherung hervor. Schließlich emigrierte Samjatin nach Frankreich, und Pilnjak wurde gezwungen, aus der Schriftstellergewerkschaft auszutreten. Pasternak nahm sich diese Fälle sehr zu Herzen, zumal er mit beiden Schriftstellern nicht nur stilistisch auf einer Linie lag, sondern auch persönliche Beziehungen pflegte. Diese literarischen Hexenjagden fielen mit der Kollektivierung der Landwirtschaft zusammen. In den folgenden paar Jahren sollte der brutal durchgesetzte

Erlass die ländliche Ökonomie zugrunde richten und Millionen von Menschen das Leben kosten.

Am 21. September 1932 fügte Pasternak einer in Arbeit befindlichen Gedichtsammlung in der staatlichen Verlagsanstalt Federazija eine Anmerkung hinzu. »Die Revolution geht so unglaublich unnachsichtig mit den Hunderttausenden und Millionen um, und wie sanft hingegen behandelt sie diejenigen mit Qualifikationen und garantierten Posten.«[32] Die Tatsache, dass er die Nöte in dieser grausamen Periode des nachrevolutionären Russlands in seiner Lyrik schonungslos äußerte, brachte ihm Attacken und Unmutsäußerungen seitens der sowjetischen Machthaber ein. Doch Boris ließ sich nicht einschüchtern. Sein Sohn Evgenij kommentierte das so: Er »musste der Zeuge der Wahrheit und die Stimme des Gewissens für seine Epoche werden«.[33] Vielleicht lag es daran, dass Boris sich den Rat seines Vaters zu Herzen nahm: »Sei aufrichtig in deiner Kunst«, hatte Leonid Pasternak ihn bestärkt, »dann werden deine Feinde keine Macht über dich haben.«

Im Sommer 1930 schrieb Pasternak das Gedicht »An einen Freund«, das er mutig mit der Widmung »Für Boris Pilnjak« versah. Pilnjaks neueste Novelle *Mahagoni*, ein idealisiertes Portrait eines trotzkistischen Kommunisten, war in Berlin veröffentlicht und in der Sowjetunion verboten worden. Pasternaks Gedicht wurde 1931 in der *Nowy Mir* und im Nachdruck von *Über die Barrieren* veröffentlicht. Das Gedicht, als Solidaritätsbekenntnis mit Pilnjak und als Warnung geschrieben, dass Schriftsteller unter Beschuss standen, zog vernichtende Kommentare der rechtgläubigen Kollegen und Kritiker Pasternaks nach sich. Paradoxerweise führte es zu mehr Kontroversen als der Standpunkt, den Pilnjak und seine Novelle vertraten. In »Für Boris Pilnjak« schrieb Pasternak:

Meß ich mich nicht am Fünfjahrplane,
Strauchle ich nicht, lern ich nicht mit ihm laufen?
Doch wohin, sag, mit meinem Rippenkasten,
Der Trägheit, träger als ein Kehrichthaufen?

Vergebens, in der Zeit des Großen Rates,
Da hohe Leidenschaft das Feld besetzt,
Strebt keiner nach dem freien Dichteramte:
Gefährlich jedem, der die Feder netzt.[34]

1933 war es offensichtlich geworden, dass die Kollektivierung – die mindestens fünf Millionen Kleinbauern das Leben
gekostet hatte – eine schreckliche und unumkehrbare Katastrophe war. Pasternak schrieb später in *Doktor Schiwago*:
»Ich meine, die Kollektivierung war eine falsche, mißlungene
Maßnahme, und sie wollten nur nicht den Fehler zugeben.
Um den Mißerfolg zu bemänteln, mußten sie den Menschen
mit allen Abschreckungsmitteln das Denken und Urteilen ab-
gewöhnen und sie zwingen, Nichtvorhandenes zu sehen und
dem Augenschein Zuwiderlaufendes zu behaupten. Daher
die beispiellose Grausamkeit der Jeshow-Zeit, die Verkün-
dung der Verfassung, die gar nicht angewendet werden sollte,
und die Einführung von Wahlen, die überhaupt nicht auf dem
Wahlprinzip beruhten.

Als der Krieg ausbrach, waren seine realen Entsetzlichkei-
ten, seine realen Gefahren und seine realen Todesdrohungen geradezu ein Segen, verglichen mit der unmenschlichen
Herrschaft von Ausgedachtem, sie brachten Erleichterung,
denn sie schränkten die Zauberkraft des toten Buchstabens
ein.«[35] An anderer Stelle sagt Juri zu Lara: »Alles Überkom-
mene, Eingefahrene, alles, was mit dem täglichen Leben, dem
häuslichen Nest und der menschlichen Ordnung zu tun hat,

ist im Zusammenhang mit dem Umsturz der Gesellschaft und ihrem Umbau zu Staub zerfallen. Alle Sitten und Gebräuche sind umgestoßen und zerstört. Geblieben ist einzig die nicht alltägliche, unbemühte Macht der nackten, bis auf den letzten Faden ausgeplünderten Herzenswärme ...«[36]

Während der großen Säuberung in den 1930ern, der ein Großteil der bolschewistischen Elite, Generäle, Schriftsteller und Künstler zum Opfer fiel, sah sich Pasternak zunehmend zum Stillhalten gezwungen, überzeugt davon, dass auch er nicht mehr lange auf einen nächtlichen Besuch werde warten müssen. Seine Verzweiflung verstärkte sich, als der Regisseur Wsewolod Meyerhold, kurz nachdem er ihn um die Übersetzung des *Hamlet* gebeten hatte, mit seiner Frau Sinaida Reich von der Geheimpolizei liquidiert wurde. Tapfer arbeitete Boris an seiner Übersetzung weiter, die ihm »den mentalen Spielraum gab, seiner ständigen Angst zu entfliehen.«[37]

Sein Mut zahlte sich aus. Am 14. April 1940 wurde er eingeladen, seinen *Hamlet* im Moskauer Schriftstellerclub vorzutragen. Über diesen Abend schrieb er an seine Cousine Olga Freudenberg: »Es ist ein mit nichts zu vergleichender Hochgenuß, das Stück ohne Striche vorzulesen, und sei es zur Hälfte. Drei Stunden lang fühlt man sich im höchsten Sinne des Wortes als Mensch – unabhängig, innerlich glühend, nicht mehr sprachlos; drei Stunden weilt man in Sphären, die von Geburt her und aus der ersten Lebenshälfte vertraut sind, und dann fällt man, vom Energieverschleiß entkräftet, ins Ungewisse, ›kehrt in die Wirklichkeit zurück‹.«[38]

* * *

Das erste Mal, dass Olga Iwinskaja Boris aus der Nähe sah, »sich als Mensch fühlte« und »drei Stunden lang unter Strom« stand, war ein Abend im Herbst 1946, an dem er seine Shakespeare-Übersetzungen in der Moskauer Museumsbibliothek vortrug. Sie beschrieb ihn als hochgewachsen und gepflegt. »Er war schlank, gut gebaut, wirkte außerordentlich jugendlich, hatte den kräftigen Hals eines jungen Mannes. Zum Publikum sprach er mit tiefer, leiser Stimme, so wie man sich selbst oder einem nahen Freund etwas vorliest…«[39] In der Pause nahmen einige aus dem Auditorium allen Mut zusammen und baten ihn, aus seinen eigenen Arbeiten zu lesen, doch er lehnte ab und erklärte, dass der Abend nicht ihm selbst, sondern Shakespeare gewidmet sei. Olga war zu aufgeregt, um sich den »privilegierten Leuten« anzuschließen, und machte sich stattdessen auf den Weg nach Hause, wo sie erst nach Mitternacht eintraf. Da sie ihren Schlüssel vergessen hatte, musste sie ihre Mutter aus dem Bett holen. Als diese sie wütend zurechtwies, entgegnete Olga: »Lass mich in Ruhe, ich habe gerade mit Gott gesprochen!«

Wie ihre Schulfreundinnen und »alle anderen in meinem Alter« war auch Olga in ihrer Jugend in Boris Pasternak verknallt. Als Teenager wanderte sie häufig durch Moskau und murmelte die betörenden Zeilen seiner Lyrik vor sich hin. Sie begriff instinktiv, »daß hier Worte eines Gottes aufklangen, daß ich den mächtigen ›Gott des Details‹, die Stimme des ›allmächtigen Gottes der Liebe‹ vernahm.«[40] Zu ihrer ersten Reise in den Süden ans Meer schenkte ihr eine Freundin Pasternaks Novelle *Ljuvers Kindheit*. Der lilafarbene Einband des Buches, das wie ein längliches Schulheft aussah, fühlte sich rau an. Diese Novelle, die Boris 1917 begonnen und 1922 veröffentlicht hatte, war sein erstes Prosawerk. Erstmals im Almanach *Nashia Dni* erschienen, hatte Pasternak die Novelle als ersten Teil eines Romans vorgesehen, der vom Bewusstwerdungsprozess der Shenja Ljuvers handelte, einem jungen Mädchen, Tochter eines belgischen Fabrikdirektors im Ural. Obwohl

Shenja Ljuvers vielfach als Vorlage für die Lara in *Doktor Schiwago* angesehen wurde, bezog Pasternak sich in großen Teilen eher auf die Kindheit seiner Schwester Josephine.

Während der Zug Richtung Süden ratterte, versuchte Olga in der oberen Koje ihres Schlafwagenabteils zu ergründen, wie ein Mann einen so intimen Einblick in die verborgene Welt eines jungen Mädchens gewinnen konnte. Ihr und vielen ihrer Altersgenossinnen fiel es oft schwer, Pasternaks Bildersprache zu verstehen; sie war eher mit den traditionelleren Gedichten vertraut. »Doch die Lösung des Rätsels hing in der Luft«, schrieb sie. »Wir konnten schon den Frühling erkennen, ›im Wäschebündel eines aus dem Spital Entlassenen‹. ›Kerzenstummel, auf Frühlingsäste geklebt‹ brauchten wirklich nicht Knospen genannt zu werden … Ja, es war Zauberei und Wunder. … Den Leser bedrängt die Begierde, das von einem Gott ihm hinter verschlossener Tür Vorenthaltene zu entdecken.«[41] Und nun konnte Olga kaum glauben, dass »der Magier, der mich verzaubert hatte, als ich sechzehn war … leibhaftig in mein Leben getreten« war.[42]

Ihre junge Liebe entwickelte sich rasant. Boris versuchte keinen Augenblick lang, seine Zuneigung zu der verführerischen Redakteurin zu verbergen, noch gegen sein Verlangen nach ihr anzukämpfen. Er rief sie jeden Tag im Büro an, wo Olga, »krank vor Glück«, jedoch bange, sich mit dem Dichter zu verabreden oder mit ihm zu sprechen, ihn immer wieder vertröstete. Davon ließ sich ihr Verehrer jedoch nicht abschrecken und kam jeden Nachmittag zur *Nowy Mir*. Er begleitete sie über die Moskauer Boulevards zu ihrer Wohnung in der Potapow-Gasse, wo sie mit ihrem Sohn Mitja, ihrer Tochter Irina, ihrer Mutter und ihrem Stiefvater lebte.

Da auch Boris Familie zu Hause hatte, verbrachten sie die erste Zeit ihrer Liebe mit Spaziergängen über die breiten Straßen Moskaus und mit Gesprächen. Sie trafen sich an den Denkmälern großer Dichter; ihr üblicher Treffpunkt war die Puschkin-Statue am Puschkin-Platz an der Kreuzung Twerskoj-Boulevard und Twerskaja-Straße. Bei einem ihrer Stadtspaziergänge kamen sie an einem Kanaldeckel vorbei, auf dem der Name des Industriellen »Schiwago« stand. Schiwago bedeutet so viel wie »Leben« oder »Doktor Lebhaft«, und Boris war inspiriert von diesem Namen. Als er sich in Olga verliebte und damit seine wahre Lara gefunden hatte, änderte er den Arbeitstitel des Romans von *Jungen und Mädchen* zu *Doktor Schiwago*.

Im neuen Jahr, am 4. Januar 1947, erhielt Olga die erste schriftliche Nachricht von Boris: »Noch einmal wünsche ich Ihnen aus tiefster Seele alles erdenklich Gute. Wünschen Sie mir, daß ich bald mit der Durchsicht des ›Hamlet‹ und ›1905‹ fertig werde, damit ich mich wieder an meine eigentliche Arbeit setzen kann. Sie sind so wundervoll. Ich will, daß es Ihnen gutgeht. B. P. «[43] Obwohl Olga sich freute, dass ihr hochverehrter Bewunderer ihr zum ersten Mal eine Nachricht geschickt hatte, war sie von dem kühlen, formellen Ton ein wenig enttäuscht. Die Romantikerin in ihr, die etwas mehr Wärme erwartet hatte, befürchtete, dass dies seine Art war, sie auf Abstand zu halten. Sie hätte sich nicht zu sorgen brauchen. Dem besessenen Schriftsteller, der seine junge Schönheit umwarb, genügte bald nicht einmal mehr der tägliche Kontakt mit Olga.

Da Olga kein Telefon in ihrer Wohnung hatte und Boris mit ihr auch an den Abenden sprechen wollte, gab sie ihm kurz entschlossen die Nummer ihrer Nachbarn, den Wolkowas, die ein Stockwerk tiefer an derselben Treppe wohnten und stolze Besitzer eines Telefons waren – im Moskau der damaligen Zeit ein seltener Luxus. Jeden Abend hörte Olga ein morseähnliches Klopfen an den Heißwasserleitungen, das Signal, dass Pasternak am Telefon war. Als Antwort klopfte sie auf die feuchten Wände ihrer Wohnung und lief dann die Treppe hinunter, um die markante Stimme des Mannes zu hören, in den sie sich gerade verliebte. »Kam sie dann einige Augenblicke später zurück, war sie wie entrückt, ganz nach innen gekehrt«, erinnerte sich Irina. »Ein Jahr lang waren ihre Treffen mit Boris begleitet von Vorhaltungen, dem Klopfen an Wände und ständiger Beobachtung, bis unsere Familie angesichts der Unvermeidlichkeit ihrer Leidenschaft ein Einsehen hatte und beschloss, Pasternak offiziell kennen zu lernen.«

Am Tag zuvor hatte Boris Olga im Büro angerufen und verkündet, dass er sie treffen müsse, um ihr zwei wichtige Dinge zu sagen. Er bat sie, so schnell wie möglich zur Puschkin-Statue zu kommen. Als Olga dort eintraf – sie hatte sich kurze Zeit von ihrer Arbeit freigenommen – war Boris schon da und lief nervös auf und ab. Er sprach in einem seltsamen Tonfall, der nichts von seiner sonst üblichen, unverhohlenen Selbstsicherheit verriet. »Sehen Sie mich jetzt nicht an«, sagte er zu Olga. »Ich habe eine Bitte: Ich möchte, daß wir ›du‹ zueinander sagen, weil ›Sie‹ schon längst eine Lüge ist.«[44]

Im Hinblick auf ihre junge Liebe war das ein bedeutender Schritt vorwärts, weg vom formellen »Sie«, hin zur Vertrautheit des »du«.

»Ich kann nicht ›du‹ zu Ihnen sagen, Boris Leonidowitsch«, wehrte sich Olga. »Ich kann einfach nicht. Es erschreckt mich.«

»Nein, nein! Sie werden sich daran gewöhnen«, rief er. »Schön, dann sagen Sie einstweilen weiter »Sie« zu mir, aber lassen Sie mich ›du‹ zu Ihnen sagen.«

Geschmeichelt und gleichzeitig beunruhigt angesichts dieser neuen Vertrautheit, kehrte Olga wieder zu ihrer Arbeit zurück. Gegen neun Uhr abends hörte sie das vertraute Klopfen an den Rohren in ihrer Wohnung. Sie rannte hinunter ans Telefon. »›Ich habe dir ja das zweite, das andere noch nicht gesagt‹, begann er, ›und du hast mich nicht danach gefragt. … Also: das erste war, daß wir einander du sagen wollen, und das andere – ich liebe dich. Ich liebe dich, und darin besteht nun mein ganzes Leben. Morgen komme ich nicht in die Redaktion, ich warte vor deinem Haus, du kommst zu mir hinunter, und wir werden durch Moskau wandern.‹«[45]

An jenem Abend schrieb Olga eine »Beichte« an Boris; einen Brief, der am Ende ein Schulheft füllte. Darin berichtete sie in allen Einzelheiten von ihrer Vergangenheit, ließ kein Detail ihrer beiden Ehen und der Probleme aus, mit denen sie in ihrem Leben schon zu kämpfen hatte. Sie erzählte ihm, dass sie 1912 in einer Provinzstadt zur Welt gekommen war, wo ihr Vater Lehrer an der Mittelschule war. 1915 zog die Familie nach Moskau um. 1933 machte sie ihren Abschluss im Fach Literatur an der Universität Moskau. Ihre beiden Ehen hatten tragisch geendet.

Olgas Vergangenheit war bunt und komplex, eine Tatsache, auf die sich ihre Kritiker in den literarischen Kreisen Moskaus stürzten, nachdem Gerüchte über ihre Affäre mit Boris durchgesickert waren. Sie erzählte Boris jede Einzelheit und berichtete in ihrem »Beichtheft« auch vom Tod ihrer beiden früheren Ehemänner. Sie wollte sich nicht vorwerfen lassen, irgendetwas vor ihm zu verbergen. Seltsam ist allerdings, dass selbst ihre Tochter Irina nicht sicher war, ob Iwan Jemeljanow der erste oder zweite Ehemann ihrer Mutter war. »Iwan [Wanja] Jemeljanow ist der Mann, von dem ich meinen Namen habe«, schrieb Irina später.[46] »Er war der zweite (vielleicht auch dritte) Ehemann meiner Mutter und vertrat bei mir die Vaterrolle. Wenn Sie sein Gesicht auf Fotos betrachten, ist es schwer zu glauben, dass er nur ein Bauer war und seine Mutter mit dem schwarzen Kopftuch Analphabetin gewesen sein soll. Seine Familie hatte etwas Stilvolles, irgendwie Elegantes an sich.«

Iwan Jemeljanow erhängte sich 1939, als Irina neun Monate alt war. Anscheinend hatte er Olga verdächtigt, eine Affäre mit seinem Rivalen und Feind Alexander Winogradow zu haben. Irina zufolge war ihr Vater »ein Mann aus einer anderen Zeit, ein guter Familienmensch, ein Ehemann mit Prinzipien und ein schwieriger Lebenspartner. Ihre Ehe musste zwangsläufig scheitern.«[47] Auf Familienfotos war ihr Vater als »hochgewachsener Mann mit düsterem Gesicht und leidendem Gesichtsausdruck« zu sehen, »aber durchaus attraktiv«.

Auch wenn Olga Iwans Tod betrauerte, so hielt ihr Kummer, wie Irina ironisch feststellte, nicht sehr lange vor. Kaum war die vierzigtägige Trauerzeit verstrichen, als ein Mann (Winogradow) mit langem Ledermantel vor dem Haus der Familie gesehen wurde, wo er auf Irinas Mutter wartete. Olga und Winogradow heirateten bald und bekamen einen Sohn, Dmitri (den die Familie Mitja nannte). Winogradow stammte aus einer großen verarmten, von Krankheiten und Alkohol gezeichneten Familie, war aber selbst brillant und willensstark.[48] Er befürwortete die neue, sowjetische Ordnung und hatte sich im Alter von vierzehn Jahren vom Leiter eines armen Kleinbauernkomitees nach oben gearbeitet. Bald wurde er mit der Führung einer Kolchose betraut und zog dann nach Moskau um, wo er einen Geschäftsleitungsposten im redaktionellen Beirat einer Zeitschrift namens *Samolet* übernahm. Dort lernte er Olga kennen, die als Sekretärin arbeitete.

Winogradow starb 1942 an einem Lungenödem, und Olga war zum zweiten Mal Witwe. »Viel Schlimmes lag schon hinter mir«, schrieb sie später. »Der Selbstmord meines ersten

Mannes, Irinas Vater, Iwan Wassiljewitsch Jemeljanow; der Tod meines zweiten Mannes Alexander Petrowitsch Winogradow. Er starb im Krankenhaus in meinen Armen.... Auch hatte es viele flüchtige Verliebtheiten und Enttäuschungen gegeben.«[49] Und so schloss Olga ihre Beichte an Boris: »Und nun urteilen Sie selbst (ich blieb beim ›Sie‹). Wenn andere Menschen Ihretwegen haben weinen müssen, so habe auch ich Anlaß zu Leid und Tränen gegeben. Ich mußte Ihnen dies alles schreiben als Antwort auf Ihre Worte: ›Ich liebe dich‹, Worte, die mich so glücklich machen, wie nichts zuvor in meinem Leben.«[50]

Am folgenden Morgen, als sie auf dem Weg zur Arbeit die Treppe von ihrer Wohnung hinunterkam, wartete Boris schon unten im Hof an einem trockenen Brunnen auf sie. Sie gab ihm das Schulheft, und er, der kaum erwarten konnte, es zu lesen, umarmte sie nur kurz und ging dann. Den ganzen Tag lang war Olga viel zu aufgewühlt, um sich auf ihre Arbeit zu konzentrieren, so sehr beschäftigte sie die Frage, wie er wohl auf ihre persönlichen Aufzeichnungen reagieren werde. Falls sie mit ihrer Beichte stellenweise beabsichtigt hatte, ihn zu vergraulen, hatte sie sich allerdings grandios verkalkuliert, denn sie unterschätzte Boris' tiefes Verständnis für die Zwangslage von Frauen, denen Unrecht geschah.

In jener Nacht riefen Klopfzeichen Olga um halb zwölf abermals ans Telefon. Ihre wenig begeisterte, leidgeprüfte Nachbarin, die schon geschlafen hatte, ließ Olga in die Wohnung, damit sie mit ihrem Liebsten sprechen konnte. Olga war das alles schrecklich peinlich, doch Boris' Stimme sprühte so vor Glück, dass sie es nicht schaffte, ihm nahezulegen, zu einer solch unchristlichen Zeit nicht mehr anzurufen.

»Oljuscha, ich liebe dich«, verkündete er. »Von nun an

werde ich versuchen, die Abende für mich allein zu verbringen, dann kann ich an dich denken: wie du an deinem Redaktionstisch sitzt, wie dort, Gott weiß wieso, Mäuse herumhuschen, wie du deine Kinder versorgst. Du bist regelrecht in mein Leben hereinspaziert. Dieses Heft wird immer mit mir sein, aber du mußt es für mich aufbewahren. Zu Hause kann ich es nicht behalten, es könnte gefunden werden.«[51]

Nach diesem Telefongespräch wusste Olga, dass sie und Boris eine Grenze überschritten hatten: Nun würde nichts mehr sie trennen, mochte ihr Weg sich auch als noch so steinig erweisen. Es gab kaum einen Zweifel daran, dass sie sich gefunden hatten. Boris brauchte dieses Mysterium der Liebe auf den ersten Blick ebenso wie Olga. Sie waren beide einsam, voller Sehnsucht nach Liebe und steckten in schwierigen, emotional unbefriedigenden familiären Situationen.

Am 3. April 1947 bekam Boris die Einladung, Olgas Familie im obersten Stockwerk eines fünfstöckigen Hauses zu besuchen. Irina, neun Jahre alt, trug ein hübsches rosa Kleid mit passenden Schleifen im Haar. Da sie sich mit den »schlechten Zeiten im Krieg und nach dem Krieg«[52] längst arrangiert hatte, fühlte sie sich derart herausgeputzt unwohl. Auch stand sie unter beträchtlichem Druck, weil Olga ihr am Abend zuvor immer wieder Pasternaks Gedichte vorgelesen hatte, die sie auswendig lernen und dem hohen Gast vortragen sollte. Irina, die nichts von dem verstand, was sie aufsagte, wurde nervös: »Selbst Worte, die ich kannte, wie ›Garage‹ und ›Taxidepot‹, haben in diesen Gedichten eine ungewöhnliche Bedeutung, und ich hatte das Gefühl, sie noch nie gelesen zu haben. Ich kam mir so hilflos vor; es war mir unmöglich, sie auszusprechen. Mama war verzweifelt, aber was konnte sie schon machen?«[53]

Olga hatte eine Flasche Cognac und eine Schachtel Schokolade vor Boris auf den Tisch gestellt. Irina zufolge hatte ihre Mutter sich für die »minimalistische Lösung« entschieden, da sie befürchtete, der Schriftsteller könnte sich über ihre Essgewohnheiten wundern, die »man einem solchen Mann wirklich nicht zumuten konnte.«[54] Boris saß an dem Tisch mit dem überdimensionierten Wachstuch, behielt wie immer seinen langen schwarzen Mantel an und setzte auch seine etwas speckige schwarze Persianermütze nicht ab. Um die Unterhaltung ein wenig in Schwung zu bringen, erzählte Olga, dass Irina Gedichte schrieb. Irina lief rot an, als Boris sogar versprach, sich ihre Gedichte bei einer späteren Gelegenheit anzusehen.

Trotzdem war Irina schwer beeindruckt von ihm. Er hatte »etwas Bemerkenswertes an sich. Seine dröhnende Stimme, mit der er sein berühmtes ›ja, ja, ja‹ einwarf. Seine Ausstrahlung war magnetisch, magisch.«[55]

Obwohl Olgas »Idol« Irina einschüchterte und verlegen machte, hinterließ ihr erstes Zusammentreffen auch bei dem aufstrebenden Romanschreiber einen unauslöschlichen Eindruck: »Es kam der Tag, an dem meine Kinder Boris Leonidowitsch zum ersten Mal sahen«, schrieb Olga später. »Irina, ein dünnes Händchen auf die Stuhllehne gestützt, sagte ein Gedicht von ihm auf. Ich weiß nicht, wie sie es fertiggebracht hat, dieses schwierige Gedicht … auswendig zu lernen«. Danach wischte Boris eine Träne fort und gab ihr einen Kuss. »›Was für ungewöhnliche Augen sie hat!‹«, rief er aus. »›Irotschka, sieh mich an. Ich nehme dich, so wie du bist, in meinen Roman!‹«[56]

Was er dann auch sofort in die Tat umsetzte. In *Doktor Schiwago* beschreibt Pasternak Laras Tochter Katenka: »Ein kleines Mädchen von vielleicht acht Jahren mit zwei dünnen Zöpfchen war hereingekommen. Die schmalen, schrägen

Augen verliehen ihr ein übermütiges, verschmitztes Aussehen. Wenn sie lachte, zog sie die Augenbrauen hoch. Sie hatte schon vor der Tür gemerkt, daß ihre Mutter Besuch hatte, doch als sie hereinkam, hielt sie es für notwendig, plötzliche Verwunderung zu mimen, machte einen Knicks und warf dem Arzt den starren, furchtlosen Blick des schon früh nachdenkenden, allein aufwachsenden Kindes zu.«[57]

Seit dem Moment, da Boris in das Leben von Olgas Familie trat, fühlte er sich zerrissen zwischen seiner Liebe und Loyalität zu ihr und zu seiner Frau Sinaida sowie zu deren gemeinsamem Sohn Leonid; genauso zerrissen wie Jahre zuvor zwischen Sinaida und seiner ersten Frau Evgenija und ihrem gemeinsamen Sohn Evgenij. Fast ein Jahrzehnt vorher, am 1. Oktober 1937, hatte Pasternak seinen Eltern über die nicht thematisierte, schlechte Stimmung bei sich zu Hause geschrieben: »Eine getrennte Familie, zerfleischt von Leid, die ständig über die Schulter auf diese andere Familie, die erste schaut.«[58]

Obwohl Boris unter Schuldgefühlen litt, weil er Sinaida (und vor ihr Evgenija) Leid zugefügt hatte, war es fast so, als ob ein Teil von ihm dieses Drama gequälter Seelen sogar genoss – oder zumindest brauchte. So erwog er niemals ernsthaft, Olga zu verlassen. Zu Beginn seiner Beziehung mit Olga erzählte er seiner Künstlerfreundin Ljussja Popowa, er habe sich verliebt. Als sie sich nach Sinaida erkundigte, gab er zur Antwort: »Aber was ist denn Leben, was ist Leben anderes als Liebe? … Sie ist bezaubernd, so hell, so leuchtend. Und diese goldene Sonne ist in mein Leben gekommen. Das ist so herrlich, so herrlich. Ich habe nicht geglaubt, noch einmal solche Freude zu erleben.«[59]

2

Mutterland und Wunderpapa

Pasternak hatte seine erstaunliche Arbeitsmoral von seinem Vater Leonid geerbt, einem post-impressionistischen Maler, der ungeheuren Einfluss auf das kreative Leben seines Sohnes ausübte. Alle Kinder Leonids – Boris, Alexander, Josephine und Lydia – hatten in ihrem Elternhaus das »leuchtende, immerwährende Beispiel des Künstlertums«[60] ihres Vaters vor Augen gehabt, und nun war es ihnen peinlich, dass Boris' Ruhm den des Vaters überstrahlte.

Vor der Revolution, als die Familie zusammen in Moskau lebte, war Leonid und nicht Boris der Bekanntere der beiden. Leonids Wirken fiel in eine der fruchtbarsten Perioden des kulturellen Lebens in Russland. Er malte und pflegte persönliche Kontakte mit Leo Tolstoj, Sergej Rachmaninow, dem Komponisten Alexander Skrjabin und dem Pianisten und Komponisten Arthur Rubinstein, Gründer des Petersburger Konservatoriums. Der russische Maler Ilja Repin entwickelte eine solche Hochachtung für Leonid, dass er ihm später Kunststudenten anvertraute. In der Familie herrschte mit Sicherheit der Eindruck vor, Leonid und seine Frau, die Pianistin Rosalia, seien übersehen worden. Alle schämten sich stillschweigend, dass Boris beide in den Schatten gestellt hatte, doch nur Boris fand Worte dafür.

1934, als Boris vierundvierzig Jahre alt war, schrieb er an

Leonid: »Du warst ein wirklicher Mann … ein Riese, und vor diesem Bild, groß und weit wie die Welt, bin ich ein absolutes Nichts und in jeder Beziehung ein Junge wie damals.«[61] Im November 1945, ein paar Monate nach Leonids Tod, schrieb Boris an Josephine: »Ich habe ihm geschrieben, er möge nicht gekränkt sein, dass seine gigantischen Verdienste nicht zum hundertsten Teil gewürdigt werden, … dass es in unsrem Leben keinerlei Ungerechtigkeit gab, dass das Schicksal ihn nicht klein gemacht und benachteiligt hat, dass letztendlich doch er triumphiert, er, der ein so echtes, authentisches, interessantes, bewegtes, reiches Leben geführt hat …«[62]

Was Leonid zweifellos als Erfolg für sich verbuchen konnte, war sein erfülltes Privatleben. Seine Ehe mit Rosalia war ausgesprochen glücklich; die beiden liebten einander hingebungsvoll. Leonid war einer der wenigen Künstler, die ein wirklich zufriedenes Leben führten. Im Gegensatz zu vielen Künstlern fand er immer Zeit für seine Kinder. Leider traf das nicht auf Boris zu. Der Schriftsteller stellte seine Arbeit stets über seine Familie, und diese wiederum hätte es als unpassend empfunden, das zu kritisieren. »Er war ein Genie«, sagte Evgenij über seinen Vater Boris, womit er quasi dessen väterliche Versäumnisse entschuldigte. »Er gehörte zu einer seltenen Spezies: ein freier Mann. Er war seiner Zeit weit voraus, und er hatte es nicht leicht, seinen Traum zu leben. Es ist so traurig, wenn du dein Genie deiner Familie opfern musst. Wir gingen nur zu ihm, wenn es absolut notwendig war. Ich freute mich über seine Hilfe, bat aber nie darum. Wir belästigten ihn nicht. Er war ein dominanter Mann, das wussten wir, und das respektierten wir.«[63]

Keines der Kinder Leonids hatte je das Gefühl, sich seiner Kunst unterordnen zu müssen oder dass im Leben ihres Vaters irgendetwas wichtiger sein könnte als sie. Sie wurden vielmehr zu seiner Kunst. Zeitgenossen pflegten zu scherzen, dass »Pasternaks Kinder entscheidend zum Lebensunterhalt der Familie beitrugen«[64], denn sie waren seine bevorzugten Modelle. Er war ein Meister des schnellen Striches, dem es gelang, charakteristische Momente und Posen einzufangen, und so gehören seine Kohlezeichnungen vom Familienleben zu den wohl kraftvollsten seiner Kompositionen. Allein aus diesen liebevollen Zeichnungen ergibt sich, dass Rosalia eine hingebungsvolle Mutter war. Auf jedem ihrer Portraits beugt sie sich über ihre Kinder. Egal, ob sie mit ihnen am Klavier sitzt, ihnen beim Lernen oder Zeichnen zusieht: Immer ist ihre mütterliche Zuwendung greifbar.

Leonid lernte Rosalia Isidorowna Kaufman 1885 in Odessa kennen, wo er aufgewachsen war. Er war dreiundzwanzig und sie achtzehn. Die Pasternaks stammen von Juden ab, deren Vorfahren sich im 18. Jahrhundert in Odessa niedergelassen hatten. Leonid hatte blaue Augen, war schlank und gutaussehend und stutzte sein Ziegenbärtchen akkurat. »Er trug immer eine Art Halstuch«, erinnert sich sein Neffe Charles: »Niemals eine Krawatte, sondern einen lockeren weißen, zur Schleife gebundenen Seidenschal. Er war kein eitler Mann, aber vermutlich gefiel ihm sein Gesicht, denn er malte ständig Selbstportraits.« Als Junge war Charles vom Fingernagel des rechten Ringfingers Leonids hingerissen: »Er ließ ihn absichtlich lang wachsen, um damit überschüssige Farbe von der Leinwand zu kratzen.«[65]

Wie Leonid besaß auch Rosalia außergewöhnliches Talent. Sie war Konzertpianistin und debütierte schon als Neunjährige unter großem Beifall in einem Mozart-Klavierkonzert. Bereits mit fünf Jahren saß sie während der Klavierstunden ihrer älteren Schwester regelmäßig unter dem Flügel und lauschte den Übungen, um anschließend die Stücke aus dem

Gedächtnis nachzuspielen. Rosalia strahlte Geborgenheit aus, war gut gepolstert, hatte dichtes kastanienfarbenes, stets zu einem ordentlichen Knoten gebundenes Haar und dunkle Augen. »Zu Rosa fühlte ich mich mehr hingezogen als zu ihren Freundinnen und anderen jungen Frauen«, erinnerte sich Leonid. »Das lag nicht nur an ihrem außergewöhnlichen Musiktalent – das wie jedes angeborene Talent alles überstrahlte –, sondern auch an ihrem Verstand, ihrer seltenen Gutmütigkeit und ihrer reinen Seele.«[66] Obwohl Leonid verzaubert von ihr war, wehrte er sich anfangs gegen eine Beziehung, denn er fürchtete, es könnte ihrer Karriere hinderlich sein. Leonid wusste auch nicht wirklich, was er ihr als verarmter Künstler zu bieten hatte, zumal sie es schon zur Professorin am Konservatorium in Odessa gebracht hatte. Das Schicksal wollte es anders, und so liefen sie einander immer wieder über den Weg. Bevor er ihr einen Heiratsantrag machte (sie heirateten am Valentinstag 1889), versank Leonid in eine für ihn ungewöhnliche nachdenkliche Apathie: »Eine ungelöste Frage quälte mich ständig: War es möglich, die ernsthafte und allumfassende Beschäftigung mit der Kunst in Einklang zu bringen mit einem Familienleben?«[67]

Er hätte sich nicht zu sorgen brauchen: Für ihn war es definitiv möglich. Für Rosalia leider weniger. Nachdem Boris am 10. Februar 1890 auf die Welt kam, beendete sie ihre Konzertkarriere, spielte aber immer noch im privaten Rahmen und verdiente in ihrer freien Zeit Geld mit Klavierstunden. 1895 unterbrach sie ihr Rentnerdasein und gab eine Reihe von Wohltätigkeitskonzerten zugunsten der Moskauer Hochschule für Malerei, Bildhauerei und Architektur, an der Leonid lehrte. Die Zeitschrift *Moskowskije Wedomosti* berichtete, dass »die sehr talentierte Pianistin, Frau Rosalia Isidorowna Pasternak (Ehefrau eines berühmten Künstlers) den

Klavierpart des Quartetts von Schumann spielte«. Die Konzerte waren ein rauschender Erfolg.

Als die Kinder heranwuchsen, bekamen sie mit, dass ihre Mutter ihre Karriere für die Familie geopfert hatte, was sie traurig stimmte. Während eines Familienurlaubs in Schliersee, Bayern, hörte Josephine zufällig, wie ihr Vater zu ihrer Mutter sagte:»Mir ist jetzt klargeworden, dass ich dich nicht hätte heiraten sollen. Es war mein Fehler. Du hast dein Talent mir und der Familie geopfert. Von uns beiden bist du die größere Künstlerin.« Die Kinder hielten seine Einschätzung für allzu bescheiden. »Es wäre besser gewesen, wir wären gar nicht erst geboren worden«, schrieb Lydia, »aber vielleicht war es mit Boris' Geburt dann doch wieder gerechtfertigt.«[68]

Josephine erinnerte sich aus ihrer Kindheit: »Wenn ich an unsere Familie zurückdenke, wie sie war, bevor wir (während der Revolution) auseinandergingen, sehe ich sie so: drei Sonnen oder Sterne und drei kleinere zu ihnen gehörige Himmelskörper. Die kleineren waren Alexander, Lydia und ich. Die Sonnen waren Vater, Mutter und Boris. Mutter war die strahlendste Sonne. Wie herausragend Vater und Boris auch waren, konnte man doch bei beiden ein Bestreben, ein Suchen in ihrer Kunst erkennen. Mutter versuchte nie zu strahlen: sie tat es so natürlich, wie die Menschen atmen.«[69]

1903 mieteten die Pasternaks ein Sommerhaus auf einem Anwesen im Dorf Obolenskoje, hundert Kilometer südwestlich von Moskau. Die Abende verbrachten sie mit Rosalia am Piano, deren Musik durch die offenen Fenster wehte. Als der Teenager Boris mit seinem Bruder Alexander wieder einmal Cowboy und Indianer spielte, gerieten sie zufällig auf das benachbarte Anwesen, auf dem der Pianist Skrjabin wohnte und gerade Le Divin Poème, einen Teil seiner Symphonie

Nr. 3 in c-Moll komponierte. Boris lauschte und war so verzaubert, dass er beschloss, ebenfalls Komponist zu werden. Dank Rosalias Unterricht war er bereits ein vollendeter Pianist. »Schon in seiner Kindheit unterschied sich mein Bruder durch eine unbändige Leidenschaft, Dinge zu erreichen, die ganz offensichtlich seine Möglichkeiten überschritten und seinem Charakter und seiner Geisteshaltung auf geradezu absurde Weise zuwiderliefen«, erinnerte sich Alexander.[70]

Worauf er hier auch anspielte, war eine fixe Idee seines Bruders, die in einer Katastrophe endete. Die Veranda der gemieteten Datscha der Familie bot einen herrlichen Ausblick über die Flussauen, und allabendlich galoppierten die Dorfmädchen auf ihren ungesattelten Pferden vorbei und trieben die Herde auf die Weide. Die untergehende Sonne beleuchtete die Szene: Ihre goldenen Strahlen fingen die fuchsbraunen Pferde ein, die bunten Röcke, die Kopftücher und die sonnenverbrannten Gesichter der Reiterinnen. Nur zu gern hätte Boris sich dieser romantischen Kavalkade angeschlossen, obwohl er keinerlei Reiterfahrung hatte. Als am 6. August eines der Landmädchen nicht erschien, ritt Boris auf einem wilden Pferd los, das bockte und ihn abwarf. Die versammelte Familie beobachtete mit Entsetzen, wie er unter das Pferd geriet und die Herde über ihn hinwegdonnerte. Bei dem Unfall brach er sich ein Bein, und als der Gips sechs Wochen später abgenommen wurde, war es kürzer geblieben als das andere. Seit dieser Zeit zog er sein Bein nach und wurde für den militärischen Dienst untauglich gemustert – was ihm auf lange Sicht vielleicht das Leben rettete.

Die Behinderung wurmte Boris. Er hasste Versagen in jeder Hinsicht, und vielleicht erklärt das, weshalb er sich trotz seiner beträchtlichen Erfolge als Komponist entschloss, seine musikalischen Träume an den Nagel zu hängen, als er fest-

stellte, dass er ein »verschwiegenes Problem« hatte: »Ich be-
saß das absolute Gehör nicht«, schrieb Pasternak später, »eine
Fähigkeit, die für meine Arbeit überflüssig war. Aber dieser
Mangel bekümmerte und demütigte mich. Ich sah in ihm den
Beweis dafür, daß meine Musik dem Schicksal und dem Him-
mel nicht wohlgefällig sei. Unter diesen Schlägen verzagte die
Seele, mir sanken die Hände. [...] Ich riß die Musik aus mir
heraus, trennte mich von der geliebten Welt sechsjähriger
Mühen, Hoffnungen, Sorgen als vom allerteuersten.«[71]

Doch nachdem er der Musik den Rücken gekehrt hatte,
mischte das Schicksal die Karten neu: Boris entdeckte die
Lyrik für sich und fand darin seine wahre Berufung. Sobald
er seine schriftstellerische Gabe entdeckt hatte, war es die
Arbeitsbeziehung zwischen seinem Vater und Leo Tolstoj, die
sein kreatives Leben und seine strenge Schreibethik unaus-
löschlich beeinflussen sollte.

1898 erreichte Leonids Karriere einen Höhepunkt, als Leo
Tolstoj ihn mit der Illustration der *Auferstehung* beauftragte,
an der Tolstoj zehn Jahre lang gearbeitet hatte. Tolstoj hatte
Leonid fünf Jahre zuvor kennen gelernt, als er die regelmäßige Ausstellung der Peredwischniki (eine Wanderausstel-
lung bedeutender Moskauer und St. Petersburger Künstler)
besuchte. Tolstoj wurde mit Leonid bekannt gemacht, und
man zeigte ihm Pasternaks Gemälde *Die Debütantin*. Am
folgenden Freitag wurde Leonid in Tolstojs Moskauer Haus
zum Tee eingeladen und gebeten, seine Mappe mitzubringen.
Als Tolstoj einige der Illustrationen sah, die Leonid in Anlehnung an *Krieg und Frieden* gefertigt hatte, drehte er sich zu
Leonid um und sagte: »Sehen Sie mal an, nun bekommt das
Eichhörnchen Nüsse zu knacken, wenn es keine Zähne mehr
hat! Ich habe doch von so etwas geträumt. Wie wundervoll!
Wissen Sie, als ich *Krieg und Frieden* schrieb, träumte ich von

solchen Illustrationen. Sie sind wirklich wunderbar, einfach wunderbar!«[72]

Die Arbeit mit Tolstoj an *Die Auferstehung* in Jasnaja Poljana, dem Landsitz der Tolstojs in der Region Tula, war für Leonid eine privilegierte, ungemein erfreuliche, doch auch herausfordernde Zeit. »Ich kann sagen, daß dies eine der glücklichsten und unvergeßlichsten Perioden meines Lebens war. ... Den Tag über las ich an dem Manuskript, und abends verbrachte ich meine Zeit in der Gesellschaft Tolstojs.«[73] So wanderte er mit dem Schriftsteller in der Eingangshalle auf und ab, diskutierte mit ihm über das, was er gelesen hatte, und nahm sich vor, am folgenden Tag zu illustrieren. Als Tolstoj einmal eine der Illustrationen sah, rief er aus: »Ah, Sie drücken das besser aus als ich. Ich muss das noch umschreiben.«[74]

Unter dem immensen Druck, den von Tolstojs Verleger in St. Petersburg gesetzten Abgabetermin einzuhalten und dem Schriftsteller, den er verehrte, gerecht zu werden, schuf Leonid dreiunddreißig Illustrationen in einer Rekordzeit von sechs Wochen; danach war er vollkommen ausgelaugt und wurde krank. Diese enge Zusammenarbeit machte auf Boris einen nachhaltigen Eindruck. »In dieser Küche wurden auch die schönen Illustrationen meines Vaters zu Tolstojs Roman *Auferstehung* verpackt und nach Petersburg expediert«, schrieb er.[75]

Der Roman erschien kapitelweise in der vom St. Petersburger Verleger Fjodor Marx herausgegebenen Zeitschrift *Niva*. Boris war beeindruckt, wie fieberhaft sein Vater arbeitete, um den Abgabetermin einzuhalten. »Ich erinnere mich gut an Vaters Eile. Die Zeitschrift erschien regelmäßig und pünktlich. Die Ablieferungsfristen mußten eingehalten werden. [...] Tolstoj ließ mit den Korrekturen auf sich warten, er hatte immer wieder etwas umzuarbeiten. Es bestand die Gefahr, daß die Illustrationen zum ursprünglichen Text nicht mehr mit dem veränderten übereinstimmten. Doch mein Vater machte seine Skizzen dort, wo auch Tolstoj seine Beobachtungen anstellte: in Gerichtssälen, im Verschickungsgefängnis, im Dorf und in der Eisenbahn. Vor der Gefahr des Auseinanderklaffens von Wort und Bild bewahrte sie die Fülle lebendiger Details und der ihnen gemeinsame Realitätssinn.«[76]

Wegen der Dringlichkeit des Projekts wurden besondere Vorkehrungen getroffen, um jede Verzögerung beim Versenden der Illustrationen zu vermeiden. Man band die Zugführer der Expresszüge der Nikolajewski-Eisenbahn mit ein; das Wachpersonal in den Expresszügen nach St. Petersburg übernahm Botendienste.

»Und der Anblick eines uniformierten Eisenbahners, der wartend an unserer Küchentür wie auf dem Bahnsteig vor einer Coupétür stand, beflügelte meine kindliche Phantasie«, schrieb Boris. »Auf dem Herd kochte Tischlerleim. Hastig wurden die Zeichnungen geglättet, getrocknet, fixiert, auf Karton geklebt, eingepackt, verschnürt, versiegelt und dem Eisenbahner übergeben.«[77] Die ganze Familie war in dieses Unternehmen eingebunden: Rosalia half normalerweise, wenn die Illustrationen unter Zeitdruck eingepackt und verschickt werden mussten, und die Kinder sahen hingerissen zu.

Dreißig Jahre später, am 21. Mai 1939, schrieb Pasternak an seinen Vater: »Leo Tolstojs Enkelin [Sofja Andrejewna Tolstaja-Esenina] kam mich mit einer ihrer Freundinnen besuchen, und sie haben dich oft erwähnt. Davor hatte sie schon mehrere Male mit mir darüber gesprochen, wie sehr ihr Deine Illustrationen gefielen: ›Von allen Illustratoren Tolstojs ist ihm noch nie jemand so nahegekommen oder kann seine Ideen so naturgetreu verkörpern wie Ihr Vater.‹ ›Ja, ja, die Zeichnungen für die *Auferstehung* sind einfach brillant‹, ergänzte die andere. Und wir alle waren uns einig, dass Dir niemand das Wasser reichen kann.«[78]

Tolstoj starb am 7. November 1910 am Bahnhof von Astapowo »auf der Flucht vor der Welt«. Die Weltpresse belagerte ihn draußen auf dem Bahnsteig. Leonid wurde gerufen, um den verstorbenen Schriftsteller auf dem Totenbett zu zeichnen, und reiste mit dem zwanzigjährigen Boris an. Boris beobachtete seinen Vater, der mit Pastellstiften die Ecke des Zimmers skizzierte, in der die Gräfin Tolstoj »eingefallen, trauernd, gedemütigt« am Kopf des Eisenbettes saß, in dem ihr Ehemann lag. Sofja Tolstoj erzählte Leonid, dass sie, nachdem ihr Mann sie verlassen hatte, wegen Zwistigkeiten mit Tolstojs Gefolgsleuten versucht hatte, sich zu ertränken, und dass sie in Jasnaja Poljana aus dem See gefischt werden musste. In seinem Notizbuch vermerkte Leonid: »Astapowo. Am Morgen. Sofja Andrejewna an seinem Bett. Der Abschied der Menschen. Finale einer Familientragödie.«[79]

* * *

Im Sommer vor der Revolution 1917 besuchte Boris Pasternak seine Eltern in ihrer Wohnung, die sie in einem Herrenhaus auf einem Anwesen in Molodi, sechzig Kilometer südlich von Moskau gemietet hatten. Man vermutete, dass das Haus Katharina II. auf ihren Reisen zur Krim als Unterkunft gedient hatte. Die großzügigen Proportionen des Herrenhauses und die prächtige Parkanlage mit den zusammenlaufenden Alleen wiesen auf royalen Ursprung hin. Während Pasternaks erster Gedichtband *Über die Barrieren* vorbereitet wurde, arbeitete er als Industriekaufmann, um die Kriegsanstrengungen zu unterstützen. Der siebenundzwanzigjährige Dichter bekam eine Anstellung in einer Chemiefabrik in Tikhie Gori, einer Industriestadt am Ufer des Flusses Kama in der Republik Tataristan. Diese Stadt, bekannt als »Klein-Manchester«, lag an einem wichtigen Kreuzungspunkt geographischer Routen und Handelsrouten, die Ost- und Westrussland miteinander verbanden. Neben seinen täglichen Archivierungsaufgaben vernachlässigte Pasternak seine literarische Arbeit nicht. Um Geld zu verdienen, begann er, Swinburnes Trilogie über Maria Stuart, Königin von Schottland, zu übersetzen.

»Im März 1917, als die Nachricht durchkam, dass die Revolution in Petersburg ausgebrochen war, machte ich mich nach Moskau auf«, schrieb Pasternak später. »In der Ischevsker Fabrik sollte ich mich dem Ingenieur Sbarski, einen angenehmen Zeitgenossen, der dort einen Arbeitsauftrag zu erledigen hatte, zur Verfügung stellen und dann meine Reise mit ihm fortsetzen. Von Tikhie Gori aus fuhren wir noch am selben Abend in einem Planwagen mit Gleitkufen eine ganze Nacht und noch ein Stück des darauffolgenden Tages weiter. Ich hatte mich in meine drei langen Mäntel gewickelt und rollte, unfähig, mich zu bewegen, halb unter Heu begraben, auf dem Boden des Schlittens wie ein unförmiger Sack hin und her.«[80]

Die Februarrevolution konzentrierte sich auf Petrograd (das heutige St. Petersburg) und dessen Umgebung. In dem Chaos übernahmen Mitglieder des kaiserlichen Parlaments die Kontrolle und errichteten eine provisorische Regierung. Die Armeeführung fand, dass sie nicht über die Mittel zur Niederschlagung der Revolution verfügte, was die Abdankung von Zar Nikolaus zur Folge hatte. Danach gab es eine Periode der Doppelherrschaft, in der die provisorische Regierung die Staatsmacht stellte, während das nationale Netzwerk der »Sowjets«, angeführt von den Sozialisten, auf die Loyalität der Arbeiterklasse und der Linken zählen konnte. In dieser Zeit gab es häufig Meutereien, Proteste und Streiks, als Versuche zu politischen Reformen fehlschlugen und das Proletariat an Macht gewann. In der Oktoberrevolution (nach dem gregorianischen Kalender im November) stürzten die von Lenin geführten Bolschewiken die provisorische Regierung, riefen die Russische Sozialistische Föderative Sowjetrepublik aus und verlegten die Hauptstadt 1918 aus Angst vor einer ausländischen Invasion von Petrograd nach Moskau. Die Bolschewiken setzten sich selbst an die Spitze diverser Regierungsministerien und übernahmen die Kontrolle über die ländlichen Regionen. Daraufhin brach unter den »Roten« (den Bolschewiken) und den »Weißen« (den antisozialistischen Fraktionen) ein Bürgerkrieg aus. Er dauerte mehrere Jahre und führte besonders unter der Intelligenzija zu Armut, Hungersnöten und Angst. Die Bolschewiken besiegten schließlich die Weißen und alle rivalisierenden Sozialisten und machten 1922 den Weg zur Schaffung der Union der Sozialistischen Sowjetrepubliken frei.

In *Doktor Schiwago* legt Juri Zeugnis über den folgenschweren politischen Aufstand ab:

Die einseitig bedruckte Extraausgabe enthielt eine Mitteilung der Regierung aus Petersburg über die Bildung des Rates der Volkskommissare, die Errichtung der Sowjetmacht in Rußland und die Einführung der Diktatur des Proletariats. Es folgten die ersten Dekrete der neuen Macht und verschiedene Informationen, die telegraphisch und telefonisch durchgegeben worden waren.

Der Schneesturm peitschte Doktor Shiwago in die Augen und trieb raschelnd Schneegraupeln über die Druckzeilen. Aber nicht das störte ihn beim Lesen. Die Größe und Ewigkeitsdauer des Augenblicks erschütterten ihn und ließen ihn nicht zur Besinnung kommen.[81]

Nach 1917 war das Leben in Moskau grauenhaft. Es fehlte an Nahrungsmitteln und Brennmaterial. Glücklicherweise wusste Boris' Bruder Alexander, ein angehender Architekt, genau, welche Teile der Dachbalken abgesägt und zu Feuerholz zerhackt werden konnten, ohne dass das ganze Haus einstürzte; im Moskauer Winter 1918–19 ereilte dieses Schicksal viele Gebäude. Heizmaterial war so begehrt, dass Boris des Nachts morsche Latten aus Zäunen herausbrach oder Feuerholz von Regierungsgrundstücken klaute; Gäste, die zum Tee eingeladen waren, brachten als Geschenk einen Holzklotz statt Süßigkeiten oder Schokolade. In den Stunden kurz vor Tagesanbruch machten sich die Pasternak-Kinder auf den Weg zum Boloto, einen Markt, auf dem Leute vom Land das bisschen Gemüse verkauften, das sie entbehren konnten. In *Doktor Schiwago* erinnert Pasternak sich an die Entbehrungen und Belastungen des Krieges, die resultierende Hungersnot und die Ausbreitung von Typhus:

Es näherte sich der Winter und in der Welt der Menschen das, was der winterlichen Erstarrung ähnelte, das Vorherbestimmte, das in der Luft lag und worüber alle sprachen.

Man musste sich auf die Kälte vorbereiten, Nahrungsmittelvorräte anlegen, Brennholz beschaffen. Aber in den Tagen, in denen der Materialismus triumphierte, war die Materie zu einem bloßen Begriff geworden, und an die Stelle von Nahrung und Brennholz waren das Nahrungsmittelproblem und die Heizmaterialfrage getreten.

Die Menschen in den Städten waren hilflos wie Kinder angesichts der sich nähernden Ungewißheit, die auf ihrem Weg alles Althergebrachte umstürzte und nur Verwüstung hinterließ, dabei war sie ein Geschöpf der Stadt und ihrer Bewohner.

Ringsum Lug und Trug, leeres Geschwätz. Das Alltagsleben hinkte, zappelte, trottete nach alter Gewohnheit noch immer irgendwohin. Aber der Arzt sah das Leben ungeschminkt. Daß es aussichtslos war, konnte ihm nicht entgehen. Er hielt sich und sein Milieu für verurteilt. Prüfungen standen bevor, vielleicht sogar der Untergang. Die gezählten Tage, die ihnen verblieben, schmolzen vor seinen Augen dahin.

... Er wußte, daß er vor dem Riesenkoloß der Zukunft ein Zwerg war, er fürchtete und liebte diese Zukunft und war insgeheim stolz auf sie, und er blickte ein letztes Mal, wie zum Abschied, mit den gierigen Augen schöpferischer Eingebung auf die Wolken, die Bäume, die Menschen auf der Straße, auf die sich gegen das Unheil wehrende russische Großstadt, und er war bereit, sich zum Opfer zu bringen, damit es besser würde, doch er vermochte nichts.[82]

Zu Boris' großem Kummer verließen seine Eltern und Schwestern 1921 Russland und reisten nach Deutschland. Was damals keiner von ihnen ahnte: Die Familie sollte nie mehr gemeinsam in Russland leben. Ihres Rechts auf höhere Bildung in Russland beraubt – was für alle Sprösslinge von nichtproletarischen Familien im nachrevolutionären Klima galt –, ging Josephine allein nach Berlin, freute sich darauf, an einer Universität zu studieren, und mietete eine Unterkunft für ihre Eltern an, die folgen wollten. Bald gesellten sich Lydia, Leonid und Rosalia dazu. Boris und Alexander blieben in der Dachwohnung der Familie in der Volkhonka-Straße 14, da sie hier ihre Karrieren als Schriftsteller und Architekt begonnen hatten. Rosalia und Leonid war es gelungen, Visa für eine längere, medizinische Behandlung in Deutschland zu bekommen: Leonid wollte seinen Grauen Star operieren lassen, und Rosalia litt unter Herzproblemen. Die Hungerjahre der Revolution hatten ihrer Gesundheit, ihrer Kraft und ihrem Elan zugesetzt, und Leonid hatte große Angst, dass seine Moskauer Wohnung konfisziert werden könnte. Doch niemand in der Familie wäre auf den Gedanken gekommen, dass sie nach dem Ende der Unruhen nie wieder gemeinsam in Russland wohnen würden.

Josephines letzte Erinnerungen an ihre Kindheit waren die grausamen Winter, als Moskau unter einer geschlossenen Schneedecke lag und die Bürger sich zum Arbeitsdienst melden mussten. »Sie bekamen Schaufeln und vielleicht noch eine Tagesration in die Hand gedrückt und mussten dann die Straßen freiräumen«, erinnerte sie sich. »Lydia war noch minderjährig und brauchte sich nicht zu melden, aber sie ging an meiner Stelle, da ich nicht kräftig genug war, den schweren Schnee zu schippen. Sie und Boris waren in derselben Brigade. Es muss ein unvergesslicher Tag gewesen sein… Ein strahlender Sonnentag, der glitzernde, reine Schnee, die gemeinsame Aktion und der freundliche Umgang der Leute untereinander in der Arbeitsbrigade.«[83] In *Doktor Schiwago* reist die Familie Schiwago nach Varykino in den Ural, auf das Anwesen von Tonjas Vorfahren, um dem Hungertod und den ungewissen politischen Verhältnissen zu entrinnen. Als ihr Zug in den Schneeverwehungen stecken bleibt, werden die Zivilisten abkommandiert, um die Schienen freizuräumen. Juri Schiwago erinnert sich an diese drei Tage als den angenehmsten Teil der Reise:

Die Sonne entzündete auf der Schneefläche ein derartiges Gleißen, daß man hätte erblinden können. Was für regelmäßige Stücke die Schaufel aus ihr herausschnitt! Was für trockene Brillantfunken die Schnittstellen versprühten! Wie das alles an die fernen Tage der Kindheit erinnerte, in der der kleine Jura, einen mit Tressen besetzten hellen Baschlyk auf dem Kopf, in einem Mäntelchen aus schwarzgeringeltem Schaffell mit fest angenähten Schließhaken, auf dem Hof aus ebenso gleißendem Schnee Kuben und Pyramiden, Sahnetorten und Festungen und Höhlenstädte errichtete. Ach, wie schön war damals das Leben, alles war Augenschmaus und Göttermahl!

Aber auch diese drei Tage an der frischen Luft hinterließen den Eindruck von Sattheit. Nicht ohne Grund. Die Arbeitenden erhielten abends frischgebackenes warmes Brot aus gesiebtem Mehl, das von irgendwo herangeschafft wurde. Die Laibe waren glasiert, hatten eine längs der Seite geplatzte leckere Kruste und eine dicke, prächtig durchgebackene untere Rinde, an der Holzkohlenstückchen hafteten.[84]

Berlin in den 1920ern war für Leonid Pasternak eine hochproduktive Periode, denn die Stadt hatte sich zu einem Treffpunkt der russischen Intelligenzija entwickelt. Hunderttausende Russen lebten im Exil. Leonid malte und freundete sich mit Albert Einstein sowie mit dem Opernsänger Schaljapin an, der hier für seinen Liederabend in Berlin probte. Er skizzierte und malte auch den russischen Komponisten, Pianisten und Dirigenten Prokofjew am Piano, den Maler Max Liebermann und den Dichter Rainer Maria Rilke, der später eine rege Korrespondenz mit Boris führen sollte.

Boris litt unendlich darunter, dass er seine Eltern nach ihrer Abreise aus Moskau nur noch ein Mal wiedersah. Er besuchte sie 1922 in Berlin und lebte fast ein Jahr lang mit seiner ersten Ehefrau Evgenija bei ihnen. In der darauffolgenden Korrespondenz, die über zwanzig Jahre währen sollte, schwingt der ständige Schmerz seiner Sehnsucht nach ihnen und sein Bedauern über die Trennung mit.

Inzwischen verschlechterten sich die Bedingungen in ganz Russland, und 1929 wurden Lebensmittelkarten eingeführt. Kollektivierung galt als die Lösung der Verteilungskrise von landwirtschaftlichen Produkten, besonders für Getreidelieferungen innerhalb Russlands. 1930 erließ der Schriftstellerverband der UdSSR ein Dekret, wonach unter den Schriftstellern Stoßbrigaden zu bilden waren, die den Kolchosen und staatlichen Bauernhöfen zur Verfügung gestellt wurden.

Die Bedingungen, die Pasternak auf den Staatsbauernhöfen vorfand, belasteten und bedrückten ihn; was er sah, empfand er als unmenschlich. »Dieses Neue waren der Krieg, waren Blut und Grauen, Unbehaustheit und Verwilderung. Dieses Neue waren die Prüfungen des Krieges und die Lebensweisheit, die er lehrte«, schrieb er später in *Doktor Schiwago*. »Dieses Neue waren Krähwinkelstädte, in die der Krieg verschlug, und die Menschen, mit denen er zusammenführte. Dieses Neue war die Revolution, nicht studentisch idealisiert wie neunzehnhundertfünf, sondern die jetzige, aus dem Krieg hervorgegangene, blutrünstige, auf nichts Rücksicht nehmende Soldatenrevolution, gelenkt von den Kennern dieser Naturgewalt, den Bolschewiken.«[85] Das führte dazu, die Loyalität dazu in Frage zu stellen, worauf es im Leben ankam. Alles und jeder fühlte sich ausrangiert. Nichts war anscheinend noch heilig; nicht einmal die Loyalität zum Ehepartner:

Plötzlich hat sich alles verändert, der Ton, die Luft, man weiß nicht mehr, was man denken und auf wen man hören soll. Es ist, als wäre man das ganze Leben lang wie ein kleines Kind an der Hand geführt und auf einmal losgelassen worden – nun lerne, selber zu gehen. Weit und breit kein Angehöriger, keine Autorität. Die alten menschlichen Wertvorstellungen sind zusammengebrochen, und man möchte nur noch dem Wichtigsten vertrauen, der Kraft des Lebens oder der Schönheit oder der Gerechtigkeit, sich ganz und ohne Bedauern davon leiten lassen, mehr als im gewohnten friedlichen Leben, das untergegangen und ausgelöscht worden ist.[86]

Josephine Pasternak sah Boris zum letzten Mal im Sommer 1935 auf dem Bahnhof in Berlin. Am 23. Juni hatte der Kreml Boris' Teilnahme an einem antifaschistischen Schriftstellerkongress in Paris angeordnet. Diese Forderung war eine Eilmaßnahme der Sowjetpropaganda, denn der Pariser »Kongress für die Verteidigung der Kultur« lief bereits seit zwei Tagen. Urplötzlich hatte der Kreml begriffen, dass Boris Pasternaks Fehlen auf einer hochkarätigen Liste mit den weltweit führenden Schriftstellern – darunter Gide, Bloch und Cocteau aus Frankreich, W. H. Auden, E. M. Forster und Aldous Huxley aus England sowie Bertolt Brecht und Heinrich Mann aus Deutschland – international auf Unverständnis stoßen würde. Obwohl Pasternak unter chronischen Schlafstörungen und Depressionen litt, die so an seinen Kräften zehrten, dass er im Frühling desselben Jahres mehrere Monate in dem Sanatorium für Schriftsteller auf dem Land außerhalb von Moskau zubringen musste, bestand der Kreml auf Pasternaks augenblicklicher Abreise nach Paris. Allerdings gestanden sie ihm einen sechsstündigen Zwischenaufenthalt in Berlin zu seiner freien Verfügung zu.

Vor der Abreise hatte Boris seiner Familie aus Russland telegraphiert, dass er sehnlichst hoffte, auf diesem Stopp neben sei nen Eltern auch Josephine und Frederick treffen zu können. Zu jener Zeit waren Rosalia und Leonid gerade in München und unglücklicherweise körperlich so geschwächt, dass sie nicht kurzentschlossen nach Berlin reisen konnten. Doch Josephine und Frederick nahmen sofort den Nachtzug von München nach Berlin, wo sie am folgenden Morgen in der Wohnung der Familie eintrafen und dort auf Boris' Ankunft warteten.

Josephine machte sich um den in letzter Zeit fragilen Gemütszustand ihres älteren Bruders Sorgen. Schon seit Monaten hatte er sich schlecht gefühlt, war angesichts des gegen Schriftsteller gerichteten Terrorregimes Stalins und seiner eigenen Seelenqualen erschöpft und unglücklich. Obwohl er am folgenden Tag bei seiner Vorstellung auf dem Schriftstellerkongress als »einer der größten Dichter unserer Zeit« bejubelt wurde, schämte er sich für sein hohes Ansehen. Danach schrieb er seinem Vater, dass die ganze Veranstaltung bei ihm »den bittersten Nachgeschmack entsetzlicher Aufgeblasenheit, unglaublicher Überschätztheit und Peinlichkeit hinterlassen hatte, und, was das Schlimmste ist, einer goldenen Unfreiheit…«[87] Seine nervöse Erschöpfung und seine Depressionen setzten ihm so sehr zu, dass er gleich nach der Order zur Pariser Reise Stalins Sekretär persönlich anrief und ihm erklärte, er fühle sich zu krank, um an der Konferenz teilzunehmen. »Falls es einen Krieg gäbe und Sie den Einberufungsbefehl bekämen, würden Sie ihm dann Folge leisten?«, wurde er gefragt. Ja, antwortete Boris. Nun, »dann sehen Sie es als Einberufungsbefehl an«, war die Antwort.[88]

Innerhalb von vierundzwanzig Stunden hatte man ihm einen schlecht sitzenden Anzug besorgt, und zwei Tage später traf er mittags mit dem Taxi in der Berliner Wohnung seiner Eltern ein, wo Josephine und Frederick ihm freudig sofort die Tür öffneten. »Ich weiß nicht mehr, was die ersten Worte meines Bruders waren, wie wir uns begrüßten oder wie wir uns umarmten: Alles war überschattet von seinem eigenartigen Verhalten«, erinnerte sich Josephine. »Er tat so, als wären wir erst ein paar Wochen und nicht zwölf Jahre voneinander getrennt gewesen. Immer wieder brach er in Tränen aus. Und er hatte nur einen Wunsch: Er wollte schlafen!«[89]

Josephine und Frederick zogen die Vorhänge zu und verfrachteten Boris auf das Sofa. Während er zwei oder drei Stunden lang schlief, blieben sie bei ihm sitzen. Josephine wurde zunehmend kribbelig, denn sie wusste, dass Boris gegen sechs Uhr abends am Bahnhof Friedrichstraße sein musste, und bislang hatten sie noch keine Zeit zum Reden gefunden. Als Boris aufwachte, wirkte er zwar etwas frischer, aber Frederick versuchte, ihn zu überreden, sich länger auszuruhen und erst am folgenden Morgen nach Paris weiterzureisen. Die drei fuhren mit der U-Bahn zur russischen Botschaft, um die Erlaubnis für eine Übernachtung in Berlin einzuholen. Obwohl Frederick den Beamten klarzumachen versuchte, dass sein Schwager zu schwach war, um die Reise fortzusetzen, lehnten sie den Antrag ab.

Auf dem Weg zum Bahnhof legten sie einen Zwischenstopp in irgendeinem Hotel ein, wo sie etwas essen wollten. Sie setzten sich in die Besucherlounge. Josephine beobachtete, wie sich das Gesicht ihres Bruders von Kummer umwölkte. Ab und zu sprach er mit seiner vertrauten, dröhnenden Stimme und klagte über die bevorstehende Reise nach Paris. Während Frederick zum Bahnhof ging, um sich um die Weiterfahrt zu kümmern, kam Boris in ihrer letzten gemeinsam verbrachten Stunde endlich aus sich heraus. Ohne sich um die Besucherströme in der Lounge zu kümmern, steckten sie die Köpfe zusammen, und der verzweifelte Schriftsteller versuchte, seine Gefühle zu beherrschen und die Tränen zurückzuhalten.

Plötzlich sprach er klar und deutlich. »Er sagte: ›Weißt du, das schulde ich Sina – ich muss über sie schreiben. Ich werde einen Roman schreiben… einen Roman über dieses Mädchen… so schön, so fehlgeleitet. Eine verschleierte Schönheit in den Separées von Abendrestaurants… Ihr Cousin, ein Wachmann, hat sie immer dorthin mitgenommen. Sie konnte sich natürlich nicht dagegen wehren. Sie war so jung, so unaussprechlich attraktiv…‹«[90] Boris, der Olga Iwinskaja damals noch nicht kannte, meinte seine zweite Frau Sinaida Neuhaus, die er im Jahr zuvor geheiratet hatte. In der Ehe gab es bereits Schwierigkeiten, was bei Boris schreckliche Schuldgefühle und Unruhe hervorrief, nicht zuletzt deshalb, weil er wegen Sinaida, die damals noch mit seinem Freund, dem berühmten Pianisten Heinrich Gustavowitsch Neuhaus, verheiratet war, schon seine erste Frau verlassen hatte.

Josephine konnte es nicht fassen: »Ich traute meinen Ohren nicht. War das der Mann, den ich immer gekannt hatte, einzigartig, über Plattitüden und Trivialitäten ebenso erhaben wie über seichte Kunst und Ramsch? Warf dieser Mann nun seine strengen kreativen Grundsätze über Bord, um seine unnachahmliche Prosa für einen nicht nur belanglosen, sondern auch noch vulgären Stoff herzugeben? Er würde doch niemals diese rührseligen Schnulzen schreiben, die um die Jahrhundertwende so erfolgreich waren, oder?«[91]

Eine Stunde später winkte Josephine, den Tränen nahe, ihrem Bruder auf dem Bahnsteig nach und versuchte, sich Boris' trauriges Gesicht am Fenster des abfahrenden Zuges einzuprägen. Sie klammerte sich an Fredericks Arm, der seinem Bruder zurief: »Leg dich sofort wieder schlafen.«[92] Aber es war noch früh an jenem Sommerabend. Und dann hörte Josephine Boris' tiefe, unverwechselbare Stimme zum letzten Mal in ihrem Leben: »Ja,… wenn ich nur schlafen könnte.«[93]

Boris' Privatleben war auf vielen Ebenen konfliktbeladen. Sein Schuldgefühl gegenüber seiner ersten Frau blieb bestehen, und unter dieser emotionalen Zerrissenheit litt seine Arbeit. Seine Eltern waren bitter enttäuscht, dass er nach dem Pariser Schriftstellerkongress auf seinem Rückweg nicht in München vorbeigekommen war, obwohl er versprochen hatte, es zu versuchen. Am 3. Juli schrieb Boris eine Art Rechtfertigung: »Ich bin außerstande, selbst etwas zu tun, und wenn ihr glaubt, eine kurze Woche bei München könnte das Werk zweier Monate ungeschehen machen (fortschreitender Kräfteverlust, niemals Ausschlafen und zunehmende Neurasthenie), dann überschätzt ihr eure Möglichkeiten. Ich weiß nicht, wie all das passiert ist. Vielleicht ist das alles meine Strafe für Shenja, das heißt, für das Leid, das ich ihr zugefügt habe.«[94]

Hätte Boris nur gewusst, dass dies die letzte Gelegenheit war, seine Eltern wiederzusehen. Im Sommer 1938 verließen Leonid und Rosalia das faschistische Deutschland in Richtung London, wo sie sich ausruhen und Kräfte für ihre sehnlichst erwartete, endgültige Heimreise nach Russland sammeln wollten. Sie wollten Lydia besuchen, die schon seit 1935 in Oxford lebte und dort mit dem britischen Psychiater Eliot Slater verheiratet war, den sie in München kennen gelernt hatte. Sie erwartete ihr erstes Kind. Nach Leonid und Rosalia zogen auch Josephine und Frederick mit ihren Kindern Charles und Helen nach England um. Durch den Einmarsch Deutschlands in Österreich boten Josephines und Fredericks österreichische Pässe ihnen keinen Schutz mehr, und so hatten sie ihr Zuhause in München Hals über Kopf aufgegeben und waren geflüchtet. Leonid und Rosalia wollten nach dem Wiedersehen mit der Familie und einer Erholungsphase auf jeden Fall in das Land zurückkehren, an dem ihr Herz hing: ihre Heimat Russland.

Rosalias unerwarteter Tod durch ein Blutgerinsel im Gehirn, der sie am 22. August 1939 im Schlaf ereilte, hinterließ bei ihrer Familie Fassungslosigkeit und Trauer. Boris schrieb am 10. Oktober aus Moskau an seine Geschwister: »Das ist der erste Brief, den ich euch – aus unterschiedlichen Gründen – nach dem Tod von Mamotschka schreiben kann. Er hat mein Leben völlig verändert, hat es leer und wertlos gemacht und mich schlagartig, als zöge er mich nach sich, an den Rand des Grabes gebracht.... Er hat mich in einer Stunde alt gemacht. Ein unguter und chaotischer Anstrich hat sich auf meine gesamte Existenz gelegt, vor Kummer, Verwunderung, Müdigkeit und Kränkung bin ich zerstreut, zerschlagen und kopflos.«[95]

Eine Woche nach Rosalias Tod brach der Zweite Weltkrieg aus. Leonid verbrachte den Rest seines Lebens in Oxford im Kreise seiner Töchter und Enkel. Seine Söhne Boris und Alexander sollte er nie wiedersehen.

Während des Krieges war Boris als Feuerbeobachter in der Volkhonka-Straße aktiv. Mehrere Male hatte er mit Brandbomben zu tun, die auf das Dach des Hauses der Familie fielen. Zusammen mit anderen trainierte er Exerzieren, Feuerbeobachtung und Schießen und freute sich unbändig, als er feststellte, dass er ein guter Scharfschütze war. Trotz des Krieges erlebte Pasternak Momente des Glücks: Er hatte das Gefühl, dass er zum Wohle von Mütterchen Russland und zum Überleben der Nation seinen Beitrag leisten konnte. Doch inmitten aller Kameradschaft verspürte er diesen ständigen »akuten Schmerz« der »zutiefst unerträglichen Trennung« von seiner Familie.

Leonid Pasternak starb am 31. Mai 1945, kurz nachdem Russland den Krieg schließlich gewonnen hatte. »Als Mutter starb, war es, als hätte die Harmonie die Welt verlassen«, sagte

Josephine. »Als Vater starb, war es, als hätte die Wahrheit die Welt verlassen.«[96] Boris vergoss bei Leonids Tod »ein Meer von Tränen«.[97] (In seinen Briefen hatte er ihn oft »meinen Wunderpapa« genannt.) Der Schriftsteller litt sehr darunter, dass es ihm nie gelungen war, die seltene Intensität und Kostbarkeit einer dauerhaften, harmonischen, ehelichen Liebe zu erfahren, die seine Eltern ihm vorgelebt hatten. In den meisten Briefen, die er an seinen Vater schreibt, verurteilt er seine emotionalen Defizite, ergeht sich in endlosen verbalen Selbstgeißelungen: »Ich bin wie verhext, als hätte ich mich selbst mit einem Bann belegt. Ich habe das Leben meiner Familie zerstört«[98], und er offenbart schonungslos seine tiefen Schuldgefühle, die ihn fieberhaft und ständig durchzucken.

Wenn man bedenkt, wie sehr er seine Eltern verehrte und seine Geschwister liebte, überrascht seine Entscheidung, in der Sowjetunion zu bleiben und von ihnen getrennt zu leben. Trotz der unerträglichen Unterdrückung durch Stalins Zensur in den 1920er und 1930er Jahren erwog er nie, Russland den Rücken zu kehren. Am 2. Februar 1932 hatte er seinen Eltern über das Festhalten an seinem geliebten »Mutterland« geschrieben: »Dieses Schicksal, sich nicht selbst zu gehören, in einer Gefängniszelle zu leben, von allen Seiten gewärmt zu werden, das verändert dich, macht dich zu einem Gefangenen der Zeit. Denn auch hierin liegt die urzeitliche Grausamkeit des armen Russlands: Hat es dir einmal seine Liebe geschenkt, bist du, ihr Geliebter, auf immer in seinem Anblick gefangen. Es ist, als stündest du vor ihm in der römischen Arena und seist gezwungen, ihm als Gegenleistung für seine Liebe ein Spektakel zu bieten.«[99]

Er stellte immer wieder klar, dass er nicht das Leben eines Exilanten führen wollte. Und doch lebte er nach der Revolution im emotionalen Exil von seiner Familie. So erfolgreich er auch wurde, man kann sich des Gefühls nicht erwehren, dass er ohne sie steuerlos war. Immer auf der Suche, war er in vielerlei Hinsicht verloren. Ständig plagten ihn Schamgefühle und Selbstvorwürfe darüber, nicht in der Lage zu sein, die stabile und glückliche Beziehung seiner Eltern zu wiederholen. Vielleicht verliebte er sich zu leicht, aber seine Unfähigkeit, dauerhaft eine glückliche Ehe zu führen, gehörte zu seinen größten Qualen.

3

Der Wolkengucker

1921 lernte der 31-jährige Boris die Malerin Evgenija Wladimirowna Lurié auf einer Party in Moskau kennen. Evgenija, zierlich, blaue Augen und weiche braune Haare, stammte aus einer traditionellen jüdischen Intellektuellenfamilie aus Petrograd. Sie sprach fließend Französisch und verfügte über eine kulturelle Finesse, die Boris fesselte. Diese Anziehungskraft wurde zweifellos noch dadurch verstärkt, dass Leonid Evgenijas Familie kannte und die Verbindung von ganzem Herzen befürwortete. Boris, der stets die Anerkennung seines Vaters suchte, verliebte sich dann auch prompt in sie.

»Man konnte sich in ihrem Gesicht verlieren«, sagte er, stellte aber klar, dass »sie immer diese Strahlkraft brauchte, um schön zu sein, sie musste glücklich sein, um gemocht zu werden.«[100] Das Interesse des berühmten Schriftstellers an ihr schmeichelte der unsicheren und verletzlichen Schönheit. Im Frühjahr 1922 waren sie verheiratet. Da war »Shenja« einundzwanzig.

Falls es zutrifft, dass Beziehungen ein Spiegelbild unserer schwachen Seiten und Bedürfnisse sind, lernte Boris in seiner ersten Ehe viel über sich selbst. Evgenija hatte ebenfalls eine volatile, künstlerische Ader, und das Aufeinanderprallen ihrer Egos war der ehelichen Harmonie nicht eben zuträglich. Boris' Ruhm wirkte sich auf sein Ego aus; er betrachtete Evgenija künstlerisch als nicht begabt genug, um ihr schwieriges, emotionales Verhalten würdigen zu können. Sich selbst betrachtete er als den größeren Künstler der beiden und erwartete von Evgenija, ihre Ambitionen zurückzustellen und seine künstlerische Karriere zu unterstützen, wie seine Mutter es für seinen Vater getan hatte. Während er von Natur aus aktiv war und lieber im Laufschritt ging, als sich langsam fortzubewegen – vermutlich um seine überschüssige Energie abzubauen –, war Evgenija eher träge und saß lieber zu Hause herum. Energetisch gesehen, hatten sie anscheinend nicht viel gemeinsam.

Im Sommer 1922 reiste Boris mit seiner jungen Frau auf Urlaub nach Berlin. Es war Evgenijas erster Auslandsaufenthalt, und die Jungverheirateten genossen ihre Zeit in der deutschen Hauptstadt und besuchten angesagte Cafés und Kunstgalerien. Während Evgenija gern Sehenswürdigkeiten abklapperte und sich am pulsierenden Leben in den eleganten Stadtteilen freute, zog es Boris ähnlich wie Tolstoj eher ins »wahre Deutschland«, in die nördlichen Elendsviertel.

Einige Übersetzungsarbeiten von Boris wurden mit Dollars bezahlt. Er gab sein Geld großherzig aus. Da er sich genierte, im Vergleich zur Armut so vieler so viel zu besitzen, verteilte er wie sein Schwager Frederick immer ausgesprochen üppige Trinkgelder. Josephine zufolge, die ihren Bruder manchmal auf seinen Spaziergängen durch Berlin begleitete, »ließ er mit vollen Händen Münzen über die Köpfe blasser Straßenkinder regnen«.[101] Boris erklärte seinen und Tolstojs Hang zu den weniger Privilegierten so: »Künstlernaturen fühlen sich zu den Armen hingezogen, zu denjenigen, die ein schwieriges, karges Leben führen. Dort ist alles warmherziger und reifer, und dort gibt es mehr Seele und Farbe als irgendwo anders.«[102]

Sobald die ersten, ungetrübten Wochen mit Besuchen von

Ausstellungen und Treffen mit alten Freunden vorüber waren, wurde Boris ruhelos und gereizt. Evgenija litt an Gingivitis, einer Zahnfleischentzündung, und weinte viel. Doch er kümmerte sich nicht um ihre Malaise. »Wir, die Familie, stellten uns auf ihre Seite«, berichtete Josephine, »aber wir waren machtlos. Boris war nicht gerade herzlos zu ihr, nur ging ihm anscheinend die Unvereinbarkeit der ganzen Begleitumstände auf die Nerven – die Unterkunft, die fehlende Privatsphäre, die unkontrollierbaren, tränenreichen Befindlichkeiten seiner Frau.«[103] Und noch befremdeter reagierte die Familie, als er beschloss, sich ein eigenes Zimmer zu mieten, wo er in Ruhe arbeiten konnte. Für sie war das reine Geldverschwendung. Als Evgenija dann feststellte, dass sie schwanger war, platzte ihm endgültig der Kragen. Die Auseinandersetzungen wurden heftiger: »Ein Kind! Sklaverei! Aber schließlich ist das deine Angelegenheit«, sagte Boris zu seiner Frau, »du bist die Mutter.«

»Wie bitte?«, empörte sich Shenja, »meine Angelegenheit? Meine? Ach, du, du – du vergisst, dass ich für meine Kunst lebe, du egoistischer Mensch!«[104]

Der Hauptgrund für ihre Spannungen war die Entscheidung, ob und wann sie nach Moskau zurückkehren sollten. Boris zog es unbedingt wieder in die Heimat, während Evgenija in Berlin, »der zweiten Hauptstadt Russlands«, bleiben wollte. Die Dynamik des russischen Intellektuellenlebens erreichte in den frühen 1920ern ihren Zenit und nahm dann unter dem Einfluss verbreiteter politischer Unruhen und galoppierender Inflation ab. Die Trostlosigkeit von Deutschlands Schicksal betrübte Pasternak, der später schrieb: »Deutschland fror und hungerte, desillusioniert und geschlagen, die Hand wie ein Bettler ausgestreckt nach den Zeiten (eine so untypische Gebärde), und das ganze Land ging auf Krücken.« Und theatralisch fügte er hinzu, dass »er täglich eine Flasche Brandy und Charles Dickens brauchte, um das zu vergessen.«[105]

Wieder in Moskau, zog das Paar in Pasternaks alte Wohnung in der Volkhonka-Straße. Kurz danach kam am 23. September 1923 ihr Sohn Evgenij Borisowitsch Pasternak zur Welt. »Er ist so winzig – wie hätten wir ihm da einen neuen, einen ungewohnten Namen geben können?«, schrieb Boris. »Und so wählten wir den aus, der ihm am nächsten war: den Namen seiner Mutter: Shenja.«[106]

Wegen seines unsicheren Einkommens und weil er es nicht schaffte, sich mit den Vorschüssen der Verlage für seine Werke und seine Übersetzungen zu finanzieren, arbeitete Pasternak eine Zeit lang als Rechercheur für die Bibliothek des Moskauer Unterrichtsministeriums. Er sollte sich durch ausländische Zeitungen lesen und alle Bezüge auf Lenin zensieren, also herausschneiden. Diese banale Aufgabe wusste er zu seinem Vorteil zu nutzen: Beim Durchforsten der ausländischen Presse konnte er sich auf den neuesten Stand der westeuropäischen Literatur bringen. In den Pausen las er unter anderem Proust, Conrad und Hemingway. Außerdem trat er der Dichtergruppe Linke Front der Künste bei, deren Mitteilungsblatt *LEF* vom Dichter und Schauspieler Wladimir Majakowski herausgegeben wurde, der dieselbe Schule wie Boris, nur zwei Klassen unter ihm besucht hatte. Dass Boris der Front beitrat, war eher eine Geste der Solidarität gegenüber seinem alten Gefährten, nicht so sehr sein Herzenswunsch, aktiv in der Gruppe und an deren revolutionärem Programm mitzuwirken. 1928 verließ er die Gruppe wieder. Im selben Jahr schickte er den ersten Teil seines autobiographischen Prosawerks *Sicheres Geleit* an eine Literaturzeitschrift zur Veröffentlichung.

Im April 1930 erlitt Majakowski einen Nervenzusammenbruch, schrieb einen Abschiedsbrief und beging Selbstmord. Seine Beerdigung, an der etwa einhundertfünfzigtausend Menschen teilnahmen, war die drittgrößte öffentliche Trauerfeier der sowjetischen Geschichte, nur übertroffen von den Begräbnisfeierlichkeien für Lenin und Stalin. 1936 proklamierte Stalin, dass Majakowski »der beste und talentierteste Dichter der sowjetischen Zeit gewesen ist und bleibt.« Olga schrieb später über Majakowski: »In vielerlei Hinsicht war er das Antidot zu Pasternak; er verknüpfte kraftvolle poetische Begabungen mit romantischen Seelenqualen, die Linderung allein im ungeteilten Dienst an der Revolution finden konnten – auf Kosten der Unterdrückung seiner innewohnenden, drängenden persönlichen Emotionen, die in seinem vorrevolutionären Werk klar zu Tage treten.«[107]

Nicht die Freiheit zu haben, das zu schreiben, was ihm wirklich am Herzen lag, frustrierte Pasternak zunehmend und machte ihm sein tägliches Leben fast unmöglich. Die Arbeitsbedingungen – immer schon von größter Bedeutung für Boris – waren unerträglich geworden. Der ganze Gebäudekomplex in der Volkhonka-Straße war vom Staat requiriert und zu einer großen Gemeinschaftswohnung für sechs Familien umfunktioniert worden: alles in allem zwanzig Menschen, die sich ein Bad und eine Küche teilten. Boris und seiner Familie wurde bewilligt, das frühere Atelier seines Vaters als ihren Wohnraum zu nutzen. Es war unvorstellbar laut, und deshalb verlegte Pasternak seine Arbeit in den Teil der Wohnung, der als Esszimmer diente. Seiner Konzentration war das kaum förderlich: Alle anderen Familien, deren Besucher und Verwandte gingen dort aus und ein. Pasternak arbeitete zu jener Zeit an einer komplizierten Übersetzung von Rainer Maria Rilkes tief bewegendem »Requiem für eine Freundin«, welches der Dichter zu Ehren seiner Freundin, der

Malerin Paula Modersohn-Becker verfasst hatte, die achtzehn Tage nach der Geburt ihres ersten Kindes plötzlich gestorben war.

1930 verlor Pasternak abermals sein Herz – diesmal an Sinaida Neuhaus. Außergewöhnlich daran ist, dass ein Mann mit einem derart hohen moralischen Anspruch die einfachsten Anstandsregeln vermissen ließ und einem seiner besten Freunde die Frau ausspannte.

Seine Bewunderung für den berühmten Pianisten Heinrich Neuhaus grenzte fast schon an Besessenheit. In einem Brief an seine Mutter vom 6. März 1930 hatte er geschrieben: »Die einzige Freude unsres Daseins sind die vielfältigen Auftritte meines letzten Freundes (das heißt meines Freundes vom letzten Jahr) – Heinrich Neuhaus, und bei uns, ein paar seiner Freunde, ist es üblich geworden, nach einem Konzert den Rest der Nacht gemeinsam beieinander zu verbringen. Wir veranstalten ausgiebige Zechereien mit sehr bescheidenem Imbiss, der rein technisch fast nirgendwo zu bekommen ist.«[108]

Boris war schnell von Sinaida verzaubert. Die Fabrikantentochter aus einer russisch-orthodoxen Familie in St. Petersburg war mit ihren kurz geschnittenen schwarzen Haaren und schön geschwungenen Lippen eine klassische Vertreterin des »Art nouveau«. Im Gegensatz zu Evgenija, die hochemotional war und sich nach der Erfüllung ihres eigenen, kreativen Lebens sehnte, war Sinaida Neuhaus glücklich, die Karriere ihres Ehemanns unterstützen zu können. Wenn Heinrich seine Winterkonzerte in kalten Musiksälen spielte, organisierte Sinaida die Ankunft des Flügels und schleppte eigenhändig das Feuerholz herbei, um den Ofen zu heizen.

Während ihr Ehemann entrückt in künstlerischen Sphären schwebte – stolz erzählte er seinen Freunden, dass sich seine praktischen Fähigkeiten auf den Umgang mit einer Sicherheitsnadel beschränkten –, zog Sinaida die beiden Söhne Adrian und Stanislaw groß. Ihre Energie schien unerschöpflich. Anders als die elegante, aber träge Evgenija war sie robust, häuslich und praktisch veranlagt. Boris' Neffe Charles, der beide Frauen kannte, erinnerte sich: »Obwohl Boris Sinaida in den schillerndsten Farben beschrieb, war sie für mich (zugegebenermaßen fünfundzwanzig Jahre später, also 1961) eine der hässlichsten Frauen, die ich je kennen gelernt habe. Evgenija war weicher, empfindsamer und sehr viel attraktiver als die barsche, kettenrauchende Sinaida mit ihren kohlrabenschwarzen Haaren.«

Pasternaks Interesse an Sinaida wuchs im Sommer 1930, als er und Evgenija nicht weit von ihren Freunden, dem Historiker Valentin Asmus und dessen Frau Irina, in Irpen Urlaub machten. Sinaida, Heinrich und deren Söhne, damals zwei und drei Jahre alt, sowie Boris' Bruder Alexander (Spitzname Shura), dessen Frau Irina und deren Sohn Fedia vervollständigten die Gruppe.

Irpen war wunderschön: wohlige Wärme, grasende Rinder auf den Weiden, Wiesen voller Wildblumen und am Horizont die schattigen Ufer des Irpen-Flusses. Ein Sommer aus dem Bilderbuch. Die Datscha von Evgenija und Boris lag auf einem separaten Grundstück mitten im Wald. Einen Teil des Sommers brachte Evgenija damit zu, eine riesige, weit ausladende Eiche, die fast das ganze Grundstück beschattete, in Öl zu malen. An den langen Abenden saß man draußen, speiste, betrachtete in der Dämmerung die irrlichternden Glühwürmchen und flackernden Kerzen, diskutierte über Philosophie oder Literatur, rezitierte Gedichte und lauschte Heinrichs Klavierspiel.

Sinaida hatte dafür gesorgt, dass ein Flügel aus Kiew geliefert wurde, damit ihr Ehemann für ein Open-Air-Konzert proben konnte, das er am 15. August auf einer Freilichtbühne in den Kupetscheski-Gärten in Kiew gab. Die Gruppe aus Irpen ging gemeinsam zu dem Konzert. Im Verlauf des schwülheißen Abends zogen düstere Gewitterwolken auf. Heinrich spielte unter großem Applaus das Klavierkonzert e-Moll von Chopin. Gegen Ende der Aufführung setzte ein heftiger Sturm mit Blitz und Donner ein, und während der Pianist und das Orchester unter einem Zeltdach vor dem Regen geschützt waren, wurden die Zuschauer bis auf die Haut nass. Trotzdem blieben alle auf ihren Plätzen sitzen und lauschten hingerissen der Musik. Dieser Abend und Heinrichs Vortrag des Chopin-Klavierkonzerts bildeten das Thema von Pasternaks Gedicht »Ballade«, das er Heinrich widmete.

Während der Sommer sich für Boris als die perfekte Energiequelle erwies, waren Sinaida und Evgenija sich ihrer gegenseitigen Abneigung bewusst geworden – vielleicht spürten sie, dass sie bald schon Rivalinnen sein würden. Anfangs versuchte Sinaida, den Pasternaks aus dem Weg zu gehen. Das lag nicht nur daran, dass Boris' überschwängliches Lob ihrer hausfraulichen Fähigkeiten bei ihr die Alarmglocken schrillen ließ: Er nutzte jede Gelegenheit, ihr zur Hand zu gehen, wenn sie Kaminholz sammelte, Wasser vom Brunnen holte, hing ihr auch sonst ständig am Rockzipfel und schnupperte an ihrer frisch gebügelten Wäsche. Es hatte auch damit zu tun, dass sie Evgenija nicht mochte. Sinaida, die ihren Haushalt fast militärisch perfekt in Schuss hielt, fand die elegante, ätherische Evgenija verwöhnt, lethargisch und duldsam. Umgekehrt verachtete Evgenija die untersetzte Frau mit dem südländischen Aussehen als bieder und ungehobelt.

Boris übersah ungeniert die zunehmenden Spannungen zwischen den beiden.

Die Gruppe trennte sich im September, und zum Ende des Monats waren nur noch Boris' und Sinaidas Familien übrig, die früh am folgenden Morgen abreisen wollten. Am Vorabend ging Sinaida, die schon fertig gepackt hatte, zur Datscha von Boris, um nachzusehen, ob sie reisefertig waren. Sie entdeckte Evgenija, die gerade die Leinwände zusammenstellte, die sie den Sommer über gemalt hatte, während Boris dabei war, die Koffer so akkurat zu packen, wie er es als Kind gelernt hatte. Da nicht mehr viel Zeit blieb, machte Sinaida sich kurzentschlossen nützlich und erledigte alles blitzschnell. Boris war hingerissen. Der armen Evgenija aber war Sinaida mit ihrer besitzergreifenden, herrischen Art bestimmt ein Dorn im Auge.

Am folgenden Abend bestiegen die beiden Familien in Kiew den Zug nach Moskau. Heinrich und seine beiden Söhne schliefen, als Sinaida in den Gang trat, um eine Zigarette zu rauchen. Boris ließ Evgenija und ihren Sohn, die ebenfalls schliefen, allein und kam zu Sinaida hinaus. Drei Stunden lang redeten sie miteinander im Gang, während der Zug seinem Ziel entgegenratterte. Boris, der nicht mehr an sich halten konnte, gestand Sinaida seine Liebe.

Fast schon komisch artete Sinaidas Versuch aus, Boris' Inbrunst zu dämpfen, indem sie ihm eine Episode aus ihrer Kindheit erzählte. Sie war mit fünfzehn die Geliebte ihres damals fünfundvierzigjährigen Cousins Nikolai Melitinski geworden. Ihr Vater, ein Ingenieur bei der Armee, der im Alter von fünfzig ihre damals achtzehnjährige Mutter, eine Halbitalienerin, geheiratet hatte, starb, als Sinaida zehn Jahre alt war. Obwohl ihre Mutter finanziell zu kämpfen hatte, kratzte sie dennoch genug Geld zusammen, um Sinaida auf das Smolny-Institut für Mädchen zu schicken. Derweil baute ihr wesentlich älterer Cousin ihnen beiden ein Liebesnest in einer eigens dafür angemieteten Wohnung. Die Schuldgefühle aus diesen Jahren quälten und verstörten sie noch lange danach.

Naiverweise hatte sie nicht damit gerechnet, dass ihre Leidensgeschichte den aufstrebenden Romanautor in Pasternak eher anspornen als ernüchtern oder vergraulen würde. Kurz darauf beschrieb Pasternak sie in Anbetracht ihres Schicksals als »Schönheit vom Schlage einer Maria Stuart, Königin der Schotten.«[109] Sinaidas Verhältnis als Teenager wurde später zu Laras »Hintergrundgeschichte« in *Doktor Schiwago*: Lara wird von dem viel älteren Anwalt Wiktor Ippolitowitsch Komarowski verführt.

»Ihre Hände beeindruckten ihn sehr, wie eine hohe Denkungsart. Ihr Schatten auf den Tapeten des Zimmers dünkte ihn die Silhouette ihrer Unverdorbenheit. Das Hemd umschloß ihre Brust straff und einfältig wie eine auf den Stickrahmen gespannte Leinwand. ... Ihre unordentlich über das Kissen gebreiteten Haare bissen mit dem Rauch ihrer Schönheit in seine Augen und drangen ihm in die Seele.«[110]

Als Lara darüber spricht, wie sehr diese Affäre mit Komarowski ihr zugesetzt hat, hört man fast Sinaida reden, wie sie im Zug versuchte, Boris zu entmutigen. »Gebrochen bin ich, ich habe einen Knacks fürs ganze Leben weg. Ich bin vorzeitig, verbrecherisch früh zur Frau gemacht und auf üble Weise in das Leben eingeweiht worden, nämlich in der verlogenen, boulevardhaften Anschauung eines von sich selbst überzeugten, schon bejahrten Schmarotzers der alten Zeit, der alles an sich raffte, sich alles herausnahm.«[111]

Die Saat für Laras Charakter wurde gesät, als er Sinaida kennen lernte, doch als Boris sich später in Olga Iwinskaja verliebte, war sie der lebende Archetypus, der seine Lara eins zu eins verkörperte.

Kurz nach seiner Rückkehr aus Irpen richtete Boris ein Chaos an. Egoistisch darauf bedacht, seine eigenen Wünsche an erste Stelle zu setzen, eröffnete er Evgenija, dass er Sinaida liebte, und ging dann zu Heinrich, dem er erklärte, er sei der Frau des Pianisten verfallen. Und, typisch Boris, die Aussprache der beiden Männer verlief so emotionsgeladen, dass beide in Tränen ausbrachen. Boris sprach von seiner tiefen Bewunderung und Sympathie für Heinrich, bewies dann allerdings wenig Einfühlungsvermögen, als er ihm ein Exemplar seines Gedichts »Ballade« schenkte. Dann beteuerte er, er könne ohne Sinaida nicht leben.

Boris' Vertraute, die Dichterin Marina Zwetajewa, sah ihren Freund ungebremst in eine Katastrophe schlittern. »Ich habe Angst um Boris«, schrieb sie. »In Russland sterben die Dichter wie die Fliegen – eine lange Liste von Toten innerhalb von zehn Jahren. Eine Katastrophe ist unausweichlich. Erstens: der Ehemann. Zweitens hat Boris eine Frau und einen Sohn. Drittens ist sie schön (Boris wird eifersüchtig sein), und viertens und am wichtigsten: Boris ist unfähig zu einer glücklichen Liebe. Er setzt Liebe mit Qualen gleich.«[112]

Falls Pasternak Qualen litt, galt das auch für die Frauen, die er liebte. Monatelang wurde Sinaida von schrecklichen Schuldgefühlen darüber geplagt, dass sie ihre Ehe scheitern ließ. Boris litt ähnliche Qualen wegen seines Verhaltens gegenüber Evgenija und schrieb im März 1931 an seine Eltern, dass er Evgenija »nicht nachlassende Qualen« bereitet habe. Er folgerte, dass seine Frau ihn liebte, weil sie ihn nicht verstand, und redete sich ein, dass sie Ruhe und Freiheit brauche – »vollkommene Freiheit«[113], um sich in ihrer Kunst zu verwirklichen. Das allerdings war eher Projektion: Denn er selbst war es, der sich aus seiner unglücklichen Ehe mit Evgenija befreien musste, während das Melodram, das ihn beflügelte, genau der kreative Brennstoff war, den er brauchte.

Am Neujahrstag 1931, als Heinrich zu einer Konzertreise durch Sibirien aufbrach, fing Boris an, Sinaida wie besessen anzurufen, oft dreimal täglich, und er zog vorübergehend aus der ehelichen Wohnung aus. Nachdem er ihr fünf Monate lang beharrlich den Hof gemacht hatte, konnte er ihre Unschlüssigkeit nicht länger ertragen und tauchte eines Tages kurzentschlossen in ihrer Moskauer Wohnung auf. Heinrich öffnete die Tür, begrüßte Boris auf Deutsch mit »der spät kommende Gast« und verabschiedete sich sogleich wieder, um auf einem Konzert zu spielen.

Boris flehte Sinaida abermals an, Heinrich zu verlassen. Als Sinaida sich weigerte, schnappte er sich eine Flasche Jod aus dem Badezimmerschrank und trank sie aus, in der kläglichen Absicht, sich das Leben zu nehmen. Seine Kehle brannte wie Feuer, er machte unfreiwillige Kaubewegungen. Sinaida erkannte, was er getan hatte, und goss ihm Milch in die Kehle, damit er sich erbrach – zwölf Mal musste er sich übergeben , damit rettete sie ihm vermutlich das Leben. Ein Arzt wurde gerufen, der die inneren Organe gegen innerliche Verätzungen durchspülte. Der Doktor verordnete dem ermatteten Pasternak eine zweitägige strenge Bettruhe mit der Anordnung, dass er sich in der ersten Nacht nicht bewegen durfte. Und so blieb er »in einem Zustand höchster Glückseligkeit« in der Neuhaus-Wohnung, wo Sinaida geräuschlos und effizient um ihn herumwuselte.[114]

Heinrich verehrte den melodramatischen Dichter so sehr,

dass er, als er um zwei Uhr früh von seinem Konzert nach Hause kam und erfuhr, was passiert war, zu seiner Frau sagte: »Und, bist du jetzt zufrieden? Hat er dir seine Liebe *bewiesen*?«[115] Dann war Heinrich bereit, Sinaida an Boris zu übergeben.

»Ich liebe S[inaida] N[ikolajewna], die Frau meines besten Freundes N[euhaus]«, schrieb Pasternak am 8. März 1931 an seine Eltern. »Er ist am ersten Januar nach Sibirien auf Konzerttournee gefahren. Ich fürchtete diese Reise und habe versucht, sie ihm auszureden. Durch seine Abwesenheit hat das, was unabwendbar war und ohnehin geschehen wäre, einen Zug ins Unredliche erhalten. Ich habe mich N[euhaus'] unwürdig erwiesen, den ich weiterhin liebe und immer lieben werde, ich habe Shenja anhaltende, schreckliche und bis heute nicht nachlassende Qualen bereitet – und bin reiner und unschuldiger, als ich vor dem Eintritt ins Leben war.«[116]

Auch wenn Heinrich von dem Verhältnis zwischen Boris und Sinaida schwer getroffen und verletzt war – auf seiner Sibirien-Tournee musste er ein Konzert mitten im Spiel unterbrechen und tränenüberströmt die Bühne verlassen –, war er selbst alles andere als ein Unschuldslamm. Letztendlich machten seine Seitensprünge Sinaida die Trennung leichter. 1929 hatte er mit seiner früheren Verlobten Militza Borodkina ein Kind gezeugt; Mitte der 1930er Jahre ging er mit ihr dann seine zweite Ehe ein.

Im November 1932 schrieb Boris aus Moskau an seine Eltern und seine Schwestern, dass Heinrich »eine sehr widersprüchliche Person ist, und obwohl im vergangenen Herbst alles geregelt wurde, leidet er immer noch unter Stimmungsschwankungen und droht Sina dann, sie und mich irgendwann umzubringen, wenn er es nicht mehr aushält. Und trotzdem kommt er uns fast jeden zweiten Tag besuchen, nicht nur, weil er sie nicht vergessen kann, sondern weil er sich auch von mir nicht trennen kann. Das führt zu einigermaßen berührenden und seltsamen Situationen.«[117] Sir Isaiah Berlin, ein enger Freund von Boris und Josephine, berichtete, dass Heinrich, Jahre nachdem Sinaida ihn verlassen hatte, immer noch als häufiger Besucher in der Datscha des Paares in Peredelkino weilte, wo Boris und Sinaida ab 1936 lebten. Nach einem der üblichen sonntäglichen Mittagessen reisten Isaiah Berlin und Heinrich einmal mit dem Zug zurück nach Moskau. Sir Isaiah Berlin war verblüfft, dass Heinrich quasi als Rechtfertigung dafür, weshalb er seine Frau hatte ziehen lassen, anmerkte: »Wissen Sie, Boris ist wirklich ein Heiliger.«[118]

Unglücklicherweise war Boris jedoch nur allzu menschlich. Eines der Dinge, die ihn in seiner Ehe mit Sinaida am meisten zu schaffen machten, war seine Fixierung auf Sinaidas Teenager-Affäre mit Melitinski. Da Seelenqualen überwiegend irrational sind, konnte sich Sinaida der krankhaften Eifersucht ihres Ehemannes kaum erwehren. Oft wurde er paranoid, wenn sie in einem Hotel übernachten sollten, dessen »halbverruchtes Ambiente«[119] an Sinaidas Teenager-Liebesnächte mit Melitinski erinnerte. Die Geschichte von Sinaidas jugendlicher Liaison wuchs sich bei ihm zu einer Besessenheit aus, die Schlaflosigkeit und Depressionen hervorrief. Einmal zerriss Boris ein Foto von Melitinski, das dessen Tochter Sinaida mitgebracht hatte, nachdem ihr Cousin gestorben war.[120]

Am 5. Mai 1931, als es offensichtlich war, dass Boris nicht mehr zu Evgenija zurückkehren würde, verließen Evgenija und ihr Sohn Russland. Sie reisten nach Deutschland, wo Boris' Familie – Josephine, Frederick, Lydia, Rosalia und Leonid – sie mit offenen Armen empfingen und entschlossen waren, sie mit familiärer Liebe zu überschütten. »Kümmert euch um sie«, instruierte Boris seine Familie.[121] »Und das haben wir getan«, sagte Josephine. Frederick organisierte und bezahlte für die an Tuberkulose erkrankte Evgenija einen Klinikaufenthalt in einem Sanatorium im Schwarzwald, während ihr Sohn bei der Familie in einer Pension unweit von München am Starnberger See wohnte.

Verständlicherweise war Boris' Familie in Deutschland von Boris' Verhalten schockiert, denn sie liebten Evgenija und beteten den kleinen Evgenij an. Sie sahen es so, dass er seine erste Ehefrau und den Sohn ausrangiert und der Familie die Verantwortung für sie aufgebürdet hatte. Leonids Missbilligung lastete schwer auf Boris. Sein Vater ließ keinen Zweifel daran, dass die Familie seinen Umgang mit Evgenija als zutiefst empörend empfand. Am 18. Dezember 1931, als Boris in aller Öffentlichkeit mit Sinaida zusammenlebte, schrieb ihm sein Vater aus Berlin:

Lieber Borja!
Wie viel müsste ich dir schreiben und zu verschiedenen Fragen, und schrecklich ist, dass ich im Voraus weiß, dass das überflüssig und nutzlos ist, denn du und überhaupt ihr alle handelt, ohne zuvor an die Folgen zu denken, verantwortungslos, und natürlich bist auch du zu bedauern und tust besonders uns schrecklich Leid – wie sehr hast du Unglücklicher dich verrannt!! Und anstatt es nach Kräften zu entwirren und auf beiden Seiten das Leiden so weit wie möglich zu verringern, ziehst du es noch länger hin und machst es schlimmer![122]

Anfang Februar 1932 schrieb Boris einen über zwanzigseitigen Brief an Josephine. Teils ist er ein emotionales Eingeständnis seiner Schuldgefühle wegen seines Umgangs mit

Evgenija, teils eine Rechtfertigung seiner Liebe zu Sinaida – die er an einer Stelle wenig schmeichelhaft beschreibt: »weil sie immer verunstaltet vom Friseur kommt, wie ein frisch geputzter Stiefel« –, zum anderen eine Auflistung seines neurotischen Gemütszustandes, der hart am Wahnsinn vorbeischrammt, und schließlich auch ein Loblied auf die Familie seiner Schwester im Hinblick auf Evgenija, »dass ihr in ihrem Zustand … mehr für sie getan habt, als irgendjemand auf der Welt gekonnt hätte.«[123]

Alles ist weit davon entfernt, harmonisch zu sein. Josephine gegenüber räumt er ein, dass er sich mit Sinaidas ältestem Sohn Adrian abmüht, »einem hitzköpfigen, selbstzentrierten Jungen, der seine Mutter brutal tyrannisiert«. Das Zusammenleben mit einem »fremden« kleinen Jungen mache die Abwesenheit seines eigenen Sohnes, Evgenij, noch schmerzlicher. Boris schreibt auch, weshalb er auf Drängen seines Vaters die Räume in der Volkhonka-Straße für Evgenija und ihren Sohn nicht räumte. Sie waren am 22. Dezember 1931 nach Moskau zurückgekehrt, mussten aber einige Zeit bei Evgenijas Bruder unterkommen, da es für Boris aufgrund der von den Behörden auferlegten Hindernisse und der erforderlichen Genehmigungen offensichtlich schwierig war, in eine andere Wohnung zu ziehen oder eine neue Wohnung zu mieten. Erschwerend kam noch hinzu, dass Pasternak wegen der Inhalte seiner Arbeit ohnehin schon Restriktionen ausgesetzt war. »Und all das zu einer Zeit, wo man mein Wirken als unbewussten Ausfall des Klassenfeinds erklärt hat und mein Verständnis der Kunst – als Behauptung, sie sei im Sozialismus, das heißt außerhalb des Individualismus, undenkbar – unter unsren Verhältnissen nicht sehr vielversprechende Einschätzungen, wo meine Bücher in den Bibliotheken verboten sind …«[124]

Die wahrscheinlich glücklichste Zeit, die Boris und Sinaida miteinander verbrachten, war ihr gemeinsamer Aufenthalt in Georgien. Im Sommer 1933 war Pasternak mit der Übersetzung georgischer Lyrik beauftragt worden und hatte Georgien besucht, um die Sprache richtig zu lernen und sich an Ort und Stelle mit deren Eigenheiten vertraut zu machen.

Für viele Russen war Georgien mit »seinen unzähligen Sonnenstunden, seinen starken Emotionen, seiner Liebe für das Schöne und der angeborenen Anmut der Menschen, ob Prinzen oder Bauern«[125], ein Ort der Erbauung und Inspiration. Die Georgier wurden im Vergleich zu ihren sittenstrengen russischen Vettern als bodenständiger und leidenschaftlicher angesehen. Pasternak schloss enge Freundschaften mit den gefeierten georgischen Dichtern Paolo Jaschwili und Tizian Tabidze. Über Jaschwili schrieb er: »Genie durchdrang ihn ganz. Das Feuer seiner Seele glänzte in seinen Augen. Feuer der Leidenschaft hatten seine Lippen versengt, Glut des Erlebten sein Gesicht dunkel gebrannt. Er sah älter aus, als er war, ein Mensch, vom Leben gerüttelt.«[126] Pasternaks Liebesbeziehung zum Kaukasus sollte sein ganzes Leben lang währen. Wie er selbst sagte, war Georgien seine zweite Heimat.

Max Hayward, Dozent an der Universität von Oxford, der später für die englische Übersetzung von *Doktor Schiwago* gewonnen wurde, beurteilt Pasternaks Gedichte, mit denen jener seine Reise über die georgische Militärstraße nach Tiflis beschrieb (»wahrscheinlich die atemberaubendste Bergstraße der Welt«), als in ihrer Aussagekraft unerreicht, seit Puschkin und Lermontow zum gleichen Thema schrieben. Für Pasternak standen die kaukasischen Gipfel, die sich in einem unendlichen Panorama einzigartiger Erhabenheit verlieren, gleichsam für eine Vision, wie eine sozialistische Zukunft aussehen könnte. Aber selbst in dieser grandiosen Szenerie bevorzugte Pasternak Bilder, die häuslich und vertraut waren: So erinnerten ihn die zerfurchten, flacheren Bergflanken an ein »zerwühltes Bett«.[127]

Pasternaks Übersetzungen der georgischen Lyrik riefen bei Stalin höchste Bewunderung hervor – was dem Schriftsteller möglicherweise das Leben rettete. Über ein Jahrzehnt später, 1949, als die Geheimpolizei sich des kontroversen, antisowjetischen Tenors des Romans, den Pasternak schrieb, zunehmend bewusst wurde, behauptete ein Chefermittler bei der Staatsanwaltschaft, dass es Pläne für seine Verhaftung gegeben hatte. Als man dies jedoch Stalin sagte, begann der Führer eines der Gedichte zu rezitieren, die Pasternak übersetzt hatte: »Himmlische Farbe, Farbe blau«.[128] Stalin, der aus Gori in Georgien stammte, war von Pasternaks lyrischen Übertragungen der georgischen Dichtkunst tief bewegt. Statt ihn ins Gefängnis werfen oder töten zu lassen, ein Schicksal, das viele Zeitgenossen Pasternaks erlitten, soll Stalin folgende Worte gesagt haben: »Lasst ihn, er lebt in den Wolken.«[129] Pasternaks KGB-Akte verzeichnet die unsterblichen Worte: »Lasst den Wolkengucker in Ruhe.«

Im ersten Freudentaumel über seine wiedergefundene Stabilität und vielleicht auch, weil Boris von Anfang an erwartet hatte, dass Sinaida diese Rolle übernehmen würde, sah er in ihr die Unterstützerin seiner Kunst. Er wollte und brauchte sie als unverzichtbares Element seines künstlerischen Schaffens. »Du bist die Schwester meines Talents«, sagte er zu ihr. »Du gibst mir das Gefühl der Einzigartigkeit meines Lebens … du bist der Flügel, der mich beschützt … du bist das, was ich liebte und sah und was mit mir geschehen wird.«[130] Als Evgenija im September 1932 schließlich ihre Habseligkeiten aus der Pasternak-Wohnung in der Volkhonka-Straße räumte und Boris mit Sinaida wieder dort einzog, fanden sie das Haus in einem erbärmlichen Zustand vor.[131] Das Dach war undicht, Ratten hatten die Fußleisten angenagt und aufgerissen, und viele Fensterscheiben waren zerborsten oder fehlten. Als Boris einen Monat später von einem dreitägigen Besuch aus Leningrad zurückkehrte, hatte Sinaida eine erstaunliche Verwandlung vollzogen: Die Fenster waren repariert, sie hatte Vorhänge angebracht, bandscheibenfreundliche Matratzen besorgt und aus dem überzähligen Vorhangstoff einen neuen Sofaüberwurf genäht, die Böden waren gewienert, die Fenster geputzt und für den Winter abgedichtet. Sinaida hatte sogar mehrere Teppiche und zwei Schränke sowie ein Piano organisiert, pikanterweise von ihren Ex-Schwiegereltern, den Eltern von Heinrich Neuhaus, die nach Moskau umgezogen waren und nun beim verlassenen Heinrich lebten.

1934 heirateten Boris und Sinaida standesamtlich. Boris hatte sich so fixiert auf sein Traumbild von Sinaida, dass er blind für ihre Unzulänglichkeiten war. Sinaida mochte ein Ass im Haushalt gewesen sein, doch für einen so leidenschaftlichen Mann wie Boris war sie nicht die Partnerin und Seelenverwandte, nach der er sich sehnte. Sinaida konnte nicht nur mit seiner Dichtkunst nichts anfangen, auch hatte sie nicht die blasseste Ahnung vom kreativen Mut ihres Ehemanns. Und noch schlimmer: Sie hatte zunehmend Angst davor, dass die Macht seiner Dichtkunst das Missfallen der Behörden provozieren und so das Gleichgewicht ihres gut geführten Haushalts stören könnte.

Ihre Beziehung wurde erheblich belastet, als ein Freund von Boris, der Dichter Ossip Mandelstam, verhaftet wurde. Eines Abends im April 1934 lief er ihm zufällig auf der Straße in Moskau über den Weg. Obwohl er ihn gewarnt hatte, dass »die Wände Ohren haben«, konnte er Mandelstam, einen gefürchteten Regimekritiker, zu seinem Entsetzen nicht davon abbringen, ihm ein unvorstellbar beißendes Gedicht vorzutragen, das er über Stalin verfasst hatte. (Unter anderem hieß es darin: »Seine Finger sind dick und wie Würmer so fett, / Und Zentnergewichte wiegt's Wort, das er fällt, / Sein Schnauzbart lacht Fühler von Schaben, / Der Stiefelschaft glänzt so erhaben.«

»Ich habe das nicht gehört, und Sie haben nichts rezitiert«, sagte Pasternak. »Sie wissen, es gehen jetzt seltsame, schreckliche Dinge vor, Menschen verschwinden.«[132]

Dies waren die ersten, düsteren Vorboten dessen, was später der Große Terror genannt werden sollte, als hunderttausende Menschen standrechtlich exekutiert oder in Arbeitslager geschickt wurden, denen man verschiedene politische Verbrechen wie antisowjetische Umtriebe und Verschwörung zur Vorbereitung von Aufständen und Staatsstreichen vorwarf. Boris sagte zu Mandelstam, sein Gedicht sei praktisch Selbstmord, und beschwor ihn, es niemand anderem vorzutragen. Mandelstam hörte nicht auf ihn und wurde prompt denunziert. Am 17. Mai verhaftete ihn das NKWD, das Volkskommissariat für innere Angelegenheiten.

Als Pasternak davon erfuhr, unternahm er den mutigen Versuch, seinem Freund zu helfen. Er appellierte an den Politiker und Schriftsteller Nikolai Bucharin, den kürzlich ernannten Herausgeber der Zeitung *Iswestia*, der bei Pasternak einige georgische Übersetzungen in Auftrag gegeben hatte. Im Juni schickte Bucharin eine Botschaft an Stalin mit dem Postskriptum: »Ich schreibe auch wegen Mandelstam, da B. Pasternak wegen Mandelstams Verhaftung ziemlich außer sich ist und niemand etwas weiß …«[133]

Pasternaks Appell trug Früchte. Statt in ein Zwangsarbeitslager und damit in den fast sicheren Tod geschickt zu werden, wurde Mandelstam zu drei Jahren Verbannung nach Tscherdyn im Nordostural verurteilt, nachdem Stalin den folgenden frostigen Befehl erteilt hatte, der durch die Instanzen nach unten gereicht wurde: »Isolieren, aber erhalten.«[134] Boris war erstaunt, als er ans Gemeinschaftstelefon im Flur des Hauses in der Volkhonka-Straße gerufen und informiert wurde, Stalin sei am Telefon. Mandelstams Frau Nadeshda erinnert sich:

Stalin sagte, dass Mandelstams Fall neu bewertet werde und er glimpflich davonkommen würde. Dann folgte eine unerwartete Zurechtweisung: Weshalb Pasternak sich nicht an den Schriftstellerverband oder ›an mich‹ gewandt hätte, um sich für Mandelstam zu verwenden? Pasternaks Antwort darauf war: ›Seit 1927 hat sich der Schriftstellerverband nicht mehr damit beschäftigt, und wenn ich mich nicht eingesetzt hätte, hätten Sie vielleicht nie davon erfahren.‹

Stalin unterbrach ihn mit einer Frage: ›Aber er ist ein Genie, ein Meister, nicht wahr?‹

Pasternak antwortete: ›Darum geht es nicht.‹

›Worum geht es dann?‹, fragte Stalin.

Pasternak sagte, dass er ihn gerne treffen und mit ihm sprechen würde.

›Worüber?‹

›Über Leben und Tod.‹

Stalin legte den Hörer auf.[135]

Als sich die Nachricht über das Telefongespräch zwischen ihm und Stalin herumsprach, machten Pasternaks Kritiker geltend, dass er die Begabung seines Freundes vehementer hätte verteidigen müssen. Doch andere, darunter Nadeshda und Ossip

Mandelstam, waren mit Boris' Reaktion durchaus einverstanden. Sie konnten seine Vorsicht nachvollziehen und fanden, dass er gut daran getan habe, nicht in die Falle zu tappen und zuzugeben, dass er sich Ossips »Stalin-Epigramm« tatsächlich angehört hatte. »Er hatte vollkommen recht, als er sagte, daß es hier gar nicht darum geht, ob ich ein Genie bin oder nicht«, erklärte Ossip. »Warum hat Stalin solche Angst vor einem Genie? Das wächst sich bei ihm ja schon zu einem Aberglauben aus. Er glaubt, wir könnten ihn wie Zauberer verhexen.«[136]

1934 wurde Pasternak zum ersten Kongress des Sowjetischen Schriftstellerverbands eingeladen. Das offizielle Lob und das Bemühen, ihn zu einem literarischen Helden zu stilisieren, der politisch nicht belastet war, beunruhigte ihn. Sein Werk fand im Westen immer größere Beachtung, und diese Aufmerksamkeit bereitete ihm Unbehagen. Paradoxerweise wurde es für ihn schwieriger, seine Arbeiten zu veröffentlichen, weshalb er sich auf Übersetzungsarbeiten konzentrierte. 1935 schrieb er an seinen tschechischen Übersetzer: »Seit dem Schriftstellerkongress in Moskau habe ich die ganze Zeit das Gefühl, dass meine Bedeutung aus mir unbekannten Gründen vorsätzlich aufgebläht wird … all das von irgendwelchen Leuten, ohne mich um meine Zustimmung zu fragen. Und ich scheue auf dieser Welt nichts mehr als Fanfaren, Sensationsgier und diese billigen so genannten ›Berühmtheiten‹ in der Presse.«[137]

Pasternak und seine Familie waren nun mit einer Unterbringung im Wohnblock des Schriftstellerverbands in der Lawruschinski-Gasse in Moskau und einer Datscha in Peredelkino einverstanden. Mit dem Geld für seine georgischen Übersetzungen erwarb er die Rechte auf eines der schattig unter Fichten und Kiefern gelegenen Anwesen. 1936 hatte er immer noch große Hoffnungen, dass seine Eltern nach Russland zurückkehren und mit ihm dort leben würden. Diese Schriftstellerkolonie, auf dem ehemaligen Anwesen eines russischen Adligen außerhalb von Moskau errichtet, war geschaffen worden, um die prominentesten Autoren der Sowjetunion mit einem Rückzugsort auf dem Land zu belohnen, der es ihnen ermöglichte, der Enge ihrer Stadtwohnungen zu entfliehen. Als Stalin hörte, dass die Kolonie in Anlehnung an das russische Verb *peredelat* Peredelkino genannt werden sollte, was etwa *noch einmal machen* bedeutet, schlug er offenbar vor, sie lieber Perepiskino zu taufen, was so viel wie *noch einmal schreiben* bedeutet. Kornei Tschukowski, der beliebteste Kinderbuchautor der Sowjetunion, charakterisierte das System der Schriftstellerkolonie folgendermaßen: »Schriftsteller in einem Kokon aus Komfort zu fangen, sie mit einem Netz von Spionen zu umgeben.«[138]

Solche staatlichen Kontrollmechanismen waren Pasternak nicht geheuer. Nikolai Bucharin sagte einmal, dass Pasternak »zu den bemerkenswertesten Lyrikern unserer Zeit gehört, der nicht nur eine ganze Reihe lyrischer Perlen auf die Halskette seines Talents reihte, sondern auch eine ganze Anzahl revolutionärer Arbeiten von tiefer Aufrichtigkeit hervorbrachte«.[139] Aber Pasternak beschwor ihn: »Machen Sie keine Helden aus meiner Generation. Das waren wir nicht. Es gab Zeiten, in denen wir Angst hatten und aus der Angst heraus handelten, Zeiten, in denen wir verraten wurden.«[140]

Bei einem Schriftstellertreffen in Minsk sagte Pasternak zu seinen Kollegen, er sei grundsätzlich ihrer Ansicht, dass Literatur etwas sei, das wie Wasser aus einem Brunnen gepumpt werden könne. Dann kam er auf seine Sicht der künstlerischen Unabhängigkeit zu sprechen und erklärte schließlich, dass er der Gruppe nicht angehören werde. Das grenzte an literarischen Selbstmord, und entsprechend verblüfft reagierte das Auditorium. Niemand riskierte eine öffentliche Rede wie diese, solange Stalin noch am Leben war. Danach gab es keine Versuche mehr, Pasternak ins literarische Establishment einzubinden. Die meiste Zeit wurde er in Ruhe gelassen, während sich die Säuberungsaktionen unter den Schriftstellern mit beängstigender Häufigkeit und Heftigkeit fortsetzten. Im Oktober 1937 wurde sein geschätzter Freund Tizian Tabidze vom Verband der georgischen Schriftsteller ausgeschlossen und verhaftet. Paolo Jaschwili schoss sich am Sitz des Schriftstellerverbands lieber eine Kugel in den Kopf, als gezwungen zu werden, Tabidze zu denunzieren.

Als Mandelstam 1937 aus dem Exil zurückkehren durfte, fürchtete Sinaida sich davor, mit ihm und seiner Frau Kontakt zu pflegen, denn sie sah die Sicherheit ihrer Familie gefährdet. Das verabscheute Boris als Akt moralischer Feigheit. Bei mehreren Gelegenheiten verhinderte Sinaida, dass Boris Freunde und Kollegen nach Peredelkino einlud, da sie befürchtete, der Umgang mit diesen Leuten könnte auf die Familie abfärben. Als Ossip und Nadeshda einmal in der Datscha in Peredelkino auftauchten, weigerte sich Sinaida, sie zu begrüßen. Also musste ihr Ehemann wieder auf die Veranda hinausgehen, wo er seinen Freunden sichtlich betreten verkündete: »Anscheinend backt Sinaida Kuchen.«[141] Olga Iwinskaja zufolge »hasste« Sinaida die Mandelstams, denen sie unterstellte, ihren »loyalen« Ehemann zu kompromittieren. Olga behauptete zudem, dass Sinaida für ihren unsterblichen Ausspruch berühmt war: »Meine Söhne lieben Stalin am meisten – und dann ihre Mama.«[142]

Es ist anzunehmen, dass Sinaidas Antipathie gegen die Mandelstams Boris erboste und weitere Gräben zwischen ihnen aufriss. Boris' Glaube an sein Schicksal verlieh ihm zu jener Zeit eine gewisse Furchtlosigkeit, der Sinaida nicht einmal ansatzweise gerecht werden konnte. Später räumte sie ein: »Niemand konnte wissen, wem der nächste Ziegel auf den Kopf fallen würde, und trotzdem zeigte er nicht die geringste Angst.«[143]

Am 28. Oktober 1937 verhaftete die Geheimpolizei Boris' Freund und Nachbar in Peredelkino, Boris Pilnjak und seine Frau. Seine Schreibmaschine und das Manuskript des neuen Romans wurden konfisziert. Der Bericht des NKWD brachte auch Boris mit ihm in Verbindung: »Pasternak und Pilnjak trafen heimlich [den französischen Schriftsteller André] Gide und versorgten ihn mit Informationen über die Situation in der UdSSR. Zweifellos verwendete Gide diese Informationen in seinem Buch, in welchem er die UdSSR attackierte.« Im April wurde Pilnjak nach einem Prozess, der knapp fünfzehn Minuten dauerte, zum Tod verurteilt und hingerichtet. Nach monatelanger Haft waren seine letzten Worte an das Gericht: »Ich habe noch so viel zu tun. Eine lange Zeit der Abschottung hat einen anderen Menschen aus mir gemacht: Jetzt sehe ich die Welt mit anderen Augen. Ich möchte leben, arbeiten und vor mir ein Blatt Papier sehen, auf das ich ein Werk schreiben kann, das dem sowjetischen Volk von Nutzen sein wird.«[144]

Ein weiterer Freund Pasternaks, der Stückeschreiber A. N. Afinogenow, der aus der Kommunistischen Partei und dem Schriftstellerverband ausgeschlossen worden war, weil er es gewagt hatte, die Diktatur in seinem Werk zu kritisieren, wurde von allen seinen Freunden außer von Pasternak im Stich gelassen. Am 15. November schrieb er: »Pasternak macht jetzt eine schwere Zeit durch; er hat ständig Streit mit seiner Frau. Sie will, dass er an allen Versammlungen teilnimmt; sie sagt, dass er nicht an seine Kinder denkt, dass sein reserviertes Verhalten verdächtig ist und dass sie ihn verhaften werden, wenn er sich weiterhin so rarmacht.«[145]

1939 vertraute Pasternak dem Literaturwissenschaftler und Kritiker Anatoli Tarasenkow an: »In diesen entsetzlichen, blutigen Jahren konnte jeder verhaftet werden. Wir wurden wie ein Kartenspiel gemischt. Ich habe nicht den Wunsch, mich philisterhaft dafür zu bedanken, dass ich am Leben geblieben bin und andere nicht. Es muss jemanden geben, der Kummer zeigt, der mit erhobenem Kopf Trauerarbeit leistet, der tragisch reagiert – jemanden, der als Bannerträger der Tragödie fungiert.«[146]

Trotz des unvorstellbaren Drucks blieb Pasternak sich in seinem beruflichen Leben treu. Seine Loyalität zu seinen Freunden war unerschütterlich. Ossip Mandelstam wurde 1938 erneut verhaftet und starb schließlich im Gulag. Seine Witwe sagte später: »Der einzige Mensch, der mich besucht hatte, war Pasternak.… Niemand außer ihm hatte das gewagt.«[147]

Es grenzt an ein Wunder, dass Boris in jenen Jahren weder verbannt noch umgebracht wurde. Warum verschonte Stalin seinen »Wolkengucker«? Vielleicht rettete eine weitere Marotte Stalins dem Schriftsteller das Leben: Stalin glaubte, dass der Dichter seherische Kräfte besitze, eine Art zweites Gesicht.

In den frühen Morgenstunden des 9. November 1932 beging Stalins Ehefrau Nadja Allilujewa Selbstmord. Am Abend zuvor hatte der betrunkene Stalin auf einer Party vor den Augen der leidgeprüften Nadja ungeniert geflirtet und sie öffentlich erniedrigt. In jener Nacht, als sie das Gerücht hörte, ihr Ehemann sei bei einer anderen Frau, schoss sie sich eine Kugel ins Herz.

Auf dem von willfährigen Ärzten unterschriebenen Totenschein stand als Todesursache Blinddarmentzündung. (Ein Selbstmord konnte unmöglich zugegeben werden.) Das sowjetische Ritual verlangte von den verschiedenen Berufsgruppen kollektive Beileidsbriefe. Fast das ganze literarische Establishment – dreiunddreißig Schriftsteller – unterzeichnete einen formellen Beileidsbrief an Stalin. Pasternak weigerte sich, seinen Namen darunterzusetzen. Stattdessen schrieb er einen eigenen Brief, in dem er andeutete, dass er mit Stalin eine gewisse mythische Verbundenheit teilte und er sich in Stalins Motive, Emotionen und vermutete Schuldgefühle hineinversetzen könne.

In dem Brief schrieb Boris: »Ich teile die Gefühle meiner Genossen. Zufällig dachte ich am Abend zuvor zum ersten Mal aus Sicht eines Künstlers intensiv und länger über Stalin nach. Am Morgen las ich die Zeitung und war so erschüttert, als wäre ich selbst dabei gewesen und als hätte ich es selbst durchlebt, als hätte ich all das selbst gesehen.«[148] Offenbar hat Stalin Boris tatsächlich für einen »seherischen Dichter« gehalten, der über prophetische Kräfte verfügte. Dazu schrieb der emigrierte Wissenschaftler Michail Korjakow im zweisprachigen amerikanisch-russischen Journal *Novy Zhurnal*: »Ab diesem Moment scheint Pasternak mir, ohne sich darüber im Klaren zu sein, Zugang zu Stalins Privatleben erlangt zu haben und Teil seiner Innenwelt geworden zu sein.«[149]

Da weder Pasternak noch eine zunehmend nervöse Sinaida von dieser unbezahlbaren höchsten Protektion wissen konnten, grenzte sein Entschluss, weiter an *Doktor Schiwago* zu arbeiten und die Struktur für den Zeitraum Mitte der 1930er Jahre zu skizzieren, abermals fast an literarischen Selbstmord. Im Rückblick erklärte er dem tschechischen Dichter Vitězslaw Nezval: »Nach der Oktoberrevolution ging es mir wirklich sehr schlecht. Ich wollte über sie schreiben. Ein Prosawerk darüber, wie schlimm es damals stand. Eine ehrliche und schlichte Erzählung. Verstehen Sie, manchmal muss ein Mann sich dazu zwingen, sich auf den Kopf zu stellen.«[150]

1937 zwang sich Pasternak dann ein weiteres Mal, sich auf den Kopf zu stellen, als der Schriftstellerverband ihn aufforderte, ein gemeinsam verfasstes Schreiben mit zu unterzeichnen, welches das Todesurteil eines hochrangigen Funktionärs und mehrerer anderer prominenter Militärs unter dem Vorwurf der Spionage befürwortete. Pasternak weigerte sich. Aufgebracht teilte er der Vereinigung mit: »Über das Leben der Menschen verfügt die Regierung und nicht Privatpersonen. Ich weiß nichts von ihnen [den Angeklagten]. Wie kann ich ihnen den Tod wünschen? Ich habe ihnen nicht das Leben gegeben. Ich kann nicht ihr Richter sein. Ich ziehe es vor, zusammen mit der Masse zu sterben, mit den Menschen. Das ist nicht das Gleiche, wie wenn man Freikarten für das Theater zuteilt.«[151] Dann schickte Pasternak einen Brief an Stalin: »Ich schrieb ihm, dass ich in einer Familie aufwuchs, in der Tolstoj'sche Grundsätze eine sehr große Rolle spielten. Ich hatte sie mit der Muttermilch aufgesogen, und er könne über mein Leben verfügen. Aber ich hätte nicht in Erwägung gezogen, berechtigt zu sein, über Leben und Tod anderer Menschen zu richten.«[152]

Nun eskalierten die Spannungen zwischen ihm und Sinaida, die mit Boris verbale Kämpfe ausfocht und ihn bekniete, den Brief des Schriftstellerverbands zu unterzeichnen, da sie andernfalls Konsequenzen für ihre Familie befürchtete. Sein Festhalten an seinen Überzeugungen war in ihren Augen Egoismus. Sinaida war gerade schwanger, was damals anscheinend keinen Anlass zu großen Feierlichkeiten bot. Die Ehe litt unter den extremen ideologischen Differenzen der beiden und unter dem herrschenden politischen Druck. Als Boris zum ersten Mal von Sinaidas Schwangerschaft erfuhr, schrieb er an seine Eltern: »Ihr jetziger Zustand ist eine vollkommene Überraschung, und wäre die Abtreibung nicht verboten, hätte uns unsre zu geringe Freude über dieses Ereignis zurückgehalten und sie wäre zur Operation gegangen.«[153] Sinaida schrieb später, dass sie »Borjas Kind« unbedingt gewollt, ihre Schwangerschaft aber nur schwer ertragen habe, weil sie fürchtete, ihr Mann könne jederzeit verhaftet werden.[154] So überzeugt war Sinaida davon, dass sie für diesen Notfall sogar einen kleinen Koffer gepackt hatte.

»Meine Frau war schwanger. Sie weinte und flehte mich an zu unterschreiben, aber ich konnte nicht«, schrieb Boris. »An jenem Tag spielte ich die Pros und Contras meiner Überlebenschancen durch. Ich war überzeugt davon, dass sie mich verhaften würden – nun war ich an der Reihe. Ich war darauf vorbereitet. Ich verabscheute dieses elende Blutvergießen; ich konnte es nicht länger ertragen. Aber nichts geschah. Später erfuhr ich, dass meine Kollegen mich gerettet hatten – zumindest indirekt. Es war einfach so, dass keiner es wagte, den Obrigkeiten zu berichten, dass ich nicht unterschrieben hatte.«[155]

Dass Boris dennoch die folgenden Worte schrieb, obwohl er in jener Nacht auf seine Exekution oder Verhaftung vorbereitet war, gewährt einen tiefen Einblick in seinen unbeugsamen Charakter: »In dieser Nacht erwarteten wir meine Verhaftung. Aber stellen Sie sich vor: Ich legte mich ins Bett und fiel sofort in einen gesegneten Schlaf. Lange hatte ich nicht so tief und fest geschlafen wie in dieser Nacht. Das geht mir immer so nach einer unabwendbaren, endgültigen Entscheidung.«[156]

Am 15. Juni entdeckte Pasternak auf der Titelseite der *Literaturnaja Gazeta* neben den Unterschriften von dreiundvierzig anderen Schriftstellerkollegen auch seine eigene. Sofort fuhr er von Peredelkino nach Moskau und protestierte im Sekretariat des Schriftstellerverbands gegen das nicht autorisierte Hinzufügen seiner Unterschrift. Doch bis dahin hatten sich die Wogen geglättet, und niemand interessierte sich noch dafür. Abermals war er ohne sein Zutun davongekommen.

Boris' guter Freund Tizian Tabidze hatte nicht so viel Glück. Nach seiner Verhaftung in den frühen Morgenstunden des 11. Oktober 1937 wurde er des Verrats angeklagt, in den Gulag geschickt und gefoltert. Zwei Monate später wurde er hingerichtet, auch wenn dies damals verschwiegen wurde. Erst nach Stalins Tod kam die Wahrheit ans Licht. Boris betrauerte seinen Freund aufrichtig und stand weiterhin loyal zu Tizians Frau Nina und der Tochter Nita. In den 1940er Jahren, als alle inständig hofften, Tizian könnte irgendwo in Sibirien noch am Leben sein, griff Boris der Familie finanziell unter die Arme, schickte ihnen alle Tantiemen aus seinen georgischen Übersetzungen und lud sie regelmäßig zu sich nach Peredelkino ein. Tizians Verbrechen ähnelte dem Pasternaks. Er hatte gewissenhaft über Russland geschrieben und in einer Zeit öffentlich den Gehorsam verweigert, in der literarische Modernität vom sowjetischen Staat ausgemerzt wurde. Nach einer Presseattacke gegen Tizian hatte Boris ihn beschworen: »Verlass dich nur auf dich selbst. Bohre mit deinem Bohrer immer tiefer, furchtlos und unbestechlich, aber in dir selbst, in dir selbst. Wenn du die Menschen, die Erde und den Himmel dort nicht findest, dann hör auf zu suchen, denn dann findest du es nirgendwo sonst.«[157]

Pasternaks zweiter Sohn Leonid wurde zur Jahreswende 1938 geboren. Am Neujahrstag schrieb Boris an seine Familie in Berlin: »Der Junge war bei der Geburt hübsch und gesund und scheint sehr lieb zu sein. Er hat es exakt zum letzten Schlag des Zwölfuhrläutens in der Neujahrsnacht geschafft. Und die Statistik des Entbindungsheims vermeldet, dass er

›das erste Baby war, das Punkt Mitternacht am 1. Januar 1938 geboren wurde.‹ Euch zu Ehren heißt er Leonid. Sina hatte eine sehr schwere Geburt, aber anscheinend ist sie geschaffen dafür, Schwierigkeiten zu meistern, und sie erträgt sie klaglos und fast still. Wenn Ihr ihr schreiben wollt, schreibt ihr bitte, aber fühlt Euch nicht dazu verpflichtet.«[158]

Wie schlecht es um ihre Ehe wirklich stand, zeigte sich bereits achtzehn Monate zuvor, als Sinaida den Umzug von Moskau nach Peredelkino ganz allein stemmte und ihre Söhne und das gesamte Mobiliar der Familie eigenhändig umsiedelte. Während dieser Zeit wohnte Boris bei seiner ersten Ehefrau Evgenija in deren Wohnung am Twerskoj-Boulevard. »Er war der kleinen Shenja und mir sehr zugetan. Er wohnte ein paar Tage bei uns und fügte sich so natürlich und leichthin in unser Leben ein, als sei er nur zufällig fort gewesen«, schrieb Evgenija später an ihre Freundin Raisa Lomonosowa, als sie ihr berichtete, dass Boris in jenem Sommer bei ihr gewohnt hatte: »Aber obwohl er, wie er wörtlich sagte, dieses Leben gründlich satthat, wird er nie den Mut aufbringen, sich von ihr [Sinaida] zu trennen. Und deshalb hat es auch keinen Zweck, dass er mich quält und wieder alte Geschichten und Gewohnheiten aufwärmt.«[159]

Boris empfand Evgenijas künstlerisches Temperament im Vergleich zu Sinaidas langweiliger Häuslichkeit auf einmal viel weniger erdrückend. So regten sich bei Boris nostalgische Gefühle für seine erste Familie, aber gleichzeitig unterstrich es auch sein verbissenes Pflichtgefühl gegenüber seiner zweiten Familie. Er empfand Sinaidas Persönlichkeit als »schwierig« und »unflexibel«, und ihm war inzwischen bewusst, dass ihre Charaktere zu unterschiedlich waren, um auf irgendeine Art zu harmonieren. Jahre später sagte Sinaidas Schwiegertochter Natascha (die Boris' und Sinaidas gemeinsamen Sohn

Leonid geheiratet hatte) über ihre Schwiegermutter: »Sie hatte einen sehr rigiden Charakter. Sie war praktisch veranlagt und diszipliniert. Wenn sie sagte: ›Mittagessen ist fertig‹, setzten sich alle an den Tisch. Und sie thronte am Kopf des Tisches wie ein Kapitän am Ruder«.[160]

Pasternaks Freundin, die Dichterin Anna Achmatowa, beobachtete, Boris habe blind vor Liebe anfangs nicht erkennen wollen, was andere längst bemerkt hatten, nämlich dass Sinaida »ungehobelt und vulgär« war. Boris' literarische Freunde sahen es so, dass sie keinen Sinn für sein Bedürfnis nach spiritueller und ästhetischer Betätigung hatte und lieber bis in die Nacht hinein Karten spielte und Kette rauchte. Doch Achmatowa prophezeite richtigerweise, dass Boris Sinaida niemals verlassen würde, da er zu »der Rasse von Männern gehört, die mit einem Gewissen ausgestattet sind und sich nicht zwei Mal scheiden lassen können.« Unausweichlich war seine emotionale Reise noch nicht zu Ende. Bald sollte er Olga kennen lernen, die Seelenverwandte, die seine Lara sein würde und nach der er sich sein ganzes Leben lang gesehnt hatte.

4

Wir stehen unter Spannung

Sechs Monate nach ihrem ersten Zusammentreffen bei *Nowy Mir*, als Olga Boris mit ihren beiden kleinen Kindern bekannt machte, war es klar, dass nichts ihre Liebe mehr wenden konnte. Olga wie auch Boris waren voneinander besessen, verzehrt von einer unwiderstehlichen Anziehungskraft. Nachdem Boris an jenem Abend im April 1947 Irina und Mitja kennen gelernt hatte, fühlte er sich noch stärker zu Olga hingezogen. Kompliziert wurde das allerdings dadurch, dass er sehr wohl wusste, welchen Kummer und welches Trauma er allen durch seinen Betrug an Sinaida auferlegte. »Boris litt unendlich unter der Tragweite der von seinen Gefühlen diktierten Entscheidungen«, sagte Irina nachdenklich.[161]

Als die Kinder in jener Frühlingsnacht schon in den Betten lagen, durchlebten Boris und Olga noch bis Mitternacht in Olgas winzigem Zimmer ein emotionales Wechselbad zwischen Glückseligkeit angesichts der Wucht ihrer Leidenschaft und blanker Verzweiflung, wenn sie sich der Realität ihrer Situation bewusst wurden.

Boris erzählte Olga, wie sehr ihn seine Empfindungen für sie und für seine Familie in Peredelkino aufrieben: Jedes Mal, wenn er nach seinen Spaziergängen mit Olga durch Moskau zu Sinaida zurückkehrte und sah, dass seine »nicht mehr junge« Frau auf ihn wartete, musste er an Rotkäppchen denken, das sich im Wald verirrt hatte. Dann brachte er die Worte nicht über die Lippen, die er sich immer wieder zurechtgelegt hatte, dass er sie verlassen wollte. Boris versuchte in jener Nacht in Olgas Wohnung, sich von seiner tiefen und leidenschaftlichen Anziehung zu Olga freizumachen und gestand ihr seine unsäglichen Gewissensbisse gegenüber Sinaida. Er erklärte Olga, dass seine indifferenten Gefühle für seine Frau nichts mit ihr zu tun hätten. Seit zehn Jahren schon sei seine Ehe mit Sinaida unglücklich. Er räumte ein, er habe bereits im ersten Jahr seiner Ehe mit Sinaida gewusst, dass er einen schrecklichen Fehler begangen hatte. Erstaunlicherweise gestand er, dass er in Wirklichkeit nicht Sinaida geliebt hatte, sondern ihren Ehemann Heinrich, dessen musikalisches Talent er bewunderte. »Sein Spiel hatte mich verzaubert«, sagte Boris. »Nachdem Sinaida ihn verlassen hatte, hätte er mich am liebsten ermordet, der seltsame Kerl. Aber später war er mir sehr dankbar!«[162]

Boris erzählte Olga so eindringlich vom Scheitern seiner ersten Ehe und von seiner häuslichen Hölle mit Sinaida, dass Olga nicht anders konnte, als ihm und seinen Motiven ihr gegenüber Glauben zu schenken. Natürlich wollte er nichts lieber, als eine glückliche Liebesbeziehung mit Olga eingehen, konnte sich aber nicht vorstellen, wie er sich wieder aus einer Ehe herauswinden sollte. Als der Morgen graute und er an der Tür stand, um sich von ihr zu verabschieden, sagte er ihr, dass er das Gefühl habe, kein Recht auf Liebe zu haben. Die guten Dinge im Leben seien nicht für ihn gemacht. Er habe eine Pflicht zu erfüllen, und Olga dürfe ihn von seinem eingeschlagenen Lebensweg – und von seiner Arbeit – nicht ablenken. Dann setzte er noch hinzu, er werde sich bis an sein Lebensende um Olga kümmern. Ein ehrenwertes Versprechen in Anbetracht dessen, dass sie ihr Verhältnis noch nicht einmal vollzogen hatten.

Nachdem Boris gegangen war, fand Olga keinen Schlaf. Ruhelos trat sie immer wieder auf den Balkon hinaus, lauschte den Geräuschen des neuen Tages, schaute zu, wie die Straßenlampen unter den jungen Linden in der Potapow-Gasse allmählich erloschen. Um sechs Uhr früh klingelte es an der Tür. Draußen stand Boris. Er war mit dem Zug zu seiner Datscha nach Peredelkino hinausgefahren – im Gegensatz zu Juri Schiwago, der seine große Liebe immer hoch zu Ross besuchte –, war dann sofort umgekehrt und bis zum Morgengrauen in Moskau herumgelaufen. Olga trug ihren japanischen Lieblingsmorgenmantel, der gemustert war mit kleinen Häusern. Sie zog ihn an sich, und sie umarmten sich schweigend. Beide wussten, dass sie trotz der Komplexität ihrer Situation und der durch ihre Leidenschaft zu erwartenden Katastrophe nicht ohneeinander leben konnten.

Am folgenden Tag machte Olgas Mutter mit der Familie einen Ausflug nach Pokrowskoje-Streschnewo außerhalb von Moskau. Dort wollten sie ein Anwesen aus dem 18. Jahrhundert in einer weitläufigen Parklandschaft besichtigen. So konnten Boris und Olga ihre erste Nacht und den folgenden Tag »wie ein jung verheiratetes Paar«[163] gemeinsam verbringen. Olga ließ es sich nicht nehmen, Boris' zerknautschte Hosen zu bügeln; nicht unbedingt die romantischste aller Handlungen, doch typischerweise war er »beseligt«, dass sie diese vierundzwanzig Stunden wie ein Ehepaar zusammen sein durften. Um dieses glückliche Ereignis festzuhalten, schrieb er Olga eine Widmung in ein rot eingebundenes Gedichtbändchen: »Mein Leben, mein Engel, ich liebe dich. 4. April 1947.«[164]

Von dem Augenblick an, in dem sie ein Liebespaar wurden, waren Boris und Olga unzertrennlich. Er kam jeden Tag um sechs oder sieben Uhr morgens in ihre Wohnung. Auf diesen

Frühling folgte ein heißer Sommer; die Linden standen in voller Blüte, die Boulevards dufteten nach geschmolzenem Honig. Sie waren im siebenten Himmel, brauchten nur wenig Schlaf, Adrenalin war ihr Treibstoff, gewonnen aus Begierde, Erregung und Verlangen. Boris schrieb ein Gedicht über diese Zeit mit dem Titel »Sommer in der Stadt«, das auch in Juri Schiwagos Gedichtsammlung in *Doktor Schiwago* zu finden ist:

Spätgespräche im Flüsterton
Und in feueriger Eile.
Und den Schopf hoch aufgetürmt,
Daß der Nacken freiliegt.

Unterm dicken Kamm aus Horn
Schaut behelmt eine Frau,
Ins Genick geworfen den Kopf
Und die Zöpfe verstaut.

Vor dem Fenster, die heiße
Nacht verspricht ein Gewitter.
Und die Fußgänger schleichen
Heim, mit schleppenden Schritten.

Draußen donnert's, wie abgehackt,
Mit verzögertem Hall.
Von den Windstößen hart gepackt,
Weht der Fenstervorhang.

Stille tritt nun ins Zimmer.
Satt und feucht ist die Luft.
Blitze zucken noch immer,
Horizonthin die Flucht.

Hat der lichthelle Morgen
In der steigenden Hitze
Alle Pfützen getrocknet,
Die vom Nachtguß geblieben,

Stehn verbiestert die Linden
In noch blühender Pracht.
Sie haben, hundertjährig,
Kein Auge zugemacht.[165]

In dem Maß, in dem sich die Affäre zwischen dem liebes-
trunkenen Schriftsteller und Olga festigte, eskalierten die
Spannungen zwischen Olga und Maria Kostko, ihrer Mutter.
Während Olga und sogar die kleine Irina begeistert waren,
dass ein Dichter von Boris' Kaliber in ihr Leben getreten war,
stemmte sich Maria vehement gegen die Beziehung. Alles, was
sie sich für ihre Tochter wünschte, war ein passender, dritter
Ehemann, bei dem sie emotionale und finanzielle Sicherheit
fand. »Ein Verhältnis mit einem verheirateten Mann ist unmöglich, undenkbar und nicht vertretbar«, tadelte Maria sie
immer wieder. »Wir sind sogar gleich alt, er und ich.«[166] Für
Maria muss es doppelt beängstigend gewesen sein, dass ihre
Tochter sich nicht nur auf ein Verhältnis mit einem verheirateten Mann einließ, sondern noch dazu mit einer so berühmten und kontroversen Figur, wie er es war. Angesichts
der Häufung und der Grausamkeit von Verhaftungen hätte
Olga nach Marias Ansicht genauso gut ihr eigenes Todesurteil unterschreiben können. Sie hatte gute Gründe, besorgt zu
sein, denn Maria hatte die Repressalien Stalins am eigenen
Leib erfahren und während des Krieges drei Jahre im Gulag
verbracht. Noch dazu kam der Denunziant allem Anschein
nach aus dem engeren Familienkreis: Man vermutete, dass

Marias zweiter Schwiegersohn Alexander Winogradow den Behörden einen Tipp gegeben und gesagt hatte, Maria habe zu Hause während einer privaten Unterhaltung, in der es um Stalin ging, »den Führer verunglimpft«.[167] Ein Motiv für diesen Verrat könnte gewesen sein, dass Winogradow seine Schwiegermutter aus der überfüllten Wohnung heraushaben wollte. Ein Anwalt verriet Olga, dass es tatsächlich ein Schriftstück von Winogradow in Marias Polizeiakte gab, demzufolge er seine Schwiegermutter denunziert hatte. Diese Entdeckung führte zu erbitterten Auseinandersetzungen zwischen den Eheleuten, die bis zu Winogradows Tod 1942 andauerten. Später erfuhr Olga, dass feindliche Bomber das Lager, in dem ihre Mutter gefangen gehalten wurde, angegriffen hatten; die Lagerordnung war zusammengebrochen und die Häftlinge waren dem Hungertod preisgegeben.

Anfang 1944 machte Olga sich beherzt auf den Weg zum Lager. Sie fuhr mit dem Zug bis Sukho-Besrodnaja, 1.500 Kilometer östlich der Wolga. Dies war der Ausgangsbahnhof für den als *UnschLag* bekannten Zwangsarbeiterlagerkomplex. Da Olga keine Fahrkarte besaß, legte sie sich, eingewickelt in einen Wintermantel, unter die Sitze eines Viehtransportwaggons. Mitreisende Soldaten halfen ihr, sich hinter ihren Seesäcken und Stiefeln zu verstecken. Wie durch ein Wunder schaffte Olga es bis zu ihrem Ziel, wo sie ihre Mutter »mehr tot als lebendig« vorfand. Olga gab Maria die Sonderration zu essen, die die Gemeinde ihr als offizieller Blutspenderin zugeteilt hatte. Es gelang ihr, die Mutter aus *UnschLag* herauszuschaffen, nachdem sie die Behörden davon überzeugen konnte, dass diese – eine gebrechliche, alte Frau – nur eine Belastung wäre, da sie zu keiner nützlichen Arbeit imstande sei. Olga brachte sie illegal nach Moskau zurück und mit ihr viele Geschichten über den Heldenmut der Soldaten, die ihr geholfen hatten, und die sie später ihren Kindern erzählte. Es sollte nicht das letzte Mal sein, dass Olga »in einem Viehwaggon« reiste und »auch nicht das letzte Mal, dass sie auf Soldaten traf, nur mit dem Unterschied, dass diese dann nicht mehr so freundlich waren.«[168]

Olgas Wagemut stand in scharfem Kontrast zu Sinaidas Apathie und Vorsicht, ein Charakterzug, den Boris schätzte und den er an ihr liebte. Doch während er beruflich als Schriftsteller keine Furcht kannte, wurde seine persönliche Courage im Verlauf seiner Beziehung zu Olga auf eine harte Probe gestellt.

Bald durchzogen Streitigkeiten und Forderungen ihre glückseligen Phasen. Olga erinnerte sich an ein typisches Konfliktmuster: »Nein, Oljuscha, es ist zu Ende – alles«, wiederholte Boris immer, wenn er den Versuch machte, »auszubrechen«. »Ich liebe dich, aber ich muß dich verlassen. Ich habe einfach nicht die Kraft, all das Entsetzliche, das die Trennung von der Familie mit sich bringen würde, auszuhalten. Wenn du dich nicht damit abfinden kannst, daß wir in einer Art von höherer Welt zusammen leben und auf die unbekannte Kraft vertrauen, die mächtig genug ist, uns zu vereinen, dann müssen wir uns trennen. Wir können unser Leben nicht auf dem Unglück anderer aufbauen.«[169]

Später ließ Pasternak genau diesen inneren Kampf in *Doktor Schiwago* wieder auferstehen. Juri ist zerrissen zwischen seiner brennenden Sehnsucht, bei Lara zu sein, und seiner Selbstzerfleischung darüber, Tonja zu betrügen. Vom Verstand her möchte er die Beziehung mit Lara beenden, doch er erkennt, dass sie mehr ist als eine flüchtige Liebelei, derer er sich einfach entledigen könnte – ihre Beziehung stützt sich auf eine mythische, spirituelle Verbindung, die sein Herz nicht außer Kraft setzen kann:

Er beschloß, den Knoten mit Gewalt durchzuhauen. Sein Entschluß stand fest. Er wollte Tonja alles erzählen, sie um Verzeihung bitten und Lara nie wieder sehen.

Das war freilich nicht leicht. Es schien ihm auch jetzt noch nicht ganz klar, daß er für immer, für alle Zeiten mit Lara gebrochen hatte. Heute früh hatte er ihr gesagt, daß er Tonja alles beichten wolle und daß sie sich nicht mehr sehen dürften, aber nun hatte er das Gefühl, es ihr nicht entschlossen genug gesagt zu haben.

Lara wollte ihn nicht mit unangenehmen Szenen belasten. Sie begriff, daß er sich ohnehin schon quälte. Darum gab sie sich Mühe, möglichst gelassen zu bleiben. Ihr Gespräch fand in dem unbewohnten Zimmer der früheren Wohnungsmieter statt, dessen Fenster in die Kupetscheskaja blickten. Über Laras Wangen liefen Tränen, die sie ebenso wenig wahrnahm wie die steinernen Figuren gegenüber, die Regentropfen, die ihnen über die Gesichter rannen. Aufrichtig, ohne gespielte Großmut, sagte sie leise: ›Handle so, wie es für dich am besten ist, nimm auf mich keine Rücksicht. Ich werde es überstehen.‹ Sie wußte nicht, daß sie weinte, und sie wischte die Tränen nicht weg.

Bei dem Gedanken, Lara könnte ihn falsch verstanden haben, und er habe sie vielleicht mit irrigen, falschen Hoffnungen zurückgelassen, war er drauf und dran, umzukehren und wieder in die Stadt zu reiten, um das Ungesagte auszusprechen und sich vor allem noch viel heißer und zärtlicher zu verabschieden, wie es sich bei einer Trennung fürs ganze Leben gehörte. Nur mühsam bezwang er sich und setzte seinen Weg fort. ...

Plötzlich schlug fern in der Richtung des Sonnenuntergangs eine Nachtigall.

Wach auf! Wach auf! rief sie eindringlich, und es klang beinahe wie vor Ostern: Meine Seele, meine Seele, stehe auf und schlafe nicht!

Da kam Shiwago ein einfacher Gedanke wie eine Erleuchtung. Wozu die Eile? Er würde nicht das Wort brechen, das er sich selbst gegeben hatte. Die Selbstentlarvung würde stattfinden. Aber wer sagte denn, daß das heute noch sein müsse? Noch hatte er Tonja nichts gebeichtet. Noch konnte er die Erklärung bis zum nächsten Mal aufschieben. Er würde noch einmal in die Stadt reiten und das Gespräch mit Lara zu Ende führen, tief und herzlich, so daß alle seine Leiden gesühnt wären. Oh, wie schön! Wie wunderbar! Erstaunlich, daß er darauf nicht schon eher gekommen war!

Bei dem Gedanken, er werde Lara noch einmal sehen, war Shiwago wie verrückt vor Freude.[170]

Inzwischen war es Olga zufolge so, dass sie und Boris »einfach machtlos waren, sich zu trennen«. Boris' Sohn Evgenij stellte fest, dass »ein Bewusstsein der Sündhaftigkeit und der offensichtlichen Aussichtslosigkeit ihrer Beziehung ihnen damals ein besonderes Leuchten verlieh. Gewissensbisse auf der einen und ein unbekümmerter Egoismus auf der anderen Seite konfrontierten sie oft mit der Notwendigkeit, sich voneinander zu lösen, doch Mitleid und ein Hunger nach emotionaler Wärme trieben ihn wieder in ihre Arme.«[171] In seinem Gedicht »Erklärung« beschrieb Boris die Qualen und Verwerfungen, die ihre Liebe verursachte, und verglich das Paar mit Hochspannungskabeln.

…

Wieder üb ich faule Reden,
Wieder ist mir's einerlei.
Die Nachbarin, ums Hofeck biegend,
Läßt uns beide nun allein.

Hör auf, sei still, heul nicht herum
Mit schiefgezogenem Munde.
Du reißt dir nur den Fieberschorf
Von den Frühlingswunden.

Nimm die Hand von meiner Brust,
Wir stehen unter Spannung.
Sonst reißt es uns, sei dir bewußt,
Von neuem ineinander.

…

Behält die enge Nacht mich auch
in ihrem Schmerzensbuch:
Noch stärker ist der Drang hinaus,
Verfuhrt die Lust zum Bruch.[172]

Der wachsende Druck auf Boris verstärkte sich noch durch ungeheure Schikanen und den politischen Druck. Wegen der antisowjetischen Ausrichtung seiner Werke stand er unter ständiger Überwachung durch die Machthaber, während seine Zeitgenossen, denen man unterstellte, nicht den Interessen des Sowjetsystems zu dienen, hingerichtet, in Gefangenenlager verbannt oder gefoltert wurden. Er hatte bereits erfahren, dass sein enger Freund Ossip Mandelstam irgendwo im Gulag umgekommen war und seine Vertraute Marina Zwetajewa sich 1941, bald nach ihrer Rückkehr aus dem Exil, erhängt hatte.

Auch private Enttäuschungen führten zu Stimmungsschwankungen, seelischem Druck und Zerwürfnissen. Olga zufolge hatte Sinaida Nikolajewna zu dieser Zeit schon von ihr gehört und ebenfalls begonnen, ihm das Leben zur Hölle zu machen.[173] Da Sinaida darin geübt war, junge Bewunderer ihres Ehemannes abzuwehren, die sein eheliches und künstlerisches Gleichgewicht bedrohten, liegt es nahe, dass sie Gerüchte über seine Liaison mit Olga anfangs nicht allzu ernst nahm. Rational und robust wie sie war, hätte eine vorübergehende Liebelei ihrem unerschütterlichen Selbstbewusstsein keinen Kratzer zufügen können.

Obwohl Boris Olga immer wieder klargemacht hatte, dass er Sinaida für sie nicht verlassen konnte, stellte Olga im Laufe ihrer Beziehung zunehmend Forderungen an ihn. Maria goss weiter Öl ins Feuer, als sie ihrer Tochter ständig in den Ohren lag, von Boris zu verlangen, einen klaren Schnitt zu setzen, sich von seiner Familie zu trennen, und sie dann auch noch mit der altbekannten Frage konfrontierte: Wenn er dich so sehr liebt, warum verlässt er dann nicht seine Frau? Maria wurde übergriffig, rief Boris an, wenn Olga krank war, und warf ihm vor, es sei seine Schuld, dass es Olga schlecht ging, oder er kümmere sich nicht genügend um sie.

Die Grausamkeiten des politischen Klimas hatten Maria vom ehemaligen Häftling eines Gefangenenlagers zu einer Aufseherin verwandelt, die es sich zur Aufgabe machte, die sowjetische Kleingeistigkeit hochzuhalten. Da sie schon einmal in den Gulag geschickt worden war, überrascht es kaum, dass sie befürchtete, Olgas Affäre mit Boris könnte abermals eine Gefängnisstrafe nach sich ziehen. Daraus erwuchsen heftige Auseinandersetzungen zwischen Olga und ihrer Mutter mitten in einer damals für die sowjetische Gesellschaft typischen, allgemeinen Atmosphäre muffiger Heimlichtuerei. Boris ließ sich nicht be irren. »Ich liebe Ihre Tochter mehr als mein Leben, Maria Nikolajewna«, erklärte er, »aber erwarten Sie nicht, dass unser äußeres Leben sich von heute auf morgen ändern kann.«[174]

»In unserem Haushalt brodelten unterdrückte Leidenschaften«, erinnert Irina sich an jene Zeit. »Ich war zehn Jahre alt und verwirrt, da ich spürte, was sich hinter den Kulissen abspielte. Ein Jahr lang gab es unendlich viele Kämpfe und Tobsuchtsanfälle.« Sie weiß noch, wie Olga in ihrem Zimmer heulte oder mit Tellern und Löffeln nach ihrem Stiefvater warf, dem sowohl Boris als auch seine Dichtkunst reichlich egal waren. Irina hatte Mitleid mit ihm: »Mein armer Großvater, dem mein Bruder und ich so zugetan waren.«

Olga und Boris wanderten weiter durch Moskaus Straßen, stritten in Toreingängen fremder Häuser miteinander und schlossen wieder Frieden. Irina beobachtete ihre Mutter, wenn sie von ihren Verabredungen mit Boris heimkam: Hatten sie sich gezankt, hängte sie sein Bild von der Wand ab, um es kurz darauf wieder zurückzuhängen. »Hast du denn keinen Stolz, Mama?«, fragte Irina sie einmal. Statt Boris dafür verantwortlich zu machen, dass er durch seine Weigerung, Sinaida sofort zu verlassen, ihre Mutter in eine prekäre Lage brachte, konnte sie die familiären Zwänge des Schriftstellers sehr gut nachfühlen. »Dieses Genie, diese empfindsame, problembehaftete Seele, schuf exakt dieselbe Situation mit seiner zweiten Frau wie mit seiner ersten«, sagte sie. »Er war nicht imstande, sich zweimal scheiden zu lassen, und deswegen litt er Höllenqualen.«

Wie bei Boris rangierte auch Olgas Liebesleben vor ihrer jungen Familie. Ihre Pflichten als Mutter folgten irgendwo auf den hinteren Plätzen. Ihre Liebe zu Boris war leidenschaftlich, neurotisch und zweifellos egoistisch, da sie mit dieser Affäre ihre Familie gefährlich ins Rampenlicht rückte. Sie war jedoch dankbar und berührt, wie warmherzig Boris mit ihren

Kindern umging. »Für mich war Borja viel mehr als ein Ehemann«, räumte Olga ein. »Er war in mein Leben gekommen und hatte es ganz und gar, mit allem was darin war, in Besitz genommen. Es machte mich überglücklich, zu beobachten, wie zärtlich er sich zu meinen Kindern verhielt, besonders zu der heranwachsenden Irina.«[175]

Für Evgenij und Leonid, Boris' Söhne aus erster und zweiter Ehe, muss es ausgesprochen schmerzlich gewesen sein, dass Boris ein besonders enges Verhältnis zu Irina entwickelte, zu der Tochter, die er nie hatte. Die Pasternak-Familie war überzeugt davon, dass Boris seine erste Familie zugunsten der zweiten vernachlässigte. Ähnlich sahen es Sinaida und ihr Sohn Leonid: Sie empfanden es als ungerecht, dass Boris immer mehr Zeit mit Olga, Irina und Mitja verbrachte. Charles Pasternak, Boris' Neffe, kann sich noch lebhaft an die »ausführlichen Diskussionen« in der Familie erinnern, bei denen es darum ging, dass Boris seinem zweiten Sohn Leonid im Vergleich zu seinem Erstgeborenen Evgenij den Vorzug gab.[176] Natascha Pasternak, die Boris' Sohn Leonid heiratete, sagte, dass Boris »wenig Zeit für Evgenij« erübrigte, dass sein Sohn Peredelkino nur »unregelmäßig besuchte«, und wenn er es tat, »kam er als Gast und nicht als Familienmitglied«.[177]

Irina glaubt, dass Boris trotz des Leids, das er verursachte, nicht imstande war, seine Liebe zu Olga zu opfern. »Obwohl Boris schwere Zeiten durchmachte und oft am Ende seiner Kraft war, gelang es ihm doch, sich schnell wieder aufzurappeln. Meine Mutter war ein sehr optimistischer Mensch, heiterte ihn immer auf und tröstete ihn. Diese Charaktereigenschaften waren ihm außerordentlich wichtig, und deshalb brauchte er sie. Sie wurde für seine Arbeit, sein Leben und sein Glück unverzichtbar.«

Wie üblich arbeitete Boris während dieser Zeit hart und

kanalisierte seine Lebensängste in seiner Schriftstellerei. Als die sowjetischen Machthaber am 9. September 1946 eine Resolution verabschiedeten, in der sie ihn als einen »Autor bar jeglicher Ideologie und fern der sowjetischen Realität« anprangerten, und als die Attacken gegen ihn bis ins Jahr 1947 hinein andauerten, versiegten seine bezahlten Übersetzungsaufträge. *Nowy Mir* lehnte sogar einige seiner Gedichte ab. Er steckte seine Wut und seinen Frust in *Doktor Schiwago*, der ihm, wie er wusste, unter den herrschenden politischen Bedingungen gar kein Einkommen bringen würde. »Ich begann wieder an meinem Roman zu arbeiten, als ich sah, dass alle unsere hochfliegenden Erwartungen an die Veränderungen, die das Kriegsende für Russland hatte bringen sollen, nicht erfüllt werden würden«, erzählte er seinem Freund, dem Stückeschreiber Alexander Gladkow. »Der Krieg war wie ein klärender Sturm, wie eine Brise, die durch einen ungelüfteten Raum weht. Das Leid und die Entbehrungen, die er mit sich brachte, waren weniger schlimm als die unmenschliche Lüge – sie erschütterten alles Vordergründige und Unorganische in der Natur des Menschen und der Gesellschaft bis ins Mark, die uns so sehr in den Griff bekommen hat. Aber der Ballast der Vergangenheit wog zu schwer. Der Roman ist absolut lebenswichtig für mich als ein Weg, meine Gefühle auszudrücken.«[178]

Täglich schrieb er über Juri Schiwagos Leidenschaft für Lara, die verflochten war mit Gewissensbissen wegen der Untreue zu seiner braven Frau Tonja. »Das Leben wurde in Kunst umgewandelt, und Kunst wurde geboren aus Leben und Erfahrung«, sagte er damals. Er lebte das gleiche Doppelleben mit Sinaida in Peredelkino, während Olga in Moskau auf ihn wartete. In *Doktor Schiwago* schrieb er:

Je näher ihm diese Frau und das Mädchen standen, desto weniger wagte er, sie als seine Familie zu betrachten, und desto strenger war das Verbot, das die Pflicht vor der eigenen Familie und der Schmerz wegen der gebrochenen Treue seiner Denkweise auferlegte. Diese Selbstbeschränkung hatte für Lara und Katenka nichts Kränkendes. Im Gegenteil, seine nichtfamiliäre Fühlweise barg in sich eine ganze Welt von Ehrfurcht und schloß Hemdsärmeligkeit und plumpe Vertraulichkeit aus.

Dennoch quälte und schmerzte ihn diese Spaltung, an die er sich gewöhnt hatte wie an eine nicht verheilende, oft aufbrechende Wunde.[179]

Es erscheint unüberlegt naiv oder vorsätzlich dreist, dass er, während er an *Doktor Schiwago* schrieb, regelmäßig Lesungen aus seinem unfertigen Werk gab. Als sich diese illustren Lesungen herumsprachen, wollten seine literarischen Freunde ebenfalls eingeladen werden. Am 6. Februar 1947 drängte sich das Publikum in der Wohnung der Pianistin Maria Judina, die zu Pasternak sagte, sie und ihre Freunde freuten sich auf die Lesung »wie auf ein Fest«.[180]

Am Tag zuvor, als Boris Olga von der Arbeit bei *Nowy Mir* abholte und nach Hause brachte, lud er sie ein, ihn zu begleiten: »Ich möchte dich zu Maria Judina mitnehmen. Sie wird Klavier spielen, und ich werde ein bißchen neue Prosa lesen«, versuchte er ihr den Abend schmackhaft zu machen. »Ein Roman im strengen Sinne wird nicht dabei herauskommen. Ich werde Jahre und Jahrzehnte durcheilen und vielleicht an Nebensächlichkeiten hängenbleiben. Die neue Arbeit wird ›Knaben und Mädchen‹ oder ›Bilder aus einem halben Jahrhundert‹ heißen. Ich habe das Gefühl, daß auch du darin vorkommen wirst.«[181]

Die Veranstaltung war trotz eines heftigen Schneesturms

bis auf den letzten Platz besetzt. Boris hatte schon befürchtet, es nicht zur Lesung zu schaffen, da die Schneeverwehungen es ihm erschwerten, Judinas Wohnung zu erreichen. Ein Freund hatte ihn und Olga im Auto mitgenommen, und sie hatten sich verfahren. Olga saß auf dem Rücksitz und betrachtete Boris' Profil, wenn er sich zur Seite drehte, um mit dem Fahrer zu sprechen. Boris, der Filzstiefel anhatte, die »ihm viel zu groß waren«, sprang ständig aus dem Auto, um festzustellen, wo sie waren. Plötzlich sah er im Fenster eines der vom Schnee weiß überpuderten Häuser das flackernde Licht einer Lampe, die wie eine Kerze aussah. Dieses Licht führte sie zur richtigen Wohnung und sollte später ein vertrautes Leitmotiv in *Doktor Schiwago* werden: die flackernde Kerze hinter der vereisten Fensterscheibe. »Sie fuhren durch die Kamergerski-Gasse. Jura entdeckte in einem der Fenster ein in die Eisschicht hineingeschmolzenes schwarzes Loch. Durch dieses Loch schimmerte eine Kerzenflamme, die fast mit der Bewußtheit eines Blicks auf die Straße drang, als beobachte das Flämmchen die Vorüberfahrenden und warte auf jemand.«[182]

Das Bild einer brennenden Kerze inspirierte ihn auch zu einem Gedicht, das Juri Schiwagos Gedicht »In einer Winternacht« werden sollte. Boris schrieb das Gedicht am folgenden Morgen und brachte es Olga noch am selben Tag ins Büro.

Der Abend war ein grandioser Erfolg. Maria Judina, die ihr bestes, schwarzes Samtkleid trug, spielte Chopin. »Boris Leonidowitsch liebte Chopin ganz besonders, seine Augen leuchteten. Ich war selig«, erinnerte Olga sich später.[183] Dann las Boris aus dem dritten Kapitel seines Romanmanuskripts. Der vollbesetzte Saal lauschte verzaubert der Passage über den jungen Studenten Schiwago, der mit seiner Verlobten Tonja in dem von den Kerzen des Weihnachtsbaums erleuchteten Haus der Swentitskis tanzt:

»Jura stand zerstreut im Saal und blickte zu Tonja, die mit einem Unbekannten tanzte. Wenn sie an ihm vorüberschwebte, warf sie mit einer Beinbewegung die kleine Schleppe des langen Atlaskleides zurück, so daß sie einen Schlenker machte wie ein Fischlein, und verschwand wieder in der Menge der Tanzenden:

Sie war sehr erhitzt. Als sie in der Pause im Eßzimmer saßen, hatte Tonja den Tee zurückgewiesen und ihren Durst mit Mandarinen gestillt, die sie von der duftenden, leicht sich lösenden Schale befreite. Aller Augenblicke nahm sie ihr Batisttüchlein, winzig wie Obstbaumblüten, aus dem Gürtel oder aus dem kurzen Ärmel und wischte sich damit die Mundwinkel und die klebrigen Finger. Lachend und ohne ihr lebhaftes Gespräch zu unterbrechen, steckte sie es mechanisch wieder in den Gürtel oder hinter die Miederrüsche.

Jetzt tanzte sie mit dem unbekannten Kavalier und streifte bei einer Umdrehung den abseits stehenden finsteren Jura, dabei drückte sie ihm übermütig die Hand und lächelte vielsagend. Bei einer dieser Berührungen blieb das Tüchlein, das sie hielt, in seiner Hand. Er preßte es an die Lippen und schloß die Augen. Das Tüchlein duftete nach Mandarinenschale und nach Tonjas heißer Hand.... Dies war etwas Neues in seinem Leben, er hatte es zuvor nie empfunden, und es durchdrang ihn jetzt heftig von Kopf bis Fuß. Der kindlich naive Geruch war vertraut und vernünftig wie ein in der Dunkelheit geflüstertes Wort. Jura stand mit geschlossenen Augen, die Hand vor dem Mund, und atmete den Duft ein. Plötzlich krachte im Haus ein Schuß.

Alle wandten den Kopf zu dem Vorhang, der den Salon vom Saal trennte. Das Schweigen dauerte eine

Minute. Dann begann ein Tumult. Alle kamen in Bewegung und schrien. Ein Teil stürzte hinter Koka Kornakow her, dorthin, wo der Schuß gefallen war. Andere kamen ihnen entgegen, drohend, weinend, im Streit einander ins Wort fallend.

›Was hat sie angerichtet, was hat sie angerichtet‹, rief Komarowski immer wieder verzweifelt.«[184]

In der überhitzten Wohnung Maria Judinas wischte Boris sich den Schweiß vom Gesicht und beantwortete die endlosen Fragen seiner begeisterten Zuhörer, die wissen wollten, wie die Geschichte weiterging. Im Verlauf des Kapitels fällt es Juri wie Schuppen von den Augen, dass es Lara war, die den Schuss auf den Advokaten Kornakow abgefeuert hat. Als sie in Ohnmacht fällt, kümmert sich der beflissene junge Arzt um sie und ist augenblicklich verzaubert und hingerissen von ihrem Charakter und den außergewöhnlichen Begleitumständen. Tonjas Unschuld steht im Kontrast zur Entrücktheit der faszinierenden Lara.

In ihren späten Teenagerjahren saß Josephine Pasternak einmal mit ihrem Bruder auf dessen Bett in der gemeinsamen Moskauer Wohnung und diskutierte leidenschaftlich mit ihm über das Thema weibliche Schönheit. »Er sagte, es gebe zwei ganz und gar unterschiedliche Arten von Schönheit. Die eine – eine Schönheit, die jedem ins Auge sticht, die sozusagen greifbarer und leichter zu verstehen ist. Und dann gibt es eine andere – eine edle, unaufdringliche und tatsächlich viel beeindruckendere Schönheit, obwohl es einen besonderen Blick erfordert, um sie würdigen zu können.«[185] Boris nannte seine erste Liebe, Ida Wisotskaja, als Beispiel für die »edle« Art von Schönheit, und deren Schwester Lena Wisotskaja als Beispiel für die zugänglichere und offensichtlichere.

»Ich habe auch den Eindruck, dass Lara, ›das Mädchen aus einer anderen Welt‹, ebenfalls zu dieser anderen, allerdings auf ihre eigene Art perfekten, eher zugänglicheren Schönheit gehörte«, sagte Josephine.[186]

Tonja in *Doktor Schiwago* wäre bestimmt als die edlere Art von Schönheit kategorisiert worden, doch war es die andere Art der Verlockung, von der Boris fasziniert war – eine Schönheit, die emotionales Leiden ausstrahlte. Wie er in *Doktor Schiwago* schreibt: »Ich mag nicht die Gerechten, die nie gefallen noch fehlgetreten sind. Ihre Tugend ist tot und wertlos. Die Schönheit des Lebens hat sich ihnen nicht aufgetan.«[187]

Irinas Beschreibung der »müden Schönheit« ihrer Mutter erklärt, weshalb Boris sich unmittelbar zu Olga hingezogen fühlte. »Es war nicht die Schönheit einer strahlenden Siegerin«, sagte Irina, »es war fast schon die Schönheit eines besiegten Opfers. Die Schönheit des Leidens. Wenn Boris in die schönen Augen meiner Mutter blickte, sah er wahrscheinlich viele Dinge darin …«[188] Als Juri Schiwago Lara zum ersten Mal begegnete, war er augenblicklich verzaubert: »Das also war es, worüber er sich mit Mischa und Tonja die Köpfe heiß geredet hatte; sie hatten es mit dem nichtssagenden Wort ›abgeschmackt‹ bezeichnet, dieses Erschreckende und Anziehende, mit dem sie aus sicherer Entfernung verbal so leicht fertig geworden waren. Jetzt sah Jura diese Kraft vor sich, durch und durch faßbar und zugleich verschwommen und Stoff zum Träumen liefernd, erbarmungslos zerstörend und zugleich klagend und um Hilfe rufend. Wo war ihre kindliche Philosophie geblieben, und was sollte er jetzt machen?«[189]

Nach der Lesung in Maria Judinas Haus, als Boris Olga nach Hause begleitete, erzählte er ihr, dass eine von draußen in der klirrenden Kälte erblickte Kerze, die den Hauch ihres Atems auf eine frostige Glasscheibe malt, ein unabdingbares Symbol in seiner Dichtkunst gewesen war. Und nun hatte dieses Fenster in der Nacht geleuchtet, ein Vorbote dessen, was noch kommen sollte. Boris vertraute Olga an, dass er dabei genau dasselbe gefühlt hatte wie der junge Schiwago: Hinter diesem Fenster mit seiner Kerze gab es ein Leben, das in Zukunft ganz gewiss mit seinem eigenen Leben verbunden sein würde, auch wenn es im Augenblick nur verlockend war. Aber er hatte das untrügliche Gefühl, dass Olga sein Schicksal werden sollte.

Im Verlauf seiner Arbeit an *Doktor Schiwago* las er weiterhin Auszüge daraus vor einem kleinen Kreis von Leuten in Moskauer Wohnungen und in Peredelkino und notierte sich Kommentare der Besucher, die er später im Text berücksichtigte. Bei einer Lesung im Mai 1947 saßen auch Heinrich Neuhaus, der sich längst wieder mit ihm versöhnt hatte, und Leo Tolstojs Enkelin unter den Zuhörern. Pasternak betrat das Zimmer mit den zusammengerollten Seiten in der Hand. Er küsste seiner Gastgeberin die Hand, drückte und küsste Neuhaus... Pasternaks Protegé, der Dichter Andrej Wosnessenski, war oft zu Gast bei den Lesungen in Peredelkino. Sie »fanden in seinem halbrunden, an einen Leuchtturm erinnernden Studio im Obergeschoss statt. Dort versammelten wir uns. Von unten wurden Stühle hinaufgebracht. Üblicherweise waren etwa zwanzig Gäste da. Wir verstummten. Pasternak setzte sich an seinen Tisch. Er trug ein leichtes, silbrig glänzendes Dinner-Jackett. Während er las, fixierte er immer wieder etwas über unseren Köpfen, das nur er zu sehen schien. Sein Gesicht wurde länger, dünner. Die Lesungen dauerten normalerweise ungefähr zwei Stunden. Seinen Zuhörern gegenüber war er sehr aufmerksam. Hinterher fragte er abwechselnd alle, welches Gedicht ihnen am besten gefallen habe. Die meisten antworteten ›alle‹. Und diese ausweichenden Antworten ärgerten ihn.«[190]

Anschließend wurden die Gäste hinunter ins Esszimmer gebeten, dessen blassrosa Wände mit Leonid Pasternaks Gemälden und einigen seiner Skizzen für die *Auferstehung* vollgehängt waren. Aufgereiht auf den Fensterbänken standen Geranien, die im Winter hereingestellt worden waren und dem Esszimmer nun etwas von einem Wintergarten verliehen. »O diese Tafelrunden in Peredelkino!«, erinnerte Wosnessenski sich wehmütig: »Es fehlte an Stühlen, und so wurden Hocker und Schemel herbeigeschleppt. Zeremonienmeister war Pasternak, der Pracht des georgischen Rituals ganz hingegeben. Er war ein zuvorkommender Gastgeber. Und brachte die Gäste in Verwirrung, wenn er beim Abschied jedem eigenhändig in den Mantel half.«[191] Beim ersten Treffen war Wosnessenski davon ausgesprochen unangenehm berührt und riss ihm den Mantel aus den Händen.

Leider erregten diese literarischen Soireen auch ungebetenes Interesse. Der stellvertretende Chefredakteur von *Nowy Mir* bezeichnete die Abende als »Untergrundlesungen aus einem konterrevolutionären Roman«.[192] Auch die Geheimpolizei beobachtete die Soireen und notierte sich, was vorgelesen wurde, um im richtigen Moment zuschlagen zu können.

Während Olga an einigen Lesungen in Moskau teilnehmen konnte, fehlte sie bei den Soireen in Peredelkino, denn die Datscha war Sinaidas Revier. Sinaida, die die Arbeiten ihres Ehemanns weder verstand noch besonders mochte und ihm ständig empfahl, mit seiner Prosa nicht weitere Kontroversen heraufzubeschwören, war niemals oben, um zuzuhören, wie Olga es sicherlich getan hätte. Sie blieb lieber unten und rauchte Kette. Für Boris war es bestimmt eine große Beruhigung, wenn Olga, eine glühende Verfechterin seines Œuvres, zu seiner moralischen Unterstützung unter dem ihm ergebenen Publikum saß.

Der junge Dichter Evgenij Jewtuschenko erinnert sich,

Olga bei einer von Boris' öffentlichen Lesungen seiner *Faust*-Übersetzung gesehen zu haben: »Im Saal saß, ihre Schultern mit einer weißen Pelzstola verhüllt, die Schönheit Olga Iwinskaja.«[193] Die Literaturhistorikerin Emma Gerstein äußerte sich weniger wohlwollend. Ebenfalls Gast bei Maria Judinas Soiree für Boris, beschrieb sie Olga vernichtend als »eine hübsche, aber dahinwelkende Blondine«, die sich während einer Lesepause »im Vorzimmer hinter einem Schrank versteckt schnell Puder auf ihre Nase aufbringt« – was angesichts der Hitze in der überfüllten Wohnung der Maria Judina ihr wohl niemand ernstlich ankreiden konnte.[194] Direkt im Anschluss an den Abend schrieb Gerstein an Boris' Freundin Anna Achmatowa und erzählte ihr in leicht bissigem Ton, vielleicht sogar mit einem Hauch von Neid: »Pasternak hat einen neuen Liebesroman« – eine Anspielung auf seine Beziehung mit Olga als auch auf den Roman, den er schrieb.

Obwohl Sinaida im vergangenen Jahr schon ahnte, dass ihr Ehemann eine Liaison hatte, so wurde dieser Verdacht im April 1948 schmerzlich bestätigt.

Allmorgendlich, bevor Boris die Treppe hinaufstieg und seinen Arbeitstag begann, ging Sinaida ins Atelier, staubte ab und machte gründlich sauber. Auch wenn sie weder die Prosa noch die Gedichte ihres Mannes las, wusste sie, wie viel ihm die tägliche Schreibarbeit bedeutete. Und so war sie sorgfältig darauf bedacht, ihn vom Trubel des Familienlebens abzuschirmen. Ihre beiden Söhne aus der Ehe mit Heinrich wurden dazu verdonnert, sich »fast geräuschlos« in der Datscha zu bewegen, um die Kreativität ihres Stiefvaters nicht zu stören. Niemand durfte sein Atelier im oberen Stockwerk betreten, das sie, wie Boris seinen Eltern erzählte, jeden Morgen »eigenfüßig«[195] auf Hochglanz polierte. Pasternaks Arbeitsplatz war im Vergleich zu den Ateliers anderer Schriftsteller eher untypisch. »Ich persönlich hebe weder Familienerbstücke noch Archive noch irgendwelche Sammlungen, auch keine Bücher und Möbel auf. Briefe oder Entwurfskopien von meiner Arbeit bewahre ich ebenfalls nicht auf. In meinem Zimmer stapelt sich nichts; es ist leichter sauberzumachen als ein Hotelzimmer. Ich lebe wie ein Student.«[196]

Doch anders als bei Studenten üblich, änderte sich sein Arbeitsablauf niemals. Darüber wachte er mit eiserner Disziplin. Ähnlich starr war auch sein Tag strukturiert. Er stand früh auf und wusch sich an der Pumpe im Garten. An bitterkalten Wintermorgen hackte er das Eis mit nacktem Oberkörper auf und tauchte den Kopf ins eiskalte Wasser. Nach der Schreibarbeit machte er einen langen, flotten Spaziergang, die Taschen ausgebeult von den Süßigkeiten, die er an die Kinder verschenkte, denen er im Dorf begegnete. Andrej Wosnessenski sagte über ihn: »Nichts durfte seinen Tagesablauf aus Arbeit, Mittagessen und Ruhezeiten durcheinanderbringen. Die Leute in Peredelkino maßen die Uhrzeit nicht nur nach der Sonne, sondern auch nach dem Zeitpunkt seines Abendspaziergangs.«[197]

Vermutlich war es am frühen Morgen, als er gerade seine Frischluft-Körperpflege betrieb (in Peredelkino befand sich der Waschraum in einem separaten kleinen Gartenschuppen), als Sinaida beim Saubermachen des Schreibtisches für seinen Arbeitstag einen an ihn gerichteten Liebesbrief von Olga fand. Angesichts von Boris' minimalistischer Lebensweise und des stets aufgeräumten Schreibtisches sowie seiner eigenen Aussage, keinerlei Briefe zu verwahren, ist es umso verwunderlicher, dass Olgas Billetdoux dort herumgelegen haben sollte. Ob Sinaida ein Buch zur Seite schob, um darunter abzustauben, und dabei den Brief fand, oder ob er grob fahrlässig offen herumlag – jedenfalls nahm sie ihn in die Hand und las.

Auch wenn sie vorher schon etwas geahnt hatte, traf die Bestätigung ihres Verdachts sie dennoch bis ins Mark. Es war unvermeidlich, dass von den Gerüchten, die in Moskauer Kreisen über Boris und Olga umgingen, etwas bis zu Sinaida durchgedrungen war. Doch als Sinaida diesen leidenschaftlichen Brief las, wurde ihr schlagartig bewusst, dass sie die Intensität dieser Beziehung vollkommen unterschätzt hatte. Sinaida war gezwungen, die Beziehung als das zu sehen, was sie war: die erste echte Bedrohung der familiären und häuslichen Stabilität. Sie »verstand augenblicklich, dass dies eine große Liebe war«.

Boris wusste, dass Sinaida sehr gründlich putzte, und so liegt hier vermutlich das klassische Beispiel eines Mannes vor, der erwischt werden wollte. Hatte er den Brief unbewusst hingelegt, damit er gefunden wurde, und gehofft, so eine Klärung zu erzwingen? In seiner Kunst mochte Boris mutig gewesen sein, doch in seinem Privatleben war er enttäuschend schwach. Er suchte verzweifelt nach einer Lösung für seine Situation, erkannte aber, dass er weder die Kraft aufbrachte, den notwendigen Bruch mit Sinaida zu vollziehen, noch mit Olga. Wenn er bei Olga war, zog ihn ihre Empfindsamkeit, ihre emotionale Intelligenz und Weiblichkeit an. Wenn er wieder in Peredelkino über seiner Arbeit saß, schätzte er Sinaidas emotionale Defizite und ihre robuste, praktische Art. Seiner Familie schrieb er: In Sinaidas Wesenszug spielen »Worte und Stimmungen so gut wie keine Rolle; dafür setzt sie auf Tatkraft und konkrete Situationen.«[198] In *Doktor Schiwago* schrieb er:

Zu Hause, im Familienkreis, fühlte er sich wie ein nicht entlarvter Verbrecher. Die Ahnungslosigkeit seiner Hausgenossen, ihre gewohnte Freundlichkeit brachten ihn um. Wenn ihm mitten im Gespräch plötzlich seine Schuld einfiel, erstarrte er, hörte und begriff nichts mehr.

Wenn das bei Tisch geschah, blieb ihm der Bissen im Halse stecken, dann legte er den Löffel hin und schob den Teller von sich. Tränen würgten ihn. »Was hast du?« fragte Tonja verständnislos. »Hast du in der Stadt etwas Schlimmes erfahren? Ist jemand eingesperrt worden? Oder erschossen? Sage es mir. Fürchte nicht, mich zu verstimmen. Es ist dann leichter für dich.«

Verriet er Tonja, indem er ihr eine andere vorzog? Nein, er hatte nicht nach einer anderen Frau gesucht, er zog keine Vergleiche. Die Ideen der »freien Liebe«, Wörter wie »die Rechte und Ansprüche des Gefühls« waren ihm fremd. Über so etwas zu reden und nachzudenken empfand er als abgeschmackt. Er pflückte nicht die »Blumen des Vergnügens«, er zählte sich nicht zu den Halbgöttern und Übermenschen, er beanspruchte keine besonderen Vorrechte und Privilegien. Unter dem Druck des schlechten Gewissens fühlte er sich erschöpft.

Wie soll es weitergehen? fragte er sich manchmal, und er fand keine Antwort, er hoffte auf ein Wunder, auf irgendwelche unvorhergesehenen Umstände, die eine Lösung brächten.[199]

Ein liegen gelassener Brief vielleicht, der gefunden werden sollte?

Boris' quälende Unschlüssigkeit forderte ihren Tribut von Olga. Bis eines Tages in der Wohnung der Familie »alles Schreien und alle Szenen ein Ende hatten«, erinnerte sich Irina. Olga konnte Boris' fortdauernde Unschlüssigkeit nervlich nicht mehr verkraften, und es scheint, als habe sie halbherzig versucht, sich zu töten. Die näheren Umstände dieser Verzweiflungstat stehen auf extrem wackeligen Beinen. Irina behauptet, dass ihre Großmutter kurz darauf Olgas Unterbringung in einer psychiatrischen Anstalt veranlasste. »Alles, was wir mitbekommen haben, war, dass meine Großeltern miteinander getuschelt und schuldbewusste Gesichter gemacht haben«, sagte Irina.

Die Tage vergingen, und Olga tauchte nicht wieder auf. Die Kinder lauschten an der Tür, hinter der ihre Großeltern flüsterten, und erfuhren, dass Maria ihre Mutter hatte zwangseinweisen lassen. »Mamas leeres Schlafzimmer wurde zu unserem Spielzimmer«[200], und die Großeltern übernahmen die Elternrolle. Irinas Unabhängigkeit wurde schon früh angelegt. Sie lernte, dass sie von ihrer Mutter keine emotionale Unterstützung zu erwarten hatte. Eher das Gegenteil war der Fall. Olgas Liebesleben stand an erster Stelle, begriff Irina. Kein Wunder, dass sie sich ihrer Großmutter und ihrem Großvater viel näher fühlte, die Irina und ihr Bruder »so sehr liebten«.

Ob Olga tatsächlich einen Selbstmordversuch unternommen oder nur einen schweren Nervenzusammenbruch erlitten hatte, ist unklar. Vieles spricht dafür, dass Maria der Auffassung war, das Leben für alle würde erheblich sicherer und sanfter verlaufen, wenn man Olga von der Familienwohnung fernhielt. Ruhiger war es ganz bestimmt. »Im Haus kehrte wieder Frieden ein«, erinnerte sich Irina.

Doch gerade als die Familie »sich an die Vorstellung gewöhnt hatte, sie nicht mehr um sich zu haben«, tauchte Olga wie aus heiterem Himmel auf. »Sie sah blass aus und trug ein Kopftuch, wie man es im Krankenhaus trug«, erzählte Irina. »Sie kam uns sehr still und viel kleiner vor. Lange Zeit saß sie bewegungslos im Haus herum, bis eines Tages wieder Normalität einkehrte.«[201]

Boris' Reaktion auf die Nachricht über den »Hilferuf« seiner Geliebten war, dass er Sinaida vorschickte, die ihr eröffnen sollte, die Affäre sei beendet. Das erscheint extrem herzlos und feige. Boris hatte achtzehn Jahre zuvor in Sinaidas Gegenwart natürlich einen ähnlich theatralischen »Selbstmordversuch« unternommen. Doch in Anbetracht seines narzisstischen Wesens gab es nur Platz für eine Drama-Queen, und die war nun mal er.

Sinaida ließ sich nicht lange bitten. Ihre Gedanken kreisten um ihren Sohn Leonid, der damals an einer schweren Lungenentzündung erkrankt war. Ein paar Jahre zuvor hatte sie bereits einen schrecklichen Verlust zu beklagen gehabt, als ihr ältester Sohn Adrian mit erst zwanzig an einer tuberkulösen Meningitis gestorben war. Während des Krieges lag er im Krankenhaus, und die Ärzte mussten ihm beim Kampf um sein Leben ein Bein amputieren. »Das Leben ist so«, schrieb Boris über diese Zeit an seine Schwestern, »dass seine Mutter, die einen Narren an ihm gefressen hatte und wusste, dass das die letzten Tage und kostbare Minuten sind, sich zwischen Sokolniki (dem Krankenhaus) und Peredelkino (uns und der Datscha) zerriss und kurz vor seiner Agonie zu uns kam, um Kartoffelbeete aufzugraben und die beste Gartenzeit nicht zu verpassen.«[202] Bis zuletzt ihrer praktischen Lebenseinstellung treu, legte Sinaida eine unerbittliche Rationalität und Zweckmäßigkeit an den Tag, die Boris bewunderte, fürchtete und insgeheim vielleicht auch verabscheute. Boris schrieb an Olga Freudenberg: »Am Vorabend hatten Sina und ich die Asche ihres ältesten Sohnes… aus Moskau überführt und in unserem Garten unter einem Johannisbeerstrauch beigesetzt, den er als kleiner Junge selbst gepflanzt hat.«[203]

Sinaida hatte ihre Söhne schon immer mit einer Unerbittlichkeit geschützt, die Boris erschreckte: »Wenn es um ihre Kinder geht, fletscht sie die Zähne wie eine Wölfin, auch wenn es gar nicht nötig ist«, erzählte er einmal seinen Eltern.[204] Drei Jahre später, als Sinaida und Boris nun an Leonids Krankenbett standen, rang Sinaida ihrem Mann das Versprechen ab, Olga Iwinskaja nicht wiederzusehen. Und die kompromisslose Sinaida, fest entschlossen, ihre Familie zusammenzuhalten, ging persönlich zu ihrer Rivalin, um sie in die Wüste zu schicken.

Sie traf Olga im Haus ihrer Freundin Ljussja Popowa an, einer ehemaligen Schauspielerin und Absolventin des Moskauer Theaterinstituts, die Olga über Boris kennen gelernt hatte. Die hübsche, zierliche Ljussja hatte Boris zum ersten Mal bei einer seiner Lyriklesungen gesehen, am Ausgang auf ihn gewartet und sich ihm vorgestellt. Später freundeten sie sich an, und Ljussja war die Erste, der Boris seine Liebe zu Olga anvertraute. Beide Frauen waren verblüfft, als Sinaida im Haus in der Furmanov-Straße aufkreuzte. Vermutlich hatte Boris Sinaida den Aufenthaltsort seiner Geliebten verraten.

»Sinaida machte keine Szene. Sie war sehr würdevoll und beherrscht«, sagte Irina. Sie stand da und hielt eine kurze Rede: »Sie sind jung«, sagte Sinaida zu Olga. »Sie sollten heiraten. Ich bin alt. Ich stehe am Ende meines Lebens. Sie haben alles, wofür es sich zu leben lohnt. Ich bin am Ende meines Lebens.« Sinaida war vierundfünfzig. Doch sie präsentierte sich der zwanzig Jahre jüngeren Olga als gebrechlich, dem Tode nah. Olga beschrieb ihrer Familie später das Zusammentreffen mit der »grobschlächtigen, willensstarken Frau«.[205] Sinaida sagte, dass ihr die Liebe zwischen Olga und Boris »schnuppe« sei, und auch wenn sie selbst Boris nicht mehr liebte, würde sie nicht zulassen, dass ihre Familie zerbrach.

Sinaida beschrieb ihr Treffen mit Olga später ebenfalls nicht besonders schmeichelhaft: »Ihr Aussehen fand ich sehr attraktiv, ihre Art zu sprechen aber ganz und gar nicht«, sagte sie. »Trotz aller Koketterie hatte sie etwas Hysterisches an sich.«[206]

Sinaidas Besuch wurde durch eine weitere, bühnenreife Tragödie abgekürzt: Olga erlitt plötzlich »so starke Blutungen«, dass Ljussja und Sinaida sie sofort ins Krankenhaus bringen mussten. Auslöser dieser Blutungen waren offensichtlich Medikamente, die ihr die psychiatrische Klinik verschrieben hatte.[207]

Nachdem Olga aus dem Krankenhaus entlassen worden war, kam Boris sie besuchen, »als sei nichts geschehen«. Er schloss seinen Frieden mit Maria, und er und Olga setzten ihre Affäre wie gehabt fort. Sinaidas Besuch hatte anscheinend das Gegenteil erreicht. Er trieb die Liebenden vielmehr erneut einander in die Arme.

Als der Frühling in den Sommer überging, war Boris wieder ein häufiger Besucher in Olgas Wohnung, was zur Folge hatte, dass Irina sich ihm noch näher fühlte und ihn noch lieber gewann. Irinas Kosename für Boris war »*Klassjúscha*«, eine liebevolle Version von »Klassiker«, denn man sah in Pasternak einen der großen russischen Klassiker.

Eines Tages nahm Boris die zehnjährige Irina auf einen kleinen Ausflug mit. »Es war das erste Mal, dass ich mit diesem Mann, der mir immer ein Rätsel geblieben ist und der unser Leben auf den Kopf gestellt hat, allein war«, sagte Irina, die noch weiß, dass er sie immer »einschüchterte«. Boris hatte gerade sein Honorar für eine Übersetzungarbeit bekommen und wollte gemeinsam mit ihr ein Geschenk für sie aussuchen. Der Schnee taute, Bäche von Schmelzwasser liefen über die Straßen, und Irina fühlte sich in dem alten, umgearbeiteten, mit Fell gefütterten Mantel der Großmutter sichtlich unwohl. »Ich bin klatschnass, der Schnee schmilzt, und jetzt kriegen wir bestimmt nasse Füße«, maulte Irina.

»Hast du das Gefühl, dass du immer etwas sagen musst?«, fragte Boris mit seiner dröhnenden Stimme. »Dass du es nicht aushältst, ohne ein Wort zu sagen, und dass du mich unterhalten musst? Das verstehe ich sehr gut; dieses Gefühl kenne ich bestens.«

Diese unverblümte Ehrlichkeit seiner Replik verblüffte Irina. Sie hatte das Gefühl, dass er ihr »den Schutzschild weggenommen« hatte. Es berührte sie, dass er hinter allem, was sie tat, egal, wie linkisch es sein mochte, einen Sinn entdeckte. Sie fuhren mit dem Taxi zu einem Buchladen, wo Boris alle laut begrüßte und sie mit Irina bekannt machte. »Er füllte den ohnehin schon gut besuchten Laden mit seiner Stimme und seiner Gestik aus.« Sie war beruhigt, dass er dort offenbar gern gesehen war und dass niemand außer ihr ihn für einen Exzentriker hielt. Sie kauften Werke von anderen Klassikern: »Gontscharow, Ostrowski, Turgenjew und Tschechow.« Als sie wieder nach Hause kamen, hörte Irina, wie Boris Olga vorschwärmte: »Ist es nicht wunderbar, Olga? Sie hat nach Tschechow gefragt!«

Am 25. Mai 1948 schickte Boris Irina ein auf Kinder zugeschnittenes Buch von Tschechow. Auf das Vorsatzblatt hatte er mit seiner großen, schwungvollen Handschrift eine Widmung geschrieben: »Liebe Iroschka, mein Schatz, bitte vergib mir, dass ich Dich gestern an Deinem Geburtstag nicht besucht habe. Ich wünsche Dir Glück für dein ganzes Leben. Lerne und arbeite weiterhin fleißig. Nur darauf kommt es im Leben an. Dein B. L.«[208]

Boris arbeitete zweifellos konzentriert an seinem Roman. Am 12. Dezember schrieb er an Frederick, Josephine und Lydia aus Moskau und sprach sie mit »Mein lieber Fedja und liebe Mädels!«[209] an. In dem Brief stellt er klar, dass er alles daransetzt, um die erste Hälfte des *Doktor Schiwago* schon als Manuskript an sie zu schicken. Ob sie wohl eine gute Typistin für Russisch wüssten?, fragt er. Und falls man ihm in England für seine Übersetzungsarbeit Geld schuldete, ob sie wohl die Schreibkraft für drei Abschriften bezahlen und diese redigieren könnten? Er wollte, dass das Manuskript an Maurice Bowra (den berühmten englischen Literaturhistoriker), an Stefan Schimanski (einen englischen Kritiker und Übersetzer der Werke Pasternaks aus dem Russischen) und an deren Freund, den englischen Historiker und Philosophen Isaiah Berlin geschickt werden sollte.

»Drucken (das heißt publizieren) darf man ihn auf gar keinen Fall, weder im Original noch in Übersetzung – bitte schärft das euren Literaturleuten ein, denen ich ihn zeigen möchte«, fuhr er fort und informierte sie über den Stand seiner Arbeit: »Erstens ist er nicht abgeschlossen, das ist erst die Hälfte, die nach Fortsetzung verlangt. Zweitens würden mir mit seiner Veröffentlichung im Ausland hier die schlimmsten, um nicht zu sagen: tödliche Folgen drohen, denn dieser Roman kann sowohl seinem Geist nach wie auch in meiner hier bestehenden Situation nicht erscheinen, und nur in Gestalt des übersetzten Buches ist das Kursieren russischer Literatur im Ausland zugelassen.«[210] Und aus Furcht, von seinen Geschwistern kritisiert zu werden, schrieb er: »Ihr werdet den Roman nicht mögen wegen seiner Disparatheit und der Eile, in der er geschrieben ist. Teilweise konnte ich nicht länger daran bleiben, ich bin nicht mehr jung und überhaupt, jeden Tag kann weiß Gott was passieren, und etwas Bestimmtes wollte ich aufschreiben. Und dann habe ich ihn um Gotteslohn geschrieben, auf eigne Kosten, und mich beeilt, um mein Budget nicht zu überziehen und mich an Arbeiten zu setzen, die Verdienst bringen.«[211]

Auch wenn er sich vor seiner Familie heruntermachte, hagelte es zunehmend Lob von Freunden aus Literaturkreisen, nachdem es ihm gelungen war, das erste getippte Skript an sie zu schicken. Am 29. November 1948 bekam er den folgenden Brief von seiner Cousine Olga Freudenberg aus Leningrad, einer renommierten Wissenschaftlerin und späteren Universitätsprofessorin:

Dein Buch ist über jegliches Urteil erhaben. Was Du über die Geschichte als zweitem Universum sagst, läßt sich auf Dein Buch anwenden. … Es ist eine besondere Variante der Schöpfungsgeschichte. Deine Genialität ist darin sehr tief. An den philosophischen Stellen lief es mir kalt über den Rücken, ich bekam richtig Angst, gleich werde das letzte Geheimnis aufgedeckt, das man in sich trägt, das man sein Leben lang ausdrücken und in Kunst oder Wissenschaft ausgedrückt sehen möchte – und doch fürchtet man sich davor wie vor dem Tod, denn es soll als ewiges Rätsel weiterleben.[212]

Pasternak stand unter erheblichem Druck, sein Werk von Menschen lesen zu lassen, die er respektierte, denn er war sehr stolz auf sein Buch. Es war seine Antwort auf einen lebenslangen Traum, ein ausführliches Prosawerk über seine Generation und ihr historisches Schicksal zu schaffen. Alle Schriftsteller neigen zu Frustration und Ängsten darüber, dass ihr Werk am Ende nicht publiziert wird oder als unwichtig gilt. Pasternak, der an dem Roman schon dreizehn Jahre arbeitete, wusste, dass es für ihn außerordentlich riskant war, dieses politisch kontroverse Material auf eigene Faust zu vertreiben. Ursprünglich hatte er die bolschewistische Revolution optimistisch gesehen und geglaubt, sie führe zur Befreiung der Massen, doch als er die Realität des Krieges erkannte, den die Revolution verursachte, wurde er zu einem glühenden Gegner des Sowjetregimes. In seinen Augen war die Kollektivierung für die Zerstörung der ländlichen Wirtschaft verantwortlich und für den Tod von Millionen von Menschen. Pasternak hätte seine Verachtung für die politische Elite nicht deutlicher machen können. Wie Juri Schiwago feststellt: »Jeder Mensch ist doch bestrebt, sich selbst an der Erfahrung zu prüfen, die Machtmenschen aber wenden sich mit aller Kraft von der Wahrheit ab, weil sie von dem Märchen ihrer eigenen Unfehlbarkeit überzeugt sind. Die Politik sagt mir nichts. Ich mag Menschen nicht, denen die Wahrheit gleichgültig ist.«[213] Da Pasternak keine Ahnung hatte, dass Stalin den Befehl ausgegeben hatte, ihn zu schützen, während normale Bürger für antistalinistische Worte in ihren eigenen vier Wänden getötet oder in den Gulag geschickt wurden, spielte er mit der Verbreitung seiner schonungslos geäußerten Ansichten in seinem Roman buchstäblich mit dem Tod.

Pasternak erkannte die Gefahr und beschrieb sie in einem Brief an seine Familie, der für fast zehn Jahre sein letzter sein sollte. (Wegen der »Ära der Verdächtigungen« war er gezwungen, jegliche Korrespondenz mit seinen Geschwistern einzustellen; erst 1956 in der »Tauwetterperiode« der Chruschtschow-Regierung nahm er wieder Kontakt zu ihnen auf.) »Selbst wenn ihr irgendwann hören solltet, man hätte mich gevierteilt«, schrieb er ihnen, »seid gewiss, dass ich ein glückliches Leben gelebt habe, wie ich es mir gar nicht erträumen konnte, und dass die stabilste, beständigste Phase des Glücks gerade jetzt ist, in der letzten Zeit, weil ich endlich die Kunst beherrsche, meine Gedanken auszudrücken, und diese Fähigkeit in dem Maße besitze, wie ich sie brauche, was früher nicht so war.«[214] Er schrieb diesen Brief auf dem Zenit seiner Beziehung mit Olga. Sein Sohn Evgenij erklärte dazu: »Die Auswirkung ihrer glücklichen Beziehung in den ersten drei Jahren spiegelte sich in der Figur der Lara wider, in ihrer Erscheinung und der lyrischen Zugewandtheit der ihr gewidmeten Kapitel. Mein Vater glaubte immer, dass es die Erweckung ›eines intensiv fühlenden und glücklichen Menschen‹ war, die ihm die Kraft gab, die Schwierigkeiten der Arbeit am Roman zu bewältigen.«[215]

Da ahnte Olga noch nicht, dass wegen ihrer inzwischen allgemein bekannten Liaison mit Boris und ihrer entschlossenen Unterstützung des Buches, das er schrieb, nicht Boris derjenige sein würde, der »gehenkt, gestreckt und geviertteilt« werden sollte, sondern sie selbst.

Am Abend des 6. Oktober 1949 tauchte die Geheimpolizei mit einer Vorladung in Olgas Wohnung auf, die schreckliche Konsequenzen nach sich zog. Die Behörden hatten einen Plan ausgeheckt, der den »Wolkengucker« mitten ins Herz treffen musste. Sie würden seine Geliebte und Muse in ein Gefangenenlager stecken und sie an dessen Stelle peinigen.

5

Gretchen im Kerker

An jenem 6. Oktober hatten Boris und Olga sich zuvor in den Redaktionsräumen von Goslitizdat, dem Staatsverlag für Literatur, getroffen, wo Boris Geld abholen wollte. Anschließend setzte er sich mit seiner Geliebten im nahegelegenen öffentlichen Park auf eine Bank. Sie genossen die herbstliche Natur, und Boris bat Olga, am Abend nach Peredelkino zu kommen: Sie wären dort allein, und er wollte ihr ein weiteres Kapitel seines Buches vorlesen. »Damals waren wir zu einer neuen Stufe von intensiver Zärtlichkeit, Liebe und vertieftem Verständnis füreinander gelangt«, sagte Olga. »Der Gedanke an ›Doktor Schiwago‹ als sein Hauptwerk und als unseren Roman durchdrang ihn vollkommen. In einem Brief an Nina Tabidze drückte er es so aus: ›Man muß nie dagewesene Dinge schreiben, Entdeckungen machen, damit das Unerhörte geschaffen wird, das nämlich ist Leben. Alles andere ist Unfug.‹«[216]

Während sie im Park unbeschwert miteinander plauderten, bemerkte Olga, dass ein Mann im Ledermantel sich in ihre Nähe gesetzt hatte und ihr Gespräch offenbar aufmerksam verfolgte. Sie beugte sich zu Boris und flüsterte ihm zu, man habe ihr am Morgen erzählt, dass die Machthaber Irinas freundlichen älteren Englischlehrer an ihrer Schule wegen fragwürdiger Geldgeschäfte seiner Frau verhaftet hatten. Auf ihrem gemeinsamen Weg zur U-Bahn-Station stellten sie fest, dass der Mann mit Ledermantel ihnen folgte. Olga ahnte, dass sie Boris an jenem Tag lieber nicht gehen lassen sollte. Aber sie steckte gerade mitten in der Übersetzung einer koreanischen Lyriksammlung, und der Autor wollte noch am selben Abend mit seinen Korrekturen zu ihr kommen. Außerdem hatte sie Boris versprochen, eines ihrer eigenen Gedichte für ihn abzutippen.

Anfang 1948 hatte Olga Boris erzählt, dass sie bei *Nowy Mir* unglücklich sei: Ständig musste sie sich Bemerkungen zu ihrer unprofessionellen Beziehung mit dem berühmten Schriftsteller anhören. Er redete ihr zu, ihren Job zu kündigen, und versprach ihr, sie zu unterstützen und ihr zu helfen, sich in der Kunst der literarischen Übersetzung zu perfektionieren. Olga, die Lyrik über alles liebte und schon als Kind eigene Gedichte geschrieben hatte, war mehr als einverstanden damit. In ihrem kleinen Zimmer in der Potapow-Gasse brachte Boris ihr die Grundprinzipien der Übersetzungstechnik bei.[217] Anfangs war Olga noch unbeholfen und blähte zehn Zeilen auf mindestens das Doppelte auf, weswegen Boris sie für die Freiheiten, die sie sich herausnahm, liebevoll neckte. Er lehrte sie, »den Sinn durch Streichen von Worten zu bewahren – den reinen Gedanken herauszuschälen, um ihn dann mit neuen Worten möglichst prägnant wieder einzukleiden, ohne zu versuchen, ihn aufzuhübschen«. Einen besseren Tutor als Pasternak hätte Olga sich nicht wünschen können, einen engagierten und geduldigen Lehrer, der ihr zeigte, wie sie behutsam entlang der heiklen Grenze zwischen Übersetzung im strengen Sinn und Improvisation der Kernaussage aus der Vorlage navigieren konnte. Als Olga ihre Übersetzungen allmählich beherrschte, ging sie eine berufliche Partnerschaft mit Pasternak ein. Die Wohnung in der

Potapow-Gasse nannte er »unseren Laden«. Oft begann er eine Übersetzung, die dann Olga übernahm und beendete, damit er an seinem Roman arbeiten konnte. Abgesehen davon, dass sie das Gefühl der Zusammenarbeit genoss, konnte sie von ihren Übersetzungen auch noch »gut leben«. Wie Boris führte sie bei sich zu Hause ebenfalls literarische Soireen ein, abendliche Gedichtlesungen und Diskussionen unter Schriftstellerfreunden.

»Bei der Arbeit in unserem Laden gab es auch allerlei Lustiges«, schrieb Olga. »Nachdem die Redaktionen meine Arbeiten akzeptierten und ich stolz meine ersten Honorare eingeheimst hatte, schob Borja einmal eine seiner Übersetzungen unter meine, und er freute sich wie ein Kind, daß die Redaktion mir ausgerechnet diese Übersetzung zurückschickte mit der Auflage, sie zu überarbeiten.« Boris lobte Olga für ihre Fähigkeiten lebhaft. Sie war immer wieder verblüfft und berührt, dass ein Schriftsteller seines Formats sie – eine Anfängerin in der Kunst der Übersetzung – als gleichwertig behandelte. »Damals lief für uns alles sehr gut, und ich genoss das seltsame Freiheitsgefühl, das mir die Nähe bescherte, die zwischen uns gewachsen war«, erinnerte sie sich. »Er hatte mir gerade seine Übersetzung des *Faust* gewidmet, und ich hatte angekündigt, ihm dafür ein Gedicht von mir zu schenken.«[218]

Kaum war sie in ihrer Wohnung in der Potapow-Gasse, setzte sie sich an die Schreibmaschine. Während sie ihr Gedicht für Boris abtippte, überkam sie ein Gefühl tiefer Beunruhigung, das ganz und gar nicht zu ihrem soeben noch überschäumenden Glücksgefühl passen wollte.

Gegen acht Uhr wurde die Tür aufgerissen, und ein Dutzend Polizisten in Uniform stürmte herein. Es waren Stalins Staatssicherheitsbeamte vom MGB (dem späteren KGB). Als

Erstes stellten sie Olgas Wohnung auf den Kopf. Sie war so verblüfft und verängstigt, dass ihre Kehle zunächst wie zugeschnürt war. Sie begriff nicht, was hier vor sich ging. In ihrer Verwirrung fragte sie sich, ob die Uniformierten vielleicht im Zusammenhang mit der korrupten Ehefrau von Irinas Englischlehrer gekommen waren. Dann dämmerte ihr der »ziemlich absurde« Gedanke: Waren sie am Ende doch »wegen Borja« hier? Die Beamten, allesamt Kettenraucher, durchwühlten ihre privaten Papiere, warfen ihre Habseligkeiten durch die Gegend und legten alle Bücher, Briefe und Schnipsel, in denen Boris Pasternak erwähnt wurde, beiseite, um sie zu beschlagnahmen. Ungläubig schaute Olga zu, als ihr Sohn Mitja mit seinem dichten Wuschelkopf von der Schule nach Hause kam und sich gleich daran machte, seinen Igel zu füttern, den er auf dem Balkon hielt. Einer der Männer vom MGB trat auf Mitja zu, legte ihm eine Hand auf den Kopf und sagte: »Guter Junge.« Olga bemerkte, wie Mitja die Hand in einer ganz und gar unkindlichen Geste wegstieß.

Olga hatte nun keinen Zweifel mehr, dass sie wegen ihrer Verbindung mit Pasternak hier waren. »Alle Bücher, die er mir geschenkt und gewidmet hatte, fielen nun in fremde dreckige Pfoten, auch alle meine Briefe, alle meine Notizen.«[219] Sie konnte nur hilflos zusehen, wie sie den rot eingebundenen Gedichtband beschlagnahmten, den Boris ihr nach dem Beginn ihrer Beziehung mit den Worten »Mein Leben, mein Engel, ich liebe dich«, geschickt hatte. Sie nahmen auch das Heft mit ihrer Lebensbeichte an sich, die sie für Boris aufgeschrieben und das er ihr zur sicheren Aufbewahrung zurückgegeben hatte. Während einige der Männer noch immer die Wohnung durchsuchten, packten andere Olga am Arm. Sie wurde in Kenntnis gesetzt, dass sie einen Haftbefehl gegen sie hatten, der auf »Äußerungen antisowjetischer Ansichten mit terroristischem Hintergrund« lautete. Aus ihrem Haftbefehl ging auch hervor: »Es ist bewiesen, dass ihr Vater 1918 an der Seite der Weißen kämpfte und dass ihre Mutter 1941 verurteilt wurde«, Worte, die wegen der Panik, die in ihren Ohren dröhnte, kaum zu ihr durchdrangen. Da sie unfähig war, sich zu verteidigen, wurde sie abgeführt.[220]

»Mein bisheriges Leben zerbrach« in diesem Augenblick, schrieb sie.[221] Sie sah sich noch einmal im Zimmer um, und das Letzte, woran sie sich erinnerte, war ihr Gedicht an Boris, das unvollendet in der Schreibmaschine steckte.

Als Boris von Olgas Verhaftung erfuhr, setzte er sich augenblicklich mit Ljussja Popowa in Verbindung, die sich mit ihm auf dem Gogol-Boulevard traf. Er saß auf einer Bank in der Nähe der Metrostation. Er begann zu weinen. »Nun ist alles zu Ende«, sagte er. »Man hat sie mir genommen. Ich werde sie nie wiedersehen. Das ist wie der Tod. Schlimmer noch.«[222]

Irina war noch in der zweiten Schicht in der Schule (während der Nachkriegsjahre fand der Unterricht an sowjetischen Schulen wegen Überbelegung in zwei Schichten statt), und so hatte Olga keine Möglichkeit, sich von ihrer Tochter zu verabschieden. Als sie Olga die Treppe hinunterschafften, stand ihr Stiefvater, der bereits die schreckliche Haft seiner Frau miterlebt hatte, weinend im Treppenhaus und rief Olga nach: »Du bist bald wieder bei uns, du hast ja niemanden ausgeraubt oder umgebracht.«

Irina wanderte an diesem dunklen Oktoberabend über die eisglatten Straßen von der Schule nach Hause, warf einen kurzen Blick zur Wohnung ihrer Familie hinauf und wusste sofort, dass irgendetwas nicht stimmte: Im Zimmer ihrer Mutter brannte die Deckenleuchte. Da dies sehr ungewöhnlich war, klingelte sie besorgt an der Tür. Ihre schlimmsten Befürchtungen bestätigten sich, als ein Polizist in Militäruniform die Tür aufriss. Irina schaute an ihm vorbei auf die eleganten Wintermäntel mit den Epauletten und die passenden Militärmützen, die aufgereiht am Garderobenständer im Flur hingen. Das Schulmädchen hängte brav ihren eigenen, billigen Mantel dazu und spähte ins Wohnzimmer. Durch den Zigarettenqualm der kettenrauchenden Wachleute entdeckte sie ihre Großmutter mit aschfahlem, verweintem Gesicht. Sie sah ihre Tante Nadja und ihren fassungslosen Großvater. Im Zimmer herrschte offenbar ein ziemliches Gedränge. Nicht nur die Familie, stellte sie fest, sondern auch andere Leute, die mit ihrer Mutter zu tun hatten, waren als »Zeugen« vorgeladen worden. Ihnen stand der Schreck genauso ins Gesicht geschrieben. Ihr freundlicher Hausmeister mit seinem stattlichen, buschigen Schnurrbart trug noch immer seine Schürze über der wattierten Jacke. Er ließ den Kopf hängen. Ein Freund Olgas, Alexej Krutschonych, ein Dichter des Futurismus, der ihre literarischen Soireen besuchte, hockte daneben auf einem Sofa und hatte ebenfalls sichtlich Angst. Irinas Großonkel Fonja hatte der Familie nichtsahnend einen Besuch abgestattet, nur um nun auch in dieser Tragödie verstrickt zu sein. Er saß da »mit verständnislos aufgerissenen Augen«.[223]

Irina ging in ihr Zimmer, wo Mitja von Großtante Milja getröstet wurde. Tante Milja berichtete Irina, dass ihre Mutter eine Stunde zuvor in die Haftanstalt der Lubjanka eingeliefert worden war. Irina schnappte sich demonstrativ ein Buch, legte sich auf ihr Bett und begann zu lesen; vielleicht wollte sie sich so von ihrer Angst ablenken oder versuchen, die sich anbahnende Katastrophe einfach zu ignorieren. Tante Miljas verständnislosen Blick quittierte sie mit einem Achselzucken: Was sollte ich deiner Meinung nach sonst tun? Dann fielen ihr die Fische im Aquarium in der Küche ein, und sie wurde unruhig. Sie hatte Angst, sie könnten eingehen, wenn sie kein frisches Wasser bekämen. Das Bild der Fische vor Augen, die alleingelassen im Aquarium sterben mussten, stand sie auf und lieferte sich einen Wortwechsel mit den Wachleuten, die ihr jedoch den Zutritt zur Küche verwehrten und sie in ihr Zimmer zurückschickten.

Sie legte sich wieder auf ihr Bett und sperrte die Ohren auf: Die Spannungen im Wohnzimmer nahmen zu. Onkel Fonja sollte seine Papiere zeigen und stürzte in tiefe Verwirrung. Damals arbeitete er als Nachtwächter in der Cocktail Hall in der Gorki-Straße, einem Lokal, das von Ausländern und Mitgliedern der sowjetischen Elite frequentiert wurde und der Geheimpolizei als willkommener Horchposten diente. Onkel Fonja brachte Irina und Mitja immer Cocktail-Trinkhalme und Papierservietten aus der Bar mit. In seiner blinden Panik befürchtete er, dass die Polizei gegen ihn wegen Diebstahls am Arbeitsplatz ermittelte, und als sie seine Papiere sehen wollten, zog er zur großen Belustigung der Beamten unzählige Papierservietten aus seiner Tasche.

Ähnlich tragikomisch verhielt sich Alexej Krutschonych. Da der Dichter seinen Arbeitstag einem strengen Zeitplan unterworfen hatte, der, wie Irina sich erinnerte, »nur eine Marotte von ihm« war, erklärte er forsch, dass er jetzt sofort nach Hause gehen müsse, um seine Schlaftabletten einzunehmen. Für seine Arbeit sei es unabdingbar, fügte er hinzu, die Nacht im eigenen Bett zu verbringen. Als die Beamten ihn nicht gehen ließen, wurde er aufsässig. Die übrigen Anwesenden beobachteten die Szene mit Sorge; sie fürchteten, dass Krutschonych die Situation weiter aufheizen könnte. Mit leisen, eindringlichen Worten versuchten sie ihn zu beruhigen. Irgendwann nahm er schließlich eine Schlaftablette, ließ sich überreden, sich auf das Sofa zu legen, und drehte sich zur allgemeinen Erleichterung umständlich auf die Seite. Noch bis spät in die Nacht knallten Türen und schreckten Menschen hoch, wenn die Leute vom MGB kamen und gingen.

Nach ein paar Stunden ließen die Beamten bruchstückhaft Informationen durchsickern. Irinas Großvater hörte, dass Olga eine »unangenehme Fahrt« quer durch Moskau in die Lubjanka hinter sich gebracht hatte, während der sie herzzerreißend schluchzte. Gegen vier Uhr früh war der offizielle Einsatz offenbar beendet, und die Gäste im Wohnzimmer durften gehen. Die Großeltern brachten Irina und Mitja zu Bett und bemühten sich nach Kräften, sie zu beruhigen. Die Kinder lagen im Dunkeln wach, still, doch vereint im gleichen Gedanken: Würden sie ihre Mutter jemals wiedersehen?

Bei Tagesanbruch lauschte Irina den Verhandlungen ihrer Großeltern mit der Polizei. Nach den geltenden Gesetzen der Sowjetunion mussten Irina und Mitja in ein Kinderheim gebracht werden, erklärten die Beamten, da weder Mutter noch Vater anwesend waren. Die Beamten versuchten, sie davon zu überzeugen, dass die Kinder in einem Heim besser aufgehoben wären, da der Lohn des Großvaters, eines Flickschusters, nicht für alle reichen würde. Maria konnte ihnen schwerlich die Wahrheit sagen, dass Boris Pasternak ihnen finanziell unter die Arme griff. Sie war sich sicher, dass Pasternak ihnen zu Hilfe käme und nicht zuließe, dass die Kinder in ein Waisenhaus geschickt würden. Am folgenden Morgen stellte Irina erleichtert fest, dass ihre Großeltern Dokumente unterschrieben hatten, denen zufolge sie sich verpflichteten, für die Kinder zu sorgen, und dass sie daher bleiben durften.

Auf der anderen Seite von Moskau saß Olga in dem gelben Gebäude der MGB-Zentrale in einem Isolationstrakt. Die Lubjanka war nur fünf Stockwerke hoch, aber – einem russischen

Witz zufolge – das höchste Gebäude der Stadt, da »man vom Keller aus Sibirien sehen konnte«. Olga saß so lange in Einzelhaft, wie die Polizei sie erkennungsdienstlich behandelte. Anschließend wurde sie von Vollzugsbeamtinnen »in erniedrigender Weise«[224] einer Leibesvisitation unterzogen. Die Demütigungen setzten sich fort, als man ihr alles wegnahm, woran sie hing: ihren Ring, ihre Armbanduhr, ja sogar ihren BH. Später erklärten sie ihr, dass sie ihren BH beschlagnahmt hatten, damit sie nicht versuchte, sich daran aufzuhängen.

In ihrer winzigen, dunklen Zelle kreisten ihre Gedanken ausschließlich um Boris: »Was geschieht, wenn ich Borja nicht sehen kann?«, sorgte sie sich. »… Was für ein furchtbarer Augenblick, wenn er erfährt, dass es mich nicht mehr gibt. Und dann durchzuckte mich der Gedanke: Sicher haben sie ihn auch verhaftet; wahrscheinlich sogar schon auf seinem Heimweg, nachdem wir uns verabschiedet hatten.«[225] Es erstaunt, dass Olga in jener Zeit nur an ihren Geliebten dachte. Nicht an die Kinder. Anscheinend kam ihr nicht in den Sinn, dass sie Waisen sein würden, falls ihr etwas zustieße.

Olga wurde drei Tage lang in Einzelhaft gehalten, und in dieser Zeit überschritt sie »zum ersten Mal den Rubikon«, jene schicksalhafte Grenze, die »den Menschen vom Häftling trennt.«[226] Schließlich wurde sie verlegt, nachdem sie den Saum ihres Kleides abgerissen, ihn sich um den Hals gelegt und versucht hatte, ihn zu den Ohren hochzuziehen. Die Tatsache, dass zwei Aufseher augenblicklich in ihre Zelle stürmten, sie durch einen langen Korridor schleiften und schließlich in eine größere Zelle stießen, beweist, dass sie unter ständiger Beobachtung stand. Noch wollten die Machthaber sie lebend haben.

In ihrer neuen Zelle – Nummer sieben – gab es vierzehn weitere Frauen. Als sie sich umsah, bemerkte sie, dass die

Betten auf dem Parkettfußboden festgeschraubt waren und »gute« Matratzen hatten. Die Frauen, die darauflagen, hatten ihre Augen mit weißen Stofffetzen abgedeckt, um sich vor dem gleißenden Licht der Deckenlampen zu schützen. Olga erkannte sofort, dass dies Teil der raffinierten Foltermethode »Schlafentzug« war. Die Verhöre fanden immer nachts statt. Tagsüber zu schlafen, war »nicht erlaubt«; ständig leuchtete ein grelles Licht in die Gesichter der Gefangenen. Der Schlafentzug war eine schreckliche Qual für die Häftlinge: »Die Zeit schien still zu stehen, die Welt brach über ihnen zusammen. Sie wußten nicht mehr, wessen man sie beschuldigte, hörten auf, sich unschuldig zu fühlen, wußten nicht mehr, was sie zugegeben hatten, wen sie zusammen mit sich selbst vernichteten. Sie unterschrieben die unsinnigsten Protokolle, nannten Namen, die ihre Peiniger brauchten, um irgendeinen Plan zur Vernichtung der ›Volksfeinde‹ zu erfüllen.«[227]

Nach der beklemmenden Erfahrung der Einzelhaft ohne Licht, Luft und Kontakt zu Mitgefangenen bot die neue Zelle für Olga sogar gewisse Vorteile, ja sogar Luxus. Olga war überrascht, als sie einen Tisch, einen Teekessel und einen Satz Schachfiguren erblickte. Die anderen Frauen bedrängten sie und bombardierten sie mit Fragen. Naiverweise erzählte Olga ihnen, dass sie sich nicht vorstellen konnte, aus welchem Grund man sie verhaftet hatte, dass es irgendein Versehen sein musste und sie in ein, zwei Tagen bestimmt wieder freikommen würde, sobald die Behörden das erkannt hatten. Leider war ihr Optimismus vollkommen fehl am Platz, und die langen, monotonen Tage des Wartens schleppten sich endlos hin. Ein Tag nach dem anderen verstrich, und noch immer hatte man sie nicht zur Befragung oder zum Verhör geholt. Das Gefühl, dass anscheinend niemand sich im Mindesten für sie interessierte, zerrte an ihren Nerven.

Lidotschka, eine seltsame Frau mit wächserner Gesichtshaut, versuchte sie zu beruhigen: »Sie läßt man bestimmt frei. Wenn jemand so lange wie Sie nicht zum Verhör gerufen wird, bedeutet das: kein Tatbestand.«[228] Später sollte Olga herausfinden, dass man nicht allen Insassen trauen konnte. Tatsächlich war Lidotschka eine »Glucke«, ein Spitzel, die für die Gefängnisleitung arbeitete und deren Aufgabe es war, über alles zu berichten, was die Frauen in der Zelle sagten. (Olga erfuhr viel später, dass ebendiese seltsame Frau, die davon träumte, als Gegenleistung für ihre Spitzeldienste begnadigt zu werden und die die Untersuchungsrichter mit Zigaretten belohnten, irgendwann in einem Arbeitslager von Mitgefangenen brutal ermordet wurde. Als diese ihre wahren Loyalitäten entdeckten, steckten sie ihren Kopf in eine Jauchegrube und hielten sie fest, bis sie ertrunken war.)

Glücklicherweise gab es andere, vertrauenswürdige Frauen in der Zelle. Olga befreundete sich schnell mit einer älteren Mitgefangenen, Vera Sergejewna Mezentseva. Als ehemalige Ärztin im Kreml-Krankenhaus war sie auf einer Silvesterparty gewesen, auf der eine Gruppe von Ärzten einen Toast auf den »unsterblichen Stalin« ausgebracht hatte. Ein anderer Arzt hatte erzählt, dass der »Unsterbliche« schwer krank sei – vermutlich Lippenkrebs vom Pfeifenrauchen – und dass seine Tage gezählt seien. Dann behauptete ein dritter Arzt, er habe einmal Stalins Double behandelt. Nachdem ein Spitzel auf diesem Treffen die Ärzte denunziert hatte (damals gab es kaum eine Versammlung ohne Spitzel), wurde die gesamte Gruppe ins Gefängnis geworfen. Auf Vera Sergejewna, die sich an der Unterhaltung nicht beteiligt hatte, wartete nun eine Mindesthaftstrafe von zehn Jahren.

Unter den Zellengenossinnen, mit denen Olga sich anfreundete, war auch Trotzkis sechsundzwanzigjährige Enkelin Alexandra. Sie hatte gerade ihr Studium am Geologischen Institut beendet und war verhaftet worden, nachdem sie einige Verse eines verbotenen, projüdischen Gedichts in ihr Heft geschrieben hatte. Eines Tages wurde Alexandra mit allen Habseligkeiten aus der Zelle gerufen und klammerte sich verängstigt an Olga. Ihre Schreie, als die Aufseher sie wegzerrten, klangen Olga noch lange in den Ohren. Später sickerte durch, dass Alexandra zusammen mit ihrer Mutter, die in der Nachbarzelle gesessen hatte, für fünf Jahre »in den Hohen Norden« verbannt wurde. Man betrachtete Mutter und Tochter beide als »sozial gefährliche Elemente«.

Olga schrieb später: »Nirgendwo kommen Menschen sich so nahe wie in der Gefängniszelle. Niemand hört so gut zu, versteht so zu trösten wie die Zellengenossinnen, die im Unglück der Nachbarin das eigene Geschick gespiegelt sehen.«[229]

Während Olga in ständiger Angst lebte und ihr Herz jedes Mal aussetzte, wenn die Zellentür aufging, wartete Boris in Peredelkino ungeduldig auf Nachricht. Ohne seine Seelenfreundin fühlte er sich isoliert und allein. Er litt unter Olgas Verhaftung und rechnete pausenlos damit, selbst in Gewahrsam genommen zu werden. Und er wusste, dass Olga in erster Linie seinetwegen verhaftet worden war. Das verstärkte noch seine Gewissensbisse, dass er im gleichen Jahr versucht hatte, ihre Beziehung zu beenden. Am 9. August 1949, zwei Monate vor Olgas Verhaftung, hatte er an seine Cousine Olga Freudenberg von seinen zwiespältigen Gefühlen zu seiner Geliebten geschrieben:

Wohlweislich unterdrücke ich das Bedürfnis, mich mir Dir auszusprechen, denn dieser Gedanke ist unrealisierbar. Ich habe erneut eine tiefe Leidenschaft erlebt, aber da mein Leben mit Sina echt ist, mußte ich erstere früher oder später zum Opfer bringen. Merkwürdig, solange mich Zwiespälte, Gewissensbisse und sogar Schreckensvisionen peinigten, ertrug ich alles leicht, und mir erschien sogar als Glück, was mich jetzt, da ich wieder ununterbrochen und reinen Gewissens bei den Meinen bin, in trostlose Schwermut stürzt, nämlich meine Einsamkeit und mein Balancieren auf des Messers Schneide in der Literatur, die letztliche Zwecklosigkeit meiner Bemühungen als Schriftsteller, die seltsame Gespaltenheit meines Schicksals ›hier‹ und ›dort‹ usw. usf.²³⁰

Doch sobald Olga inhaftiert worden war, schmachtete er nach ihr, und Tag für Tag wurde die so vertraute, quälende Sehnsucht stärker. Nicht einmal eine Woche nach Olgas Verhaftung schrieb er an seine Freundin Nina Tabidze von seiner Verzweiflung:

Das Leben wiederholte buchstäblich ›Faust‹, letzte Szene ›Gretchen im Gefängnis‹. Meine arme Olja… folgte unserem teuren Tizian. Es geschah gerade eben erst, am 9. (letzte Woche). Wieviel hat sie meinetwegen schon auf sich genommen! Und nun auch noch das! Antworten Sie nicht darauf, aber ermessen Sie den Grad ihrer Not und das Ausmaß meines Leidens. […] Nie im Leben schien es mir möglich zu sein, vermutete menschliche Rivalität könne so bedrohlich und gefährlich werden, daß sie Eifersucht in ihrer schärfsten saugendsten Form hervorruft. Aber eifersüchtig war ich in meiner frühen Jugend oft: auf die Vergangenheit einer Frau, auf eine Krankheit, auf Todesdrohungen oder Abreise, auf fernliegende, vage Kräfte. So bin ich jetzt eifersüchtig auf die

Macht der Unfreiheit und der Ungewißheit, die sie der Berührung meiner Hand oder meiner Stimme entzogen hat. [...] Das Leiden vertieft meine Arbeit desto mehr, zieht schärfere Linien in all mein Sein und Bewußtsein. Aber was kann die Arme dafür, nicht wahr?[231]

Wie er Nina Tabidze prophezeit hatte, wurde Boris' Schreibstil tatsächlich »tiefer«. Er kanalisierte die durch seine Trennung von Olga hervorgerufenen Seelenqualen, sein Schuldgefühl und seinen Schmerz in seine Prosa. Wie sein Held Juri, der seine poetischen und philosophischen Begabungen erst entwickelt, als er von seiner Frau, seinen Kindern und seiner Geliebten Lara getrennt ist, so gewinnt auch Boris' Schreibkunst an Substanz, als er am Rand eines politischen und emotionalen Abgrunds lebt. Quälende Eifersucht ist ein starkes Thema in *Doktor Schiwago*. Er schreibt von seiner leidenschaftlichen Liebe zu Lara und der grauenhaften Begleiterscheinung einer solchen Intimität, seiner quälenden Eifersucht. »Ich bin eifersüchtig auf deine Toilettengegenstände, die Schweißtropfen auf deiner Haut, die in der Luft schwebenden ansteckenden Krankheiten, die dich befallen und dein Blut vergiften könnten«, sagt Juri zu Lara. »Und so, wie auf solch eine Ansteckung, bin ich auf Komarowski eifersüchtig, der dich mir eines Tages wegnehmen wird, so wie mein oder dein Tod uns eines Tages trennen wird. Ich weiß, das alles muß dir vorkommen wie eine Anhäufung von Unklarheiten. Ich kann es nicht besser und verständlicher sagen. Ich liebe dich ohne Verstand, ohne Besinnung, ohne Ende.«[232]

Als die Wochen verstrichen und Boris von den Machthabern immer noch unbehelligt blieb, er also ungehindert weiterschreiben konnte, verfestigte sich seine Überzeugung, dass er dank Olgas mutigem Auftreten in der Lubjanka nicht verhaftet wurde. Und er hatte Recht. Zwei Wochen nach ihrer Verhaftung begannen dann die Verhöre.

Olga hatte gerade ihr Abendessen beendet (Kartoffeln und Salzhering) und sich auf ihre Pritsche zum Schlafen gelegt, als der diensthabende Wachmann hereinstürzte »und nach meinen ›Initialen‹ fragte (Name, Vorname, Vatersname). ›Anziehen! Zum Verhör!‹«[233]

Aufgeregt zog sie ihr dunkelblaues Kleid aus Crêpe de Chine mit den großen weißen Tupfen an, das ihre Mutter im Gefängnis für sie abgegeben hatte. Es war Boris' Lieblingskleid. Als sie es überstreifte, war sie erfüllt von der wunderbaren Erwartung, bald entlassen zu werden. Sie sah sich sogar schon durch die Straßen Moskaus nach Hause laufen und stellte sich Boris' freudige Überraschung vor, wenn er am folgenden Morgen in ihre Wohnung käme und sie dort vorfände.

Die Wachleute holten sie aus ihrer Zelle und führten sie durch lange Korridore, vorbei an geschlossenen, geheimnisvollen Türen, aus denen gelegentlich furchterregende Schreie und verzweifeltes Schluchzen drangen. Vor einer Tür mit der Nummer 271 stoppten sie. Es war kein Zimmer, in das Olga geführt wurde, sondern eine Art Schrank, der sich plötzlich zu »drehen« begann und dann anhielt. Sie befand sich in einem großen Raum, in dem Soldaten herumstanden und miteinander schwatzten. Als sie an ihnen vorbeigeführt wurde, verstummten sie. Die Wachleute brachten sie in ein riesiges, behagliches, gut beleuchtetes Büro. Hinter einem Schreibtisch saß »ein gutaussehender, stattlicher Mann… gepflegt, braunäugig, mit kühn geschwungenen Brauen. Er trug einen langen… Uniformrock, der vom Hals an mit kleinen Knöpfen geschlossen wurde.«[234]

Olga wusste noch nicht, dass es Viktor Abakumow war, Stalins Minister für Staatssicherheit und einer der gewalttätigsten Schergen des Führers. Während des Krieges hatte Abakumow die militärische Spionageabwehreinheit SMERSch geleitet, ein Akronym für »Tod den Spionen«. Diese Einheit ließ direkt hinter den Frontlinien Riegelstellungen einrichten und exekutierte Soldaten der Roten Armee, die versuchten, den Rückzug anzutreten. Sie machte auch Jagd auf Deserteure und wandte bei deutschen Kriegsgefangenen brutale Verhörmethoden an. Abakumow war bekannt dafür, dass er, bevor er seine Opfer quälte, zum Schutz seines glänzenden Bürofußbodens einen blutbefleckten Teppich ausrollte.«[235]

Abakumow bedeutete Olga, auf einem Stuhl in einigem Abstand von ihm Platz zu nehmen. Auf seinem Schreibtisch stapelten sich Bücher und Korrespondenz, die die Polizei bei der Razzia in ihrer Wohnung beschlagnahmt hatte, darunter eines ihrer Lieblingsbücher, Pasternaks *Collected Prose Works*, die ihr ein Kollege von einer Auslandsreise mitgebracht hatte. Die Titelseite trug eine Widmung in seiner schwungvollen, fließenden Handschrift, die Olga »immer an einen Schwarm Kraniche erinnerte, die über den Himmel ziehen«. Boris hatte geschrieben: »Dir zur Erinnerung, wenn auch gefährdet durch meine scheußliche Fratze.«[236] Auf der ersten Druckseite gab es eine von seinem Vater Leonid gezeichnete Skizze des siebenjährigen Boris, der schreibend an einem Tisch sitzt und ein Bein vom Stuhl baumeln lässt, gefolgt von einem Selbstportrait des Künstlers als »schöner, grauhaariger Mann mit weichem Hut«.[237]

Olga entdeckte auch den kleinen Gedichtband, in den Boris jene »goldenen Worte« geschrieben hatte: »Mein Leben, mein Engel, ich liebe dich.« Das Datum, der 4. April 1947, markierte den Beginn ihrer Beziehung, das Jahr, in dem Boris erkannte, welch grandioser Triumph, welch überwältigendes Geschenk ihre Vertrautheit für ihn war.

Unter den erbeuteten Gegenständen auf dem Schreibtisch lagen weitere signierte Ausgaben von Boris' Gedichten und Übersetzungen, ihr persönliches Tagebuch, Bündel von Briefen (insgesamt 157), diverse Fotos von Olga, viele englischsprachige Bücher und Olgas eigene Gedichte. Sie setzte sich auf den Stuhl und überließ sich ihrem Schicksal. Sie ermahnte sich, alle Hoffnungen fahren zu lassen, das Ende abzuwarten und ihre Würde nicht zu verlieren.

»Nun, wie sieht es aus? Ist *Boris* nun antisowjetisch eingestellt oder nicht? Was denken Sie?«, fragte Abakumow mit ernster Miene. Bevor sie antworten konnte, fuhr er fort: »Warum sind Sie so vergrämt? Sie haben sich doch aus irgendwelchen Gründen Sorgen um ihn gemacht! Geben Sie es zu. Wir wissen alles.«

Da Olga nicht wusste, wer ihr Vernehmungsbeamter war, antwortete sie furchtlos und ohne die Vorsicht, die bei einem so gefährlichen Gegenüber wie Abakumow normalerweise angebracht gewesen wäre.

»Um einen geliebten Menschen ist man ständig in Sorge«, antwortete sie. »Wenn er auf die Straße geht, hat man Angst, daß ihm ein Dachziegel auf den Kopf fallen könnte. Zu Ihrer Frage, ob Boris Leonidowitsch antisowjetisch eingestellt ist oder nicht: Auf Ihrer Palette gibt es zu wenige Farben, nur Schwarz und Weiß. Leider fehlen die Zwischentöne.«[238]

Abakumow zog die Augenbrauen hoch und deutete auf den beschlagnahmten Bücherstapel. »Wie kommen Sie an diese Bücher?«, fragte er. »Sie wissen natürlich, warum Sie hier sind?«

»Nein, ich weiß es nicht, und bin mir keines Vergehens bewußt.«

»Und warum wollten Sie ins Ausland gehen? Wir haben genaue Informationen über diesen Plan.«

Olga gab empört zurück, dass sie nie im Leben daran gedacht hatte, Russland zu verlassen.

Abakumow winkte ungeduldig ab: »Hören Sie gut zu: Ich rate Ihnen, gründlich über den Roman von Pasternak, der jetzt die Runde macht, nachzudenken. Ausgerechnet jetzt, in einer Zeit, in der wir von so viel Übelwollenden und Feinden umgeben sind – dieser Roman! Der antisowjetische Inhalt ist Ihnen ja wohl bekannt?«

Olga widersprach ihm »leidenschaftlich« und versuchte ziemlich zusammenhanglos, den Teil des Romans wiederzugeben, der bereits fertig war.

Abakumow schnitt ihr das Wort ab: »Sie werden genug Zeit bekommen, um über diese Fragen nachzudenken und sie zu beantworten. Persönlich rate ich Ihnen, sich klarzumachen, daß wir alles wissen und daß von Ihrer Aufrichtigkeit sowohl Ihr wie auch Pasternaks Schicksal abhängt. Ich hoffe, wenn wir uns das nächste Mal sehen, werden Sie nicht versuchen, Pasternaks Antisowjetismus abzustreiten. Er selbst spricht es ja offen genug aus. Abführen«, befahl er dem Wachmann.[239]

Als Olga durch die Korridore zurück in ihre Zelle geführt wurde, zeigte die Uhr der Lubjanka drei Uhr früh.

Stundenlang wälzte sich Olga unter dem grellen Licht auf ihrer Pritsche und versuchte, Schlaf zu finden. Allmählich spürte sie die Auswirkungen des Schlafentzugs am eigenen Körper. Sie konnte nicht mehr klar denken und fühlte sich ausgelaugt. Gerade, als sie sich hinlegen durfte und ihr Gesicht mit einem Taschentuch bedeckt hatte, um die Augen vor dem blendenden Licht zu schützen, ging die Tür scheppernd auf.

Abermals wurde sie durch einen langen Korridor geführt,

diesmal in ein einfacheres Büro, in dem ein Uniformierter saß, den sie bis dahin noch nicht kennen gelernt hatte. Er erklärte ihr, er sei Anatoli Sergejewitsch Semjonow (ein nachgeordneter Beamter). Dann klärte er sie darüber auf, dass der Vernehmungsbeamte vom Vortag Minister Abakumow höchstpersönlich gewesen war.

Semjonow drängte Olga zu gestehen, dass sie und Pasternak geplant hatten, ins Ausland zu flüchten, und sie solle Pasternaks Roman als antisowjetisch bezeichnen. Abermals protestierte Olga dagegen und sagte, sie wisse nicht, was sie verbrochen haben sollte. Semjonow lächelte ironisch: »Es wird immerhin sechs bis acht Monate dauern, festzustellen, ob Sie schuldig sind oder nicht.« Olga spürte, wie es ihr eiskalt über den Rücken lief. Nun hatte sie eine weitere Grenze passiert. »Die Tür war zugefallen, und die Frage, ob es nach Hause gehen konnte, hatte sich erübrigt.«

Semjonow fragte Olga über ihre Familie aus. »Erzählen Sie uns von Ihrem Vater.«

»Soviel ich weiß, hat meine Mutter ihn 1913 verlassen. Wie mein Onkel Wladimir sagte, starb er 1914 an Typhus«, antwortete Olga.

»Erzählen Sie uns keine Märchen«, forderte Semjonow. »Wir wissen, dass er sich 1918 den Weißen angeschlossen hat. Und was ist mit Ihrer Mutter? Wurde sie nicht wegen antisowjetischer Umtriebe verurteilt?«

»Meine Mutter hatte noch nie etwas mit antisowjetischen Umtrieben zu tun.«

»Erzählen Sie uns, wie Sie Pasternak kennen gelernt haben.«

»Wir lernten uns im Oktober 1946 bei *Nowy Mir* kennen, wo ich damals gearbeitet habe.«

»Und wann wurden Sie intim?«

»Im April 1947 ...«[240]

Die Verhöre mit Semjonow wurden zu einer allnächtlichen Tortur. Er behandelte sie nicht besonders grob und wandte zum Glück nie Gewalt an. Das wusste sie zu schätzen, zumal sie von ihren Mithäftlingen erfahren hatte, dass einige der Vernehmungsbeamten aggressiv wurden, sie ins Gesicht schlugen und beschimpften. Semjonow spöttelte allerdings gern und wiederholte stereotype Sätze wie: »Pasternak tafelt mit Engländern und Amerikanern, ernährt sich aber von russischem Speck.«[241] Je öfter sie diese Phrase hörte, umso gereizter wurde sie. Schließlich erklärte Semjonov, Pasternak sei ein englischer Spion. Die Tatsache, dass ein Teil von Pasternaks Familie in England lebte und er sich 1946 mehrmals mit dem britischen Diplomaten Isaiah Berlin getroffen hatte, schien den Inquisitoren Beweis genug für seine Illoyalität.[242]

Semjonows Verhöre mit Olga setzten sich über mehrere Wochen fort. Die Gespräche drehten sich immer um dieselben Themen. »Endlos zogen sich meine ›Werktage‹ hin«, erinnerte sie sich später. »Ich erfuhr hier, daß es auch in der Hölle Werktage gibt.«[243] Ein typisches Verhör lief etwa so ab:

Semjonow: Erzählen Sie uns von Pasternaks politischen Einstellungen. Was wissen Sie von seinen unterminierenden Aktivitäten, seinen pro-englischen Ansichten und seinen verräterischen Absichten?

Olga: Pasternak gehört nicht zu dieser Kategorie von Menschen. Er vertritt keine antisowjetischen Ansichten. Er hat nicht die geringste Absicht, sein Land zu verraten. Er hat sein Heimatland immer geliebt.

Semjonow: Dann erklären Sie uns, warum wir in Ihrem Haus eine Publikation in englischer Sprache gefunden haben, die seiner Arbeit gewidmet ist. Wie sind Sie daran gekommen?

Olga: Fakt ist, dass Pasternak sie mir gegeben hat. Darin geht es um seinen Vater, der Maler war, und sie wurde in London veröffentlicht.

Semjonow: Und wie ist Pasternak an sie gekommen?

Olga: Simonow [der Herausgeber von *Nowy Mir*] brachte sie von einer seiner Auslandsreisen mit.

Semjonow: Was wissen Sie noch über Pasternaks Verbindungen zu England?

Olga: Ich glaube, er hat einmal ein Paket von seinen Schwestern bekommen, die dort leben.

Semjonow: Wie erklären Sie sich Ihre Beziehung mit Pasternak? Er ist schließlich viel älter als Sie.

Olga: Mit Liebe.

Semjonow: Das glaube ich Ihnen nicht. Nein, Sie sind über Ihre gemeinsamen politischen Ansichten und verräterischen Absichten zusammengekommen.

Olga: Etwas Derartiges hatten wir nie vor. Was ich an ihm liebte und noch immer liebe, ist der Mann, der er ist.

Semjonow: Nachdem wir Zeugen befragt hatten, wurde gefolgert, dass Sie Pasternaks Arbeiten ständig gelobt haben und dass Sie diese im Gegensatz zu Arbeiten patriotischer Schriftsteller wie Surkow oder Simonow präsentierten, während die künstlerischen Methoden Pasternaks, was die Darstellung der sowjetischen Wirklichkeit angeht, falsch sind.

Olga: Das stimmt. Ich habe seine Arbeit als vorbildhaft für sowjetische Schriftsteller gelobt. Seine Arbeit ist für die sowjetische Literatur ausgesprochen kostbar. Seine künstlerischen Methoden sind nicht falsch, sie sind nur subjektiv.

Semjonow: Gehen wir wieder zurück zu Ihrer Aussage im Hinblick auf Pasternaks antisowjetische Ansichten.

Olga: Es stimmt, dass er von den Lebensbedingungen in der UdSSR entsetzt war. Vermutlich weil er das Gefühl hatte, sein Publikum wäre ihm unfairerweise entzogen worden, aber er hat sich niemals zu einer Verunglimpfung der sowjetischen Realität bekannt, und nichts von seinen Ansichten kann uns auf die Idee bringen, dass er des Verrats fähig wäre.

Semjonow: Erzählen Sie mir von seinen pro-britischen Gefühlen.

Olga: Es stimmt, dass England ihm gefällt; er ist ja auch immer interessiert daran, englische Literatur zu übersetzen.[244]

Und so weiter. Nach einer dieser unerbittlichen Sitzungen forderte Semjonow Olga auf, eine Zusammenfassung von *Doktor Schiwago* zu liefern. Sie bekam ein paar Blätter Papier, legte die Blätter vor sich auf den Schreibtisch und begann zu schreiben. Sie machte aus dem im Entstehen begriffenen Roman die Geschichte eines Intellektuellen, eines Arztes, für den sich das Leben in den Jahren zwischen den Revolutionen von 1905 und 1917 als schwierig erwiesen hatte. Er war eine Künstlernatur, ein Dichter. Schiwago selbst sollte die jetzige Zeit nicht mehr erleben, wohl aber einige seiner Freunde. In dem Roman gebe es nichts Negatives über das Sowjetsystem, schrieb sie in ihrer kaum leserlichen Schrift. Was geschrieben werde, entspreche der Wahrheit. Es gehe um eine Beschreibung der ganzen Epoche, verfasst von einem wahren Schriftsteller, der, statt sich in seine eigene, persönliche Welt zurückzuziehen, sich entschlossen hatte, Zeugnis über diese Epoche abzulegen.

Semjonow nahm ihre handschriftlichen Notizen, überflog sie und sagte spöttisch: »Das ist Unfug, was Sie da schreiben. Sie brauchen nur zu sagen, dass Sie dieses Werk tatsächlich gelesen haben und dass es das sowjetische Leben verunglimpft ...«

Später nahm sich Semjonow Pasternaks Gedicht »Magdalena« vor und die Möglichkeit, dass es sich auf Olga beziehen könnte. Das Gedicht beginnt so:

Kaum ist es Nacht, erscheint mein Dämon,
Und läßt mich meine Taten büßen.
Erinnern ist mein Hurenlohn.
Es kommt und reißt mein Herz in Stücke,
Weil ich als Sklavin männlicher Not
Mich närrisch deren Grillen fügte,
Die Straße nur mir Bleibe bot.[245]

»Auf welche Epoche bezieht sich denn dieses Gedicht?«, fragte er Olga. »Und warum haben Sie Pasternak nie gesagt, dass Sie eine sowjetische Frau sind, keine ›Magdalena‹, und dass es sich einfach nicht gehört, einem Gedicht über eine Frau, die er liebt, einen solchen Titel zu geben?«

»Wie kommen Sie darauf, dass es dabei um mich geht?«, fragte Olga.

»Aber das ist doch offensichtlich – und wir alle wissen das. Sie brauchen es gar nicht erst abzustreiten. Sie müssen die Wahrheit sagen: Nur so können Sie es sich selbst und auch Pasternak erleichtern.«[246]

Ein anderes Mal verwechselte Semjonow Maria Magdalena mit der Madonna und fragte: »Warum wollen Sie eine Magdalena aus sich machen? Sie haben den Tod von zwei Männern auf dem Gewissen, anständigen Kommunisten. Und jetzt werden Sie schon blaß, wenn man diesen Schuft, der russischen Speck ißt, aber mit Engländern an einem Tisch sitzt, nur erwähnt.«[247] Olga hatte diesen elenden Satz über den »russischen Speck« so gründlich satt, dass sie wütend entgegnete, der russische Speck wäre mit Pasternaks Shakespeare- und Goethe-Übersetzungen längst abbezahlt.

Immer wieder kam Semjonow darauf zurück, die Liebesbeziehung selbst ins Lächerliche zu ziehen: »Was haben Sie denn schon gemeinsam?«, schnarrte er. »Ich glaube einfach nicht, dass eine russische Frau wie Sie diesen alten Juden überhaupt lieben kann – da muss es doch ein verborgenes Motiv geben! Ich habe ihn selbst gesehen. Sie können ihn nicht lieben. Er hat Sie hypnotisiert oder so. Man hört ja schon fast seine Gelenke knarzen. Ein Prachtexemplar! Sie müssen irgendein heimliches Motiv haben.«

Während eines Verhörs, als plötzlich ein lauter Knall am Eisentor der Lubjanka zu hören war, sagte Semjonow mit süffisantem Lächeln: »Haben Sie das gehört? Das ist Pasternak, der versucht, sich Zutritt zu verschaffen! Keine Angst, früher oder später gelingt es ihm bestimmt …«[248]

Das stimmte auch: Boris sollte tatsächlich bald schon in die Lubjanka vorgeladen werden, aber aus Gründen, auf die Olga niemals gekommen wäre.

Während Olga ihren Geliebten und seinen Roman bei den nächtlichen Verhören in der Zentrale der Staatssicherheit mit Zähnen und Klauen verteidigte, wurde Pasternak paradoxerweise in Peredelkino in Ruhe gelassen und konnte sich ungehindert seinem Schreiben widmen. Bis zum Herbst 1949 hatte er fünf Kapitel fertiggestellt. Seine Arbeit an dem Roman wurde über lange Perioden immer wieder unterbrochen, wenn er an seiner Lyrik und an seinen Übersetzungen arbeitete, um das nötige Geld zu verdienen. In sowjetischen Literaturkreisen häuften sich die Attacken, und allmählich wurde ihm klar, wie ernst und prekär seine Situation war. Wenn er nicht schreiben durfte, wovon sollte er dann seinen Lebensunterhalt bestreiten? Und wann würden die Machthaber auch ihn holen? Für Boris war es angesichts seiner standhaften Weigerung, sich der Parteilinie zu fügen und prosowjetisches Material zu schreiben, unvorstellbar, nicht verhaftet zu werden. Für ihn war es eine unglaublich herausfordernde und instabile Zeit, in der er ständig in dem Gefühl lebte, nur noch eine kurze Galgenfrist zu haben.

Im März 1947 war in der Zeitschrift *Kultura y shishnj* (Kultur und Leben) eine Kritik des Dichters A. Surkow erschienen, der Boris' Werk »in Grund und Boden verriss«. Pasternaks Lyrik, schrieb Surkow, »zeigt glasklar, dass es mit kaum vorhandenen, spirituellen Ressourcen nicht möglich ist, wahre Lyrik zu schaffen, dass reaktionäre Ideologie nicht dazu angetan ist, die Stimme des Dichters zu einer Stimme der Epoche zu machen… Die sowjetische Literatur kann sich mit seiner Lyrik nicht einverstanden erklären.«[249] Surkow sollte bald Generalsekretär des sowjetischen Schriftstellerverbands werden. Olga beschrieb diese Kritik später als schamlose Kampagne eines »Literaturfunktionärs gegen einen genialen Dichter«.[250] Surkow, der, wie Olga hinzufügte, »Pasternak haßte«, und zwar aus purem Neid auf dessen Talent, behauptete, dass Pasternak die bestehende Staatsordnung untergraben wolle.[251] Im folgenden April wurden fünfundzwanzigtausend vollständige Exemplare von Pasternaks ausgewählter Lyrik, fertig gedruckt und bereit für den Vertrieb, am Tag vor dem Erscheinen auf »Befehl von oben« eingestampft.

Pasternak wusste, dass öffentliche Auftritte von ihm unerwünscht waren, und so konnte er wegen der Restriktionen nur als Übersetzer wahrgenommen werden. Die letzten Monate des Jahres 1948 legte er *Doktor Schiwago* erst einmal auf Eis, um Goethes *Faust*, Teil 1 und 2 zu übersetzen, womit er im Februar 1949 fertig war. Die Übersetzung des *Faust* gab ihm ein ebenso starkes Gefühl spiritueller Freiheit wie zuvor *Hamlet*. Zur Bildhauerin Zoja Maslennikowa sagte er, dass diese Übersetzung ihm helfe, »kühner, freier zu werden, sich von bestimmten Fesseln zu befreien, nicht nur von politischen und moralischen Vorurteilen, sondern auch im Sinn von Form.«[252] Natürlich reizte den gepeinigten Boris die Arbeit an Goethes *Faust*, ein Drama, in dem Faust seine Seele dem Teufel verkauft, nicht zuletzt deshalb besonders, weil er sich wenigstens hier kreativ ausdrücken konnte, ohne befürchten zu müssen, die Machthaber gegen sich aufzubringen. In Teil 1 sucht Faust nicht Macht durch Wissen, sondern Zugang zu transzendentalem Wissen, den der Verstand verweigert. Goethes Themen der Mystik hätten Pasternak bestimmt ebenso angesprochen wie die Verschmelzung von Psychologie, Geschichte und Politik in Teil 2: Themen, mit denen er auch in *Doktor Schiwago* kämpft.

Pasternak sah Olga als seine Margarethe – eine bezaubernde, unschuldige Maid. In einem seiner Briefe an Josephine schreibt er, falls sie wissen wolle, wie Olga aussehe, sollte sie sich das Bild der Margarethe in seiner *Faust*-Übersetzung ansehen. »Sie ist ihr wie aus dem Gesicht geschnitten«, schrieb er.[253] In der Korrespondenz mit seinen Schwestern benutzte Boris sogar den Namen »Margarethe«, wenn er von Olga schrieb, um deren wahre Identität vor Sinaida zu verschleiern. Goethes Margarethe war die Verkörperung sanfter Weiblichkeit und Reinheit, was auch Olga für Boris war. Später widmete er die *Faust*-Übersetzung seiner Geliebten und schrieb: »Olga, tritt aus diesem Buch heraus, nimm Platz und lies es.«[254]

Falls Pasternak glaubte, bei seiner Übersetzung des *Faust* relativ sicher zu sein, da er nicht der Feindseligkeit gegenüber dem Staat bezichtigt werden konnte, lag er falsch. Fast schon vorhersehbar, führte seine Übersetzung des ersten Teils dazu, dass er in *Nowy Mir* attackiert wurde: »Der Übersetzer verzerrt eindeutig Goethes Gedanken … Um seine reaktionäre Theorie der ›reinen Kunst‹ zu verteidigen, färbt er den Text ästhetisch und individualistisch ein. Er schreibt Goethe eine reaktionäre Idee zu und verzerrt die soziale und philosophische Bedeutung.«

Pasternak schrieb an Ariadna Efron, die in der Verbannung lebende Tochter der Dichterin Marina Zwetajewa, seiner lieben verstorbenen Freundin: »Es gab Krawall. In *Nowy Mir* wurde mein Faust beschimpft, weil die Götter, Engel, Hexen, Geister, der Wahnsinn des armen Gretchens so gut wiedergegeben sind, daß die fortschrittlichen Ideen Goethes (welche?) in den Hintergrund treten und unbeachtet bleiben. Und dabei habe ich auch noch einen Vertrag für den zweiten Teil! Anfänglich war es ziemlich unklar, wie die Geschichte ausgehen würde. Zum Glück aber hatte der Artikel dann doch keine praktischen Konsequenzen.«[255] Wenigstens brachte die Arbeit Geld ein: An seine Schwestern in England schrieb er: »Sina hat die Möglichkeit, Ljonitschka zu verwöhnen, wir leiden keinen Mangel.«[256]

Wenn die Umstände es zuließen, wandte er sich wieder *Schiwago* zu. Das enorme Schuldgefühl, das ihn wegen Olgas Verhaftung plagte – und die Erkenntnis, dass die sowjetischen Machthaber ihn durch ihr Leid manipulieren und bestrafen wollten –, schien ihn zu beleben, setzte ungeheure kreative Energieschübe frei. In der Überzeugung, dass der Roman in Russland niemals erscheinen würde, konnte er furchtlos schreiben. Während also Olga sein Buch verteidigte und dessen antisowjetischen Charakter bestritt, leitete Pasternak seine Wut auf die politischen Machenschaften und die Entbehrungen jener Tage in ein mutiges und entschieden antisowjetisches Buch. In einem Brief an seine Freundin Zoja Maslennikova verteidigte er seine Position und erklärte, dass sein Roman nur dann als antisowjetisch betrachtet werden könnte, wenn »unter ›sowjetisch‹ der Wunsch zu verstehen sei, das Leben nicht so zu sehen, wie es ist.«[257] In *Doktor Schiwago* schreibt er:

Dieses Neue war die Revolution, nicht studentisch idealisiert wie neunzehnhundertfünf, sondern die jetzige, aus dem Krieg hervorgegangene, blutrünstige, auf nichts Rücksicht nehmende Soldatenrevolution, gelenkt von den Kennern dieser Naturgewalt, den Bolschewiken.

Dieses Neue war Schwester Antipowa, vom Krieg

weiß Gott wohin geworfen, mit ihrem Leben, von dem er nichts wußte, die Schwester, die niemals jemandem Vorwürfe machte, mit ihrer Zurückhaltung aber beinahe klagte, rätselhaft wortkarg war und dabei stark durch ihr Schweigen. Dieses Neue war sein eigenes redliches, intensives Bemühen, sie nicht zu lieben, ebenso wie er sein Leben lang trachtete, allen Menschen Liebe entgegenzubringen, besonders natürlich seiner Familie und seinen Angehörigen.[258]

Als Pasternak über Lara schrieb, wusste er noch nicht, dass die Realität selbst *seine* künstlerische Freiheit noch übertreffen würde. Während ihrer Haft in der Lubjanka stellte Olga fest, dass sie schwanger war. Sie trug Boris' Kind unter dem Herzen.

Olga war über diese Entdeckung glücklich, nicht zuletzt auch deshalb, weil ihre Haftbedingungen nach der Bestätigung der Schwangerschaft deutlich gelockert wurden. Sie durfte weißes Brot, Salate und Brei essen statt *Kasha*, die tägliche ekelhafte Schleimsuppe aus Buchweizenmehl. Ihre zusätzlichen Essensrationen wurden ihr durch die Klappe in der Zellentür gereicht. Auch durfte sie die doppelte Menge der üblichen Essensrationen im Gefängnisladen kaufen. Sie durfte täglich zwanzig Minuten lang spazieren gehen. Das wichtigste und konkreteste Zugeständnis war allerdings die Erlaubnis, tagsüber nach den Verhören zu schlafen. Während ihre Zellengenossinnen nach den nächtlichen Verhören gezwungen wurden, in der Zelle herumzugehen oder zu sitzen und vor sich hin zu brüten, durfte Olga weiterschlafen. So kam der diensthabende Aufseher herein, stupste sie mit dem Finger an und sagte respektvoll: »Sie dürfen schlafen. Legen Sie sich wieder hin.«

»Und ich schlief weiter«, erinnerte sich Olga, »einen schweren, traumlosen Schlaf, versank wie in einen Abgrund, sogar mitten im Satz des Berichts einer Zellengenossin über ihr nächtliches Verhör. Die rücksichtsvollen Frauen sprachen flüsternd, um mich nicht zu stören, und ich wachte erst zum Mittagessen wieder auf.«[259]

Nach dem Mittagessen vertrödelten die Gefangenen den Nachmittag, ihre »Freizeit«. »Auch so etwas gibt es in der Hölle«, bemerkte sie trocken.[260] In dieser Zeit nähten sie, mit einer Nadel aus einer Fischgräte, in die sie ein Öhr für den Faden gestochen hatten, oder sie »bügelten« ihre Kleidung. So bereiteten sie sich für das nächste Verhör vor: Sie befeuchteten ihre Kleider mit Wasser und setzten sich darauf. Und was dann noch an Zeit zur Verfügung stand, verplauderten sie oder rezitierten Gedichte.

Da Olga ein Paket von ihrer Mutter mit dem blauen Kleid aus Crêpe de Chine plus Essensgeld bekommen hatte, wusste sie, dass man auf irgendeine Weise mit Maria in Verbindung getreten war. Olga konnte damals nicht ahnen, dass Semjonow, ihr Vernehmungsbeamter, Maria hin und wieder anrief und über die Situation ihrer Tochter infomierte. Irina beschrieb die Anrufe Semjonows bei ihrer Großmutter: »Er war extrem höflich – was Großmutter wirklich sehr freute, da wir inzwischen gesellschaftlich geächtet waren und diese Höflichkeit wie ein Geschenk oder ein Gunstbeweis daherkam. Und deswegen hofften wir weiter…«[261] Er gestattete Olga auch, ein besonders seltenes Buch aus der Gefängnisbücherei zu behalten: eine einbändige Ausgabe der Lyrik Pasternaks.

An einem Abend, ein paar Monate nach Olgas Verhaftung, bekam Maria einen Anruf von einer Frau namens Lidia Petrowna, die gerade aus der Lubjanka entlassen worden war. Sie erzählte, sie sei Olgas Zellengenossin gewesen und habe Informationen. Sie bat um ein Treffen mit Maria. Die Situation für Olga in der Lubjanka würde sich »deutlich verschlechtern«, sagte sie zu ihr; ihre Tochter sei schwanger und krank.

Olga war etwa im sechsten Monat schwanger, als während eines Verhörs mit Semjonow plötzlich ein neuer Vernehmungsbeamter den Raum betrat. Sie bemerkte, dass Semjonow in dessen Gegenwart deutlich schroffer mit ihr sprach. »Nun denn«, sagte der Fremde, »Sie haben so oft um ein Treffen gebeten, und nun werden wir es Ihnen gewähren. Machen Sie sich für ein Treffen mit Pasternak fertig.«

»Mich überwältigte das Glück«, schrieb Olga, »ihn gleich umarmen zu dürfen, ihm Kraft zu spenden, ihm ermunternde Worte zu sagen.«[262] Beide Vernehmungsbeamte unterschrieben einen Zettel und füllten einen Passierschein aus, den sie einem Aufseher reichten. Olga, »taumelnd vor Glück«, folgte ihrer Eskorte aus der Lubjanka hinaus. Sie wurde in einen Gefängniswagen mit geschwärzten Fensterscheiben gesteckt und quer durch die Stadt zu einem anderen Regierungsgebäude gefahren. Dort führte man sie durch endlose Korridore, von denen viele Treppen aufwärts- und abwärtsführten, während es bei ihr selbst ständig nur treppab ging. Immer tiefer stiegen sie hinunter, bis sie einen schlecht beleuchteten Keller erreichten. Fiebernd, erschöpft und desorientiert, konnte sie nicht mehr weiter. Plötzlich stieß man sie durch eine Eisentür, die hinter ihr laut scheppernd zufiel. Verängstigt drehte sie sich um, doch sie war allein.

Es war schwierig, in der Düsternis etwas zu erkennen, doch sie vernahm einen süßlichen Geruch. Als Olgas Augen sich an das Halbdunkel gewöhnt hatten, sah sie einen frisch gescheuerten Steinboden, Pfützen, Zinktische und darauf, wie sich herausstellte, Leichen, die nur dürftig mit grauen Planen zugedeckt waren. Plötzlich wurde ihr bewusst, dass es »der spezifisch süßliche Geruch einer Leichenhalle« war. Semjonow hatte ihr versprochen, sie dürfe Boris treffen. Jeden einzelnen Tag ihrer langen Haftzeit hatte sie befürchtet, dass er in einer anderen Zelle misshandelt wurde, denn sie war überzeugt davon, dass sie ihn verhaftet hatten. »War eine der Leichen der Mann, den sie liebte?«, fragte sie sich.[263]

Nachdem sie einige Zeit in der Leichenhalle ausgeharrt hatte, knickten ihre Beine ein, sie kippte um und landete mit den Füßen in einer der eiskalten Pfützen. Seltsamerweise war ihr Angstgefühl plötzlich verschwunden. »Auf einmal fühlte ich mich ganz ruhig. Als habe Gott es mir eingegeben, wußte ich, daß dies alles nichts weiter war als ein diabolisches Theater, inszeniert, um mich ›weichzumachen‹, daß aber Borja hier nicht war.«[264]

Irgendwann ging die Tür abermals scheppernd auf, Olga wurde hochgezerrt und wieder durch unzählige Korridore und Treppen zurückgeführt. Ihr Bauch schmerzte, und sie konnte weder die innere Kälte abschütteln, die sie erfasst hatte, noch den ekelhaften, süßlichen Geruch. Die Versuche der Machthaber, sie zu einem verzweifelten Nervenbündel zu reduzieren, mochten fehlgeschlagen sein, doch Olga sollte bald auf viel schrecklichere Weise herausfinden, dass sie ihr Ziel dennoch erreicht hatten.

Ihre nächste Station war ein Raum, in dem Semjonow saß. »Entschuldigen Sie«, sagte er, und ein Lächeln huschte über sein Gesicht, »wir haben Sie versehentlich in den falschen Raum gebracht. Kleiner Irrtum des Begleitsoldaten. Machen Sie sich zurecht, man erwartet Sie.«[265]

Olga war verblüfft, als eine Tür aufging und nicht Boris eintrat, wie sie immer noch naiverweise erwartete, sondern ein älterer Mann, den sie nach ein paar Augenblicken erkannte: Sergej Nikolajewitsch Nikiforow, Irinas Englischlehrer. Olga war fassungslos. Es handelte sich um den nächsten üblen Scherz. Dies war also ihr »Treffen« mit ihrem Liebsten.

Nikiforow wurde von einem aalglatten, dreisten jungen Beamten mit Pickelgesicht verhört. Es folgte ein weiteres Ritual der sowjetischen Verhörpraxis: die inszenierte Konfrontation mit einem Zeugen, der – sehr wahrscheinlich unter der Folter – instruiert worden war, Beweise für Iwinskajas Verrat auf den Tisch zu legen.[266]

Olga wunderte sich über seine Erscheinung. Er, der sonst immer sorgfältig und makellos gekleidet auftrat, war unrasiert, die Haare waren struppig, die Hose aufgeknöpft, und in den Schuhen fehlten die Schnürsenkel.

»Sie bestätigen Ihre gestrige Aussage, daß Sie Zeuge von antisowjetischen Gesprächen zwischen Pasternak und Iwinskaja gewesen sind?«, fragte Semjonow. Olga, die ihrer Empörung Luft machte – Nikiforow hatte sie kein einziges Mal mit Pasternak zusammen gesehen –, wurde augenblicklich zurechtgewiesen, nicht dazwischenzureden.

»Nun, Sie haben uns erzählt, dass Iwinskaja Sie von Ihren Plänen informierte, zusammen mit Pasternak zu flüchten, und dass die beiden versucht haben, einen Piloten zu überreden, sie mit einem Flugzeug ins Ausland zu schaffen. Bestätigen Sie das?«

»Ja, das ist so«, sagte Nikiforow.

Olga konnte nicht mehr an sich halten, so empört war sie über dieses Märchen: »Schämen Sie sich nicht, Sergej Nikolajewitsch?« Semjonow legte einen Finger auf die Lippen, um sie zum Schweigen zu bringen.

»Aber Sie haben das doch selbst bestätigt, Olga Wsewolodowna«, murmelte er.

Dann verstand Olga. Sie hatten den alten Mann zu einer Falschaussage bewogen, nachdem sie ihm versichert hatten, dass Olga bereits Verbrechen gestanden hatte, die ihr niemals in den Sinn gekommen wären, geschweige denn, tatsächlich stattgefunden hatten.

»Erzählen Sie uns, wie Sie bei Iwinskajas Freund Nikolaj Stepanowitsch Rumiantsew antisowjetische Radiosender gehört haben«, fuhr der bullige junge Vernehmungsbeamte fort.

Nikiforow war inzwischen ganz konfus. »Eigentlich ist das nicht so, glaube ich...«, stammelte er.

»Also haben Sie uns belogen?«, blaffte sein Vernehmungsbeamter ihn an.

Der arme Nikiforow begann zu jammern und sich herauszuwinden. Die Qualen des alten Mannes mit anzusehen, war für Olga unerträglich; alle in ihrer Familie hatten ihn so gern gemocht. Olga versuchte, sich und ihn zu verteidigen und bemerkte, dass er Pasternak nur zweimal in Fleisch und Blut gesehen hatte, und zwar ausschließlich bei öffentlichen Gedichtlesungen, deren Besuch Olga ihm ermöglicht hatte.

Nikiforow wurde mit seinem Vernehmungsbeamten wieder hinausgeführt. Semjonow wandte sich an Olga und sagte selbstgefällig: »Sehen Sie? Nicht alle Vernehmungsbeamten sind so wie Ihrer.« Dann fügte er hinzu: »Gehen wir nach Hause. Zu Hause ist es immer noch am schönsten...«[267]

Jahre später schrieb Nikiforow an Olga:

Ich habe gezögert, ob ich Ihnen schreiben darf? Schließlich nötigte mich mein Gewissen als anständiger Mensch, über jene Situation Rechenschaft abzulegen, in die ich Sie gegen meinen Willen gebracht habe, gezwungen durch die Umstände, glauben Sie mir.

Ich weiß, Sie kennen die damaligen Umstände,

manche werden Sie selbst erlebt haben. Aber Männer waren von ihnen härter und gewaltsamer betroffen als Frauen. Vor meiner Gegenüberstellung mit Ihnen hatte ich mich von zwei Dokumenten, obwohl von mir unterschrieben, distanziert.

Aber wie viele Menschen bringen es fertig, kühn und aufrecht zum Schafott zu gehen. Zu meinem Leidwesen gehöre ich nicht dazu, denn ich bin nicht allein, ich muss an meine Frau denken.

Deutlicher gesagt: Damals war eine Zeit, in der eins das andere nach sich ins Verderben zog. Indem ich die beiden Dokumente zurückwies und abstritt, wußte ich genau, daß sie falsch waren, doch ich wollte mich damals, wie ich schon sagte, vor dem drohenden Schafott retten ...[268]

Tief bewegt erinnerte Olga sich an Nikiforows Aufrichtigkeit und sein Geständnis: »Beim Lesen dieses Briefes verglich ich meine Verstörtheit in den ersten Hafttagen und das Entsetzen in der Leichenhalle mit dem Verhalten Epischkins [Nikiforows] und Tausender anderer, und ich verstand sehr gut, daß ein Häftling nur dann verdammt werden darf, wenn er zum Nutzen der Obrigkeit und, um seine Haut zu retten, falsche Aussagen macht, nicht aber wenn er den Kopf verliert und unter der Folter nachgibt.... Viele wurden in den ersten Tagen der Haft zu Denunzianten und Helfershelfern der Inquisition, ohne es zu wissen und zu wollen.«[269]

Dass so viele Häftlinge unter den schrecklichen Repressalien einknickten, macht Olgas Tapferkeit angesichts der fortwährenden Verhöre und ihrer Schwangerschaft mit dem Kind ihres Geliebten noch beeindruckender. Sie bediente sich keines anderen, um ihren Kopf aus der Schlinge zu ziehen, am allerwenigsten Pasternaks, des Mannes, den sie schützte. Irina bestätigte dies voller Stolz: »Es ist glasklar, dass meine Mutter aus den Befragungen siegreich hervorging. Wenn es deren Ziel war, Beweismaterial gegen Pasternak zusammenzutragen, konnte keine ihrer Aussagen gegen ihn verwendet werden.«[270]

Stunden, nachdem man sie in die Lubjanka in ihre »Zelle nach Hause« gebracht hatte, spürte Olga brennende Schmerzen im Unterbauch. Sie kam ins Gefängniskrankenhaus. Die Diagnose eines Arztes in einem offiziellen Dokument besagte, dass Olga »wegen einer Gebärmutterblutung« eingeliefert wurde und dass »die Gefängnisinsassin sagte, dass sie schwanger war«.[271] Sie hatte ihr Baby verloren. »Dort nahm man mir Borjas und mein Kind, ohne ihm die Chance zu geben, geboren zu werden«, erinnerte Olga sich später traurig.[272]

»Ich bin nicht überzeugt davon, dass es eine normale Fehlgeburt war«, sagte Irina im Rückblick. »Meine Mutter war im sechsten Monat schwanger. Ich glaube, sie wurde vorsätzlich in die Leichenhalle geschickt und sollte in der Eiseskälte ausharren mit dem Ziel, eine Fehlgeburt zu erleiden. […] Boris Pasternak war weltberühmt. Sie wollten nicht, dass die Umstände einer Geburt oder einer Totgeburt sich verbreiteten […] Das war die Art und Weise der Machthaber, die ganze Geschichte zu beenden. Wäre das mit dem Baby bekannt geworden, hätten die Leute wieder begonnen, über Pasternak zu sprechen. Das war ihre Art, Pasternak totzuschweigen und sich potenzielle Peinlichkeiten vom Hals zu schaffen. Es war ein wirklich schreckliches, widerliches Regime.«[273]

Olgas Prozess mit der Nummer 3038, eröffnet am 12. Oktober 1949, wurde am 5. Juli 1950 geschlossen. Eine Troika – ein Tribunal aus drei Männern – verhängte ein »mildes« Urteil. Gemäß Artikel 58 des sowjetischen Strafgesetzbuches, das sich mit politischen Verbrechen befasst, wurde Olga zu fünf Jahren in einem Umerziehungsarbeitslager »wegen engen Kontakts mit Personen unter Spionageverdacht« verurteilt. In ihrer Anklageschrift stand: »Durch Aussagen der Zeugen gelang es uns, Ihre Aktionen aufzudecken: Sie haben unsere Regierung und die Sowjetunion fortgesetzt verunglimpft. Sie haben die ›Voice of America‹ gehört. Sie haben sowjetische Autoren verleumdet, die patriotische Ansichten vertraten, und Sie haben in den höchsten Tönen Pasternaks Werk gelobt, das sich gegen das Erreichte stellt.«[274]

Das markierte den Anfang eines neuen und schrecklichen Leidenswegs für Olga, die in die Arbeitslager des über achthundert Kilometer von Moskau entfernten Potjma in der »autonomen sowjetsozialistischen Republik Mordwinien« geschickt wurde. Wenn sie schon Boris nichts anhaben konnten, dann sollte Olga an seiner Stelle büßen.

6

Kraniche über Potjma

Während Olga noch in der Lubjanka saß, erfuhr Boris über Maria von der Schwangerschaft seiner Geliebten. Daraufhin klapperte Boris ganz Moskau ab, um Freunden, ja selbst den entferntesten Bekannten zu verkünden, dass Olga bald im Gefängnis ihr Baby zur Welt bringen würde. Er versicherte sich ihrer Solidarität und freundete sich mit der Vorstellung an, abermals Vater zu werden. Vom Tod des ungeborenen Kindes konnte er nichts wissen.

Als ein Beamter ihn in die Lubjanka einbestellte, war dies für ihn die Bestätigung, dass man ihm das Baby persönlich aushändigen wollte. Er werde in dieses »furchtbare Haus« gehen, sagte er zu Ljussja Popowa. »Man will mir etwas übergeben.«[275] Er erzählte Sinaida von Olgas Schwangerschaft, die ihm »eine schreckliche Szene machte«. Doch dieses Mal ließ er sich nicht kleinkriegen und kündigte seiner wütenden Frau an, dass sie das Kind aufnehmen und es bis zu Olgas Entlassung versorgen müssten. Als Ljussja wissen wollte, wie Sinaida die Nachricht aufgenommen hatte, antwortete er resigniert: »Das muß ich aushalten. Es ist nur gerecht, daß auch ich irgendwie zu leiden habe ... Dort kann das Kind ja nicht bleiben. Bestimmt haben sie mich vorgeladen, um es mir zu übergeben. Aber für den Fall, daß man mich dort behält, sollen Sie wissen, wohin ich gegangen bin.«[276]

In der Lubjanka wurde Boris von Semjonow empfangen. Semjonow ging mit ihm in ein Nebenzimmer, und statt eines Babys übergab er ihm einen großen Packen Briefe und Bücher. Es waren die Liebesbriefe, die Boris an Olga geschrieben hatte, und die Bücher mit den liebgewonnenen Widmungen.

Boris verstand die Welt nicht mehr: Er wurde wütend, griff Semjonow verbal an und verlangte wiederholt Auskunft darüber, was hier gespielt wurde. Während ihrer Auseinandersetzung ging dauernd die Tür: Semjonows Kollegen hatten gehört, dass der berühmte Dichter im Haus war, und wollten Pasternak mit eigenen Augen sehen. Als Boris die eingeforderten Antworten nicht bekam, verlangte er Stift und Papier und schrieb an den Minister für Staatssicherheit, Abakumow.

Später verwendete Semjonow den Brief bei seinen Verhören mit Olga. Während er den Rest des Textes mit der Hand abdeckte, sagte er: »Da lesen Sie selbst: sogar Pasternak hält es für möglich, dass Sie sich unserem Staat gegenüber schuldig gemacht haben.« Als Olga Boris' Handschrift, die charakteristischen »Kranichschwingen« sah, fiel ihr ein Stein vom Herzen: Also hatten sie ihn nicht umgebracht. Seit einem qualvollen Dreivierteljahr war dies der erste konkrete Hinweis darauf, dass er noch lebte.[277]

In seinem Brief an Abakumov hatte Pasternak geschrieben, dass, falls die Machthaber glaubten, Olga habe sich etwas zuschulden kommen lassen, er bereit sei, das zu akzeptieren. Aber dann sei er der gleichen Verbrechen schuldig. Und falls sein Status als Schriftsteller überhaupt etwas gelte, sollten sie ihn beim Wort nehmen und ihn statt Olga ins Gefängnis werfen. »In diesem aufrichtigen Brief an den Minister«, reflektierte Olga später, »steckte natürlich auch ein wenig gespielte Naivität. Doch mir war alles, was er tat, lieb und teuer, Beweis seiner Liebe.«[278]

Boris kehrte völlig niedergeschlagen aus der Lubjanka zurück. »Man hat mir das Kind verweigert, nur meine Briefe habe ich zurückbekommen«, erzählte er Ljussja Popowa. »Ich habe gesagt, die Briefe seien an Olja gerichtet, sie sollten sie ihr geben. Das nützte nichts, ich mußte trotzdem einen ganzen Packen Briefe und Bücher mit Widmungen mitnehmen.« »Sie bringen also kein Kind heim, sondern zärtliche Briefe. Das ist auch nicht besser«, antwortete Ljussja pragmatisch. Sie riet ihm, nicht den ganzen Packen nach Peredelkino zu tragen und damit Sinaidas Wut zu riskieren, sondern die Korrespondenz durchzulesen und vorher auszusortieren.[279]

Boris folgte ihrem Rat: Er besuchte Olgas Familie. Irina erinnert sich: »Kaum war er wieder bei uns, riss er aus den Büchern jedes einzelne Blatt, auf das er etwas geschrieben hatte, aus Büchern, die er ihr im Lauf ihrer Liebesbeziehung geschenkt hatte, allesamt mit Widmungen versehen, die von tiefer Liebe und Zuneigung kündeten. Hat er das gemacht, weil er glaubte, dass sie in der Lubjanka gelesen wurden?«, fragte sie sich. Oder vielleicht aus Schuldgefühl?[280]

Pasternak wusste sehr genau, dass Olgas fortdauernde Haft ein gegen ihn gerichteter Schlag war. Er wurde verschont wegen Stalins Anordnung und der um sich greifenden Erkenntnis, dass die Verhaftung eines Schriftstellers seines Formats negative Reaktionen im Ausland hervorrufen würde – schließlich war er eine internationale Berühmtheit und für den Nobelpreis nominiert. Pasternak sorgte sich auch um andere Freunde, die keine Protektion genossen. Er wartete noch immer auf Nachrichten über Tizian Tabidze, und der Bruder von Alexander Gladkow, mit dem er ebenfalls gut befreundet war, saß in einem Lager in Kolyma. Alexander schickte seinem Bruder das »wertvolle Geschenk« eines von Boris' Gedichtbänden. Als der Bruder nach Jahren endlich aus dem Gulag zurückkehrte, erzählte er Boris, dass er im Lager vor dem allgemeinen Wecken aufwachte, um seine Gedichte zu lesen. »Wenn ich aus irgendwelchen Gründen nicht dazu kam, hatte ich immer das Gefühl, dass ich mich nicht gewaschen hatte.« »Wenn ich das doch gewußt hätte, damals, in diesen düsteren Jahren!«, gab Boris zur Antwort: »Mir wäre leichter gewesen, hätte ich gewußt, daß ich auch dort bin.«[281]

Im selben Monat wurde Olga ins Butyrka-Gefängnis überstellt, das sie als »ein wahres Paradies im Vergleich mit der Lubjanka« beschrieb.[282] Auch sie wusste, dass die Verhöre der vergangenen Monate nur auf eine einzige Person abgezielt hatten: Boris. Olga sagte später dazu:

Ähnlich wie die III. Abteilung des Zaren Nikolaj I. ein Dossier über Puschkin führte, führte man in der Lubjanka ein Dossier über Pasternak, das alle Denunziationen enthielt, jedes von den Spitzeln hinterbrachte Wort. Immerhin einen Fortschritt gab es zu verzeichnen: Pasternak war nicht einfach ein subversiver Dichter wie Puschkin, sondern ein englischer Spion. Darin lag eine gewisse Logik. In England hatten seine Eltern ihre letzten Lebensjahre verbracht, seine Schwestern lebten noch jetzt dort. Ergo: Spion. Und wenn nicht ihn, dann mußte man wenigstens mich ins Lager jagen.[283]

Viele Jahre später schrieb Boris an die deutsche Schriftstellerin Renate Schweitzer: »Bald wurde sie [Olga] verhaftet und hat fünf Jahre in Gefängnissen und in einem Konzentrationslager verbracht. Man hat sie meinethalben festgenommen, man hoffte mit Hilfe der grausamen Verhöre, unter Drohungen von ihr hinlängliche Angaben gegen mich zu ermitteln und mich nachher gerichtlich zu verderben. Ihrem Heldenmut und ihrer Ausdauer habe ich mein Leben zu verdanken und daß ich in jenen Jahren unangetastet blieb.«[284]

Kurz danach erreichte die Familie die schreckliche Nachricht, dass Olga aus der Lubjanka heraus in den Gulag gebracht worden war. Über diese unsicheren, verstörenden Tage sagte Irina: »1949, 1950, 1951… die schrecklichen Jahre fuhren an uns vorbei wie Leichenwagen, und jedes einzelne von ihnen war schlimmer als das vorhergehende.«[285] Irina war dreizehn, als sie ihre Mutter an die Lager »verlor«. Glücklicherweise gaben ihr ihre Großeltern viel emotionale Stabilität und Sicherheitsgefühl. »Aber es war ein schwieriges Alter, ohne meine Mutter auszukommen.« Jedoch war Pasternak der »wahre Leitstern« der Familie. Nachdem Olga verhaftet worden war, beschloss Maria, »der unrealistischen Liebesbeziehung« ihren Segen zu geben, und von diesem Zeitpunkt an hieß sie Pasternak uneingeschränkt in ihrem Haus willkommen. Boris hatte sie schon vorher mit dem Schulgeld für die Kinder unterstützt, doch als Marias Ehemann 1950 starb, übernahm er die volle finanzielle Verantwortung für die Familie. »Ihm haben wir es zu verdanken, dass uns das Elend und die Probleme um uns herum erspart blieben und wir wie alle anderen eine einigermaßen normale Kindheit durchleben konnten«, sagte Irina. »Meine Erinnerungen beschränken sich nicht ausschließlich auf wiederholt geflickte Klamotten und Spalterbsensuppe. Ich erinnere mich auch an Weihnachtsbäume, Geschenke, Bücher und Theaterabende. Dank Pasternak konnten wir leben.«

Boris besuchte Olgas Familie regelmäßig und gab ihr Geld, so oft er konnte. »Er war immer in Eile; er war ja sehr beschäftigt«, erinnerte sich Irina, »aber wahrscheinlich wollte er vor seinem schlechten Gewissen uns gegenüber fliehen. Er fühlte sich für unser tragisches Schicksal verantwortlich, für unseren Status als Waisen, für die Verhaftung meiner Mutter und damit verbunden für den Tod unseres geliebten Großvaters, der an gebrochenem Herzen starb. Das Strafmaß meiner Mutter erschreckte ihn. Darüber kam er nicht hinweg. ›Iroschka, ich weiß, du möchtest, dass ich hierbleibe, aber ich muss gehen‹, sagte Boris immer. Er gab mir jedesmal einen lauten Schmatz zum Abschied, knallte die Tür hinter sich zu und rannte die Treppe hinunter.… Meine Großmutter legte das Geld in ihre Handtasche. Sie bezahlte davon die Miete und kaufte uns vom Rest alle möglichen hübschen Sachen.«[286]

In jener Zeit hatte die Familie keine gesicherten Informationen über Olgas Schicksal. Erst später fanden sie heraus, dass sie nach dem kurzen »Urlaub« in dem weniger grauenhaften Durchgangsgefängnis mit anderen »schädlichen Elementen« ins Umerziehungslager nach Potjma transportiert worden war.

Von der Butyrka aus wurden Olga und die anderen Gefangenen in einen Personenwaggon gepfercht. Der Gestank war atemberaubend. Olga hatte das Glück, eine »Pritsche« auf der Gepäckablage des Waggons zu ergattern, sie konnte den Himmel sehen. »Zu Tode betrübt, komponierte ich im Geist ein Gedicht über Trennung, während ich hinaus zum Mond schaute.«[287] Der letzte Teil der Reise war ein erzwungener Marsch über offenes Gelände. Olga ging neben einem freundlichen alten Armeegeneral her, der ihr Trost zusprach: »Alles wird bald vorüber sein.«[288]

Olga war überhaupt nicht auf die mörderischen Lebensbedingungen in Potjma vorbereitet. Die brütend heißen Sommer setzten ihr noch mehr zu als die arktischen Winter. Dreizehn Stunden täglich musste sie auf den ausgedörrten mordwinischen Feldern arbeiten und die knochentrockene, harte Erde umgraben. Ihre Nemesis und größte Peinigerin war eine sadistische Brigadeleiterin namens Bujnaja. Sie war ein Häftling wie Olga, Agronomin, »eine kleine, spitznasige, dürre Person. Sie gleicht einem Vogel, der nach Beute späht.«[289] Bujnaja saß eine zehnjährige Haftstrafe ab, weil sie sich in einer Kolchose etwas hatte zuschulden kommen lassen. Ihre beiden Söhne waren in Lagern für Kriminelle im Norden. Sie genoss das Vertrauen der Leitung, und sie verteidigte ihren privilegierten Status, indem sie den Begleitmannschaften zeigte, wie man Frauen wie Olga schikanieren und einschüchtern konnte. Olgas fünfjährige Haftstrafe wurde als kurz betrachtet; die meisten saßen Jahrzehnte länger. Die niedrigeren Strafen führten unter den Mitgefangenen zu Verstimmung. Eine von Olgas Zellengenossinnen, eine alte Landfrau aus der Westukraine, war zu fünfundzwanzig Jahren Haft verurteilt worden, nur weil sie einem Fremden Milch gegeben hatte. Bujnaja hob sich ihren tiefsten Hass für die privilegierten Frauen aus Moskau auf, die nach ihrer Meinung verhätschelt waren und unfähig zu harter Arbeit. Sie bevorzugte die kräftigen ukrainischen Bäuerinnen, die ihr ganzes Leben lang auf den Feldern gearbeitet hatten und bedeutend mehr Durchhaltevermögen bewiesen. Und auch die Bäuerinnen verachteten die Moskowiterinnen mit ihren lächerlich kurzen Haftstrafen; für sie waren sie nicht viel besser als ihre Aufseherinnen, da sie in ihren Augen relativ nachsichtig behandelt wurden.

Die einzige emotionale Unterstützung für die von Heimweh und Einsamkeit geplagten Häftlinge, die ihr genaues Schicksal nicht kannten, boten Nachrichten aus der Heimat. Zu Hause war allen schmerzlich bewusst, dass sie einander vielleicht nie mehr wiedersehen würden. Die Moskowiterinnen taten alles, um einen Brief zu bekommen – sie waren bereit, am Sonntag zu schuften, nur um sich das kleinste Privileg zu verdienen –, und dafür hassten die Landfrauen sie nur noch mehr.

Aber es war eine Gruppe von Nonnen, die die schlimmsten Grausamkeiten erdulden mussten. Sie weigerten sich, zur Feldarbeit anzutreten, und zogen es vor, in die stickige, verwanzte Strafbaracke zu gehen. Und so wurden sie wie Säcke hinausgeschleift und neben die Wachbaracke in den Dreck geworfen, wo sie unter der brütenden Sonne einfach liegen blieben. Unbarmherzig stießen die Aufseher sie mit Fußtritten gegen die Wände des Wachhauses; hübsche, junge Frauen, ältere, schwächere Nonnen – alle wurden mit derselben niederträchtigen Geringschätzung behandelt. Die Nonnen reagierten darauf mit unverhohlener Verachtung. Sie sangen ihre Gebete im Lager und auch auf den Feldern, wenn sie mit Gewalt dorthin gezerrt wurden. Im Gegensatz zu den übrigen Gefangenen gierten sie nicht nach Briefen, wodurch sie weniger angreifbar waren. »Die Lagerleitung haßte sie wegen ihrer geistigen Widerstandskraft.« Man begriff nicht, wie diese so schwer misshandelten Frauen unerschütterlich an ihrem Glauben festhalten konnten. »So nahmen die Nonnen beispielsweise nicht einmal ihre winzige Zuckerration an. Der Obrigkeit war es unerfindlich, wovon sie überhaupt lebten. Sie lebten durch ihren Glauben«, schrieb Olga.[290]

An den Sommer 1952 erinnert Olga sich als den schlimmsten von allen. »Es war die Hölle auf Erden. So musste es in der Hölle sein.« Der Tag begann um sieben Uhr früh damit, dass Olga ein paar Kubikmeter steinhart gebrannte Erde bearbeiten sollte. Um sich ihre Essensration zu verdienen, hatte sie die Erde mit ihren ungeübten Händen zu pflügen; dabei konnte sie allein die elend schwere Hacke kaum hochwuchten. Bujnaja zeterte den ganzen Tag. Sie riss Olga ständig am Arm und drückte ihr die Hacke wieder in die Hände, wenn sie ihr entglitten war. »Man konnte nur hilflos das Ende des Tages herbeisehnen und die Sonne verwünschen, diesen weißglühenden Ball, der uns mit seiner ganzen Juni-Kraft versengte und so endlos lange zögerte unterzugehen.«[291] Wie sehr sehnte sie sich nach dem leisesten Windhauch. Aber selbst der Wind, wenn er denn blies, war heiß und brachte keine Erleichterung.

Der erbarmungslose mordwinische Sommer zog sich schier endlos hin. Olgas Verzweiflung war grenzenlos: »Wenn nur erst der Herbst käme. Wieviel besser ist es doch, im knietiefen Matsch der mordwinischen Straßen zu waten, in der von der Nässe durchweichten Wattejacke! Wieviel besser ist das doch als die undurchlässige Teufelshaut.«[292] Die grauen Kittel der Häftlinge mit Nummern auf dem Rücken und den mit Chlorkalk beschwerten Säumen waren aus billigem, glänzendem Stoff, der so genannten »Teufelshaut«, die keine Luft durchließ. Der Schweiß floss in Strömen von den Gefangenen und lockte die Fliegen an. Es gab keinen Schatten. Nicht die kleinste Verschnaufpause. Und obendrein waren Olgas Kunstlederschuhe zehn Nummern zu groß. Sie musste sie mit Klebeband an den Füßen befestigen. Sie klebten förmlich auf der Erde, und oft war sie buchstäblich bewegungsunfähig.

Einige der Frauen, darunter auch Olga, trugen seltsame, aus Verbandsmull gebastelte Hüte, die sie über ein Drahtgestell gespannt hatten, um in der Hitze nicht ohnmächtig zu werden oder sich die Haut zu verbrennen. Bujnaja »verachtete« sie für diesen Versuch, ihre Gesichtshaut zu schützen, und verspottete sie als verwöhnte Zicken. Sie hatte ihr Gesicht nie vor der Sonne geschützt, folglich war ihre Haut wie Leder, verrunzelt und gealtert, obwohl sie erst vierzig war.

Während der Arbeit dachte Olga ständig an Boris, er war in ihr Nervensystem eintätowiert. Seit zwei Jahren hatte sie keine Nachricht von ihm erhalten, und so wusste sie nicht, ob er noch lebte. Um ihren Geist wach zu halten und nicht wahnsinnig zu werden oder vollkommen zusammenzubrechen, prägte sie sich seine Gedichte ein und erfand neue Gedichte, die sie den ganzen Tag über in ihrem Kopf komponierte. Es hatte keinen Sinn, die Verse aufzuschreiben, da die Gefangenen jeden Abend durchsucht wurden. Selbst unbeschriebene Papierfetzen wurden vernichtet.

Irgendwann ging der endlose Tag dann doch zu Ende, und die Gefangenen schlurften im Gänsemarsch in einer langen Staubwolke erschöpft zu ihren Unterkünften. Olga erinnerte sich, dass die Silhouetten der Holzgatter des Lagers üblicherweise von einem dunkelroten Sonnenuntergang in Szene gesetzt wurden. Doch dieser Anblick war alles andere als ein Symbol der Schönheit und Hoffnung, sondern bedeutete vielmehr die Androhung eines weiteren brütend heißen Tages. Die Aufseherinnen filzten die Gefangenen, um sich zu vergewissern, dass sie nichts hereinbrachten. Jede Nacht lag Olga wach und grübelte, wie sie sich am nächsten Tag vor der Arbeit drücken konnte. Als sie neu ins Lager gekommen war, hatte sie nach dem Verlust ihres Babys noch unter Bauchschmerzen und Blutverlust gelitten. Ihre Gesundheit und ihr geschwächter Zustand verschlechterten sich in der Hitze, und ihr graute vor der Plackerei auf den Feldern.

Eines Nachts beschloss Olga dann, am folgenden Tag nicht hinauszugehen. Sie träumte davon, sich im Schatten der Baracken auszuruhen. Sie kratzte zusammen, was sie an rebellischer Energie noch aufbringen konnte, und stopfte ihre »Teufelshaut« in einen Wasserbottich neben ihrer Pritsche. Ihre Mutter hatte ihr einen hellblauen Morgenrock aus dün-

nem Stoff geschickt, und sie sehnte sich danach, ihn über-
zustreifen und den weichen, kühlen Stoff auf ihrer ausge-
trockneten Haut zu spüren. Aber sie hatte das Negligé den
Aufseherinnen aushändigen müssen, nachdem verschärfte
Vorschriften zur Konfiszierung aller persönlichen Habseligkeiten der Gefangenen geführt hatten.

So lag sie bei Tagesanbruch nur mit ihrem Slip bekleidet
da, und plötzlich packte sie eiskalte Angst, als ihr aufging, was
sie getan hatte. Draußen wurde zum Appell gerufen, und sie
hatte nichts anzuziehen, denn ihr Ersatzkittel lag bei den Nonnen zum Flicken. Als ihre Brigade dran war und Olga fehlte,
erstattete Bujnaja sofort Meldung. Die Aufseherinnen stürmten in Olgas Baracke, packten sie an den Armen, schleiften sie
so brutal hinaus, dass sie blaue Flecke davontrug, und drohten
ihr jede nur denkbare Bestrafung an.

Nun stand sie mit ihrem eilig ausgewrungenen, klatschnass
am Körper klebenden Kittel am Appellplatz. Sofort setzte sich
feiner grauer Staub auf dem Stoff ab, und der Kittel wurde
in der Morgensonne allmählich brettsteif. Dann wurde Olga
gezwungen, unter den demütigenden, spöttischen Blicken der
Wachoffiziere an den Stufen der Wachbaracke vorbeizugehen,
wo sie zur Arbeit auf den Feldern durchgewunken wurde.

Als Olga nach einem weiteren brütend heißen Tag an jenem Abend die Tore der äußeren Umzäunung erreichte, hatte
sie kaum noch die Kraft, die erlösenden Befehle »Arbeitsende,
antreten!«, abzuwarten. Sie bemerkte die Schäferhunde der
Aufseherinnen mit ihren heraushängenden Zungen – auch sie
litten unter Dehydrierung und Hitzestress. Dichte Staubwol-
ken wirbelten durch die Luft. Dann durchliefen sie »die letzte,
qualvolle Prozedur – das Filzen. Man drängt sich den Händen, die einen abzutasten haben, entgegen, um nur ja so rasch
wie möglich in die Zone zu kommen, das Gesicht mit Wasser

zu überschütten und sich auf die Pritsche fallen zu lassen, zu erschöpft, um noch zum Essen zu gehen.«[293]

Olga sackte auf die Matratze, zu erschöpft, um ihre schlecht sitzenden Schuhe und den Kittel abzustreifen. Ihre Füße pochten, ihr Körper bebte. Sie hatte nur einen Wunsch: zu schlafen. Alle Gefangenen beteten um Schlaf, darum, dem Horror des Tages zu entfliehen. Und von Vögeln zu träumen. Denn das wurde als Hinweis auf eine baldige Entlassung angesehen. Plötzlich spürte sie eine schwere Hand auf ihrer Schulter. Es war die weibliche Ordonnanz des Sicherheitsoffiziers, die den Befehl hatte, sie zu ihm zu bringen. Olga spürte die verächtlichen Blicke der Bäuerinnen wie Nadelstiche auf ihrem Körper. Zu einem Offizier gerufen zu werden, hieß normalerweise, dass sie eine »Petze« war. Sie stand auf und vermied bewusst den Augenkontakt mit ihren Zellengenossinnen. Anders als in der Lubjanka herrschte hier keine Kameradschaft unter den Insassen; Freundschaften waren kaum möglich. Auch wenn es eine Seelenverwandte gegeben hätte, waren die Frauen viel zu müde, um quer über das Gelände zu gehen und einander zu finden. So zog sich jede Insassin in ihre eigene, persönliche Hölle zurück.

Draußen herrschte eine schöne, mordwinische Nacht. Der Mond hing tief und groß am Himmel, und die Luft duftete, als Olga an den frisch gewässerten Blumenbeeten vorbeiging, die die Baracken säumten und hier irgendwie fehl am Platz waren. Wenn man die weiß gestrichenen Gebäude mit den gepflegten Umfassungen von außen betrachtete, konnte man sich die Abscheulichkeiten, die sich im Inneren abspielten, nicht vorstellen – den unerträglichen Gestank, das Stöhnen der in den schmutzigen Zellen eingepferchten Unglücklichen, Einsamen und Kranken.

Olga wurde zu einem behaglich aussehenden Haus gebracht; im Fenster stand eine Lampe mit grünem Schirm. Die heimelige Szene war natürlich irreführend. Sie stellte sich als Behausung des »Paten« des Lagers heraus, eines Sicherheitsoffiziers, dessen Aufgabe es war, die Überwachung der Gefangenen zu organisieren und Informanten unter ihnen zu rekrutieren. Als Olga das Haus betrat, wusste sie nicht, welches Schicksal sie erwartete: Würde sie verhört, gefoltert oder erschossen werden? Ihr gescheiterter Versuch, sich vor einem Arbeitstag auf den Feldern zu drücken, konnte nicht ohne schwere Bestrafung abgehen.

Sie wurde von einem untersetzten, korpulenten Mann mit dicken Furunkeln im Gesicht empfangen. Was sie, krank vor Angst, zuallerletzt erwartet hätte, war die Übergabe eines Paketes. »Das ist ein Brief für Sie, ein ganzes Heft. Irgendwelche Gedichte«, sagte er selbstgefällig. »Geben darf ich sie Ihnen nicht. Sie können sich hinsetzen und sie hier lesen. Unterschreiben Sie dann, daß sie alles gelesen haben.«[294] Er widmete sich dem Studium einer Akte, während Olga sich hinsetzte und das Paket öffnete. Als sie »Boris' Kraniche« über die Seiten fliegen sah, die fließende Handschrift ihres Geliebten, stiegen ihr Tränen in die Augen. Er hatte ihr ein Gedicht geschrieben - über das Wunder ihrer Wiedervereinigung:

Schnee begräbt die Wege
Und überlädt das Dach.
Ich trete vor die Schwelle:
Und lauf dir in den Arm....

Dem Gedicht beigefügt war ein zwölfseitiger Brief und ein kleines grünes Notizbuch voll mit weiteren Versen.

… Die Bäume und die Zäune
Versinken fern im Schwarz.
Allein im Schneegestöber,
Stehst du wie erstarrt.[295]

Olga ließ jedes kostbare Wort auf ihrer Zunge zergehen.
»Zwölf Seiten Liebe, Sehnsucht, Erwartung, Versprechen«,
und ihr Herz floss über.[296] All die Ängste, die sie die vergangenen zwei Jahre ausgestanden hatte, fielen von ihr ab: Liebte
er sie noch, würde er für sie kämpfen, zu ihr stehen? »Er sehnt
sich nach mir. Er liebt mich. Mich, im Gefängniskittel mit der
Häftlingsnummer, in den Schuhen Größe 44, mit der vom
Sonnenbrand sich schälenden roten Nase …«

In seinem Brief versicherte Boris ihr: »Wir tun alles, was
wir können, und werden weder ruhen noch rasten!« Und
weiter: »Wenn jemand schuldig sein sollte, dann bin ich es,
nicht Du. Sie müssen Dich freilassen und mich festnehmen.
Wenn ich irgendwelche literarischen Verdienste habe …«[297]
Sie flehte den Sicherheitsoffizier an, ihr den Brief und die
Gedichte zu überlassen. »Ich habe keine Order, sie Ihnen zu
geben«, brummte er. »Sie müssen hierbleiben.«

Während Olga den Brief und die Gedichte bis in den frühen Morgen unter den Augen des Beamten las und abermals
las, bestärkte sie der Gedanke, dass der allmächtige Chef der
Staatssicherheit, Abakumow, für Sie eine Art Ausnahme gemacht haben musste. Obwohl »keine Order« vorlag, ihr den
Brief und die Gedichte auszuhändigen, hatte es Anweisung
gegeben, sie ihr zum Lesen auszuhändigen, sie bestätigen zu
lassen, dass sie sie gesehen hatte. Jemand nahm sich ihrer
Sache an. Aus welchem anderen Grund sollte sie dafür unterschreiben? Als Beweis für jemanden – Boris?, die Moskauer
Machthaber? –, dass sie noch lebte.

Das erste schwache Licht des neuen Tages zeigte sich schon, als Olga zu ihrer Baracke zurückkehrte. Statt sich hinzulegen, prüfte sie ihr Gesicht in einer kleinen, fast blinden Spiegelscherbe. Ihre Augen, stellte sie fest, hatten ihre kornblumenblaue Intensität nicht verloren, doch ihre Haut war gröber geworden, und ihre Nase hatte sich zu oft geschält. Einer ihrer Zähne war an einer Ecke abgebrochen. Und als sie ihr Gesicht in der Dämmerung im Spiegel inspizierte, wurde ihr bewusst, dass ihr geliebter Boris so an sie schrieb, wie er sie gekannt hatte, wie sie vor zwei Jahren gewesen war. Lebhaft und lebensfroh. Noch ein Jahr im Lager, befürchtete sie, und er würde sie nicht wiedererkennen: eine hinfällige, ausgelaugte, alte Frau.

Sie klammerte sich an seine Worte: »Ich schreibe Dir, meine Freude und warte sehnlich auf Dich …«, und diese Zeilen spielte sie als Endlosschleife in ihrem Kopf ab. Nun war es nicht mehr wichtig, dass ihr nach einer durchwachten Nacht ein weiterer qualvoller Tag auf den Feldern bevorstand. »Kraniche waren über Potjma geflogen!« Trotz der vernichtenden Blicke, die sie von den Ukainerinnen ernten würde, für die sie nun eine Informantin war, würde sie in dem vor ihr liegenden Tag auf Wolken schweben. Und sie würde darum beten, in jener Nacht von fliegenden Kranichen zu träumen.

Pasternak hatte in den vergangenen zwei Jahren tatsächlich viele Briefe an Olga geschrieben, doch diese waren von den Machthabern im Lager konfisziert worden, da »es verboten ist, an Personen zu schreiben, die keine Blutsverwandten sind«. Sobald sich Boris dessen bewusst wurde, schickte er von da an Postkarten, auf denen er sich als Olgas Mutter ausgab.

Nachdem Olga in jener Nacht im Arbeitslager unverhofft

das Paket erhalten hatte, kamen nun auch die Postkarten bei ihr an. Olga war entzückt von dem Humor und der Leidenschaft, die sie ausstrahlten. Sie fand sie sehr »komisch. Unvorstellbar, daß jemand wie meine Mutter so poetische und so komplizierte Briefe schreiben könnte.« Alle Postkarten wurden von der Potapow-Gasse aus verschickt und trugen am Schluss die Unterschrift ihrer Mutter: Maria Nikolajewna Kostko.

»Die kleine Republik Mordwinien kam zusammen mit all den Briefen in unser Leben und sollte es nie wieder verlassen«, erinnerte sich Irina. »Pasternak schickte auch Briefe, genauer gesagt, Postkarten, an dieses ›glückliche‹ Land und unterschrieb sie, beflügelt von einem gewissen konspirativen Geist, mit dem Namen meiner Großmutter … Glaubte er wirklich, dass er sie hinters Licht führen konnte? Wer sollte glauben, dass unsere Oma mit ihrem ernsten, rationalen Wesen so phantasievolle und phantastische Gedichte auf Postkarten schreiben und dann noch diese anregenden Bemerkungen anbringen konnte, die bei ihnen nicht nur Begeisterung, sondern auch ein Minderwertigkeitsgefühl hinterließen?«[298]

Am 31. Mai 1951 schrieb Boris die folgende Postkarte:

Meine liebste Olja, mein Herz! Du bist unzufrieden mit uns, und Du hast recht damit. In unsere Briefe an Dich sollten die Ströme von Zärtlichkeit und Kummer einfließen. Doch man kann diesen natürlichen Gefühlen nicht immer Raum geben. Wir müssen in allem vorsichtig, bedachtsam sein. B. träumte kürzlich von Dir. Du trugst ein langes, weißes Gewand. Er geriet in die seltsamsten Situationen, und jedes Mal tauchtest Du rechts von ihm auf, fröhlich und ermutigend. Er ist überzeugt, der Traum bedeutet baldige Besserung. Die Nackenschmerzen machen ihm immer noch zu schaffen. Er schickte Dir einen langen Brief und ein paar Gedichte. Ich sandte Bücher. Wahrscheinlich ist alles verlorengegangen. Gott schütze Dich, mein Liebstes. Alles ist wie ein Traum. Ich küsse Dich ohne Ende. Deine Mama.

Und am 7. Juli:

Mein Herz! Gestern, am 6., schrieb ich Dir eine Karte, und unterwegs auf der Straße habe ich sie verloren. Ich spiele nun ein Ratespiel: Wenn sie durch irgendein Wunder an mich zurückgelangt, bedeutet das, Du kommst bald, und alles ist gut. Ich schrieb Dir auf dieser Karte, daß ich B. L. überhaupt nicht verstehen kann und daß ich gegen Eure Freundschaft bin. Er sagt, wenn er wagen könnte, so etwas auszusprechen, würde er sagen, Du seiest der höchste Ausdruck seines eigenen Wesens, von dem er nur träumen könne. Seine Vergangenheit und seine Zukunft bedeuten ihm nichts. Er lebt in einer Phantasiewelt, die, wie er sagt, nur aus Dir besteht. Darunter versteht er aber nicht irgendwelche familiären oder sonstigen Konsequenzen. Was meint er aber dann? Ich umarme Dich innig, mein Liebstes, mein Herz. Ich sehne mich nach Dir.
Deine Mama[299]

Als Boris wieder in Peredelkino war, beschäftigte er sich mit der Abfassung des letzten Teils von *Doktor Schiwago*, den er als Denkmal für Olga begriff: seine Lara. Die Szenen von Laras Abreise und ihre Trennung am Ende des Buches spiegeln unmittelbar Boris' gebrochenes Herz wider. Er hatte bereits das Gedicht »Abschied« geschrieben, das als eines von

Juri Schiwagos Gedichten am Ende des Buches aufscheint und
welches Pasternak direkt nach Olgas Verhaftung schrieb:

An der Schwelle steht ein Mann
Und findet fremd das Haus.
Ihr Fortgang war wie eine Flucht.
Vor ihm liegt alles kraus.

Verwüstung herrscht in allen Zimmern,
Die er nicht voll bemerkt,
Weil Tränen ihn am Sehen hindern,
Schmerz den Kopf durchfährt.

Die Ohren sausen seit dem Morgen.
Träumt oder grübelt er?
Weshalb verfolgt ihn immerfort
Der Gedanke an das Meer?

Wenn der Rauhreif an den Scheiben
Gottes Welt verhüllt,
Gleicht die eingesperrte Trauer
Dem öden Meeresbild.

So teuer ist sie ihm gewesen,
In allen ihren Zügen,
Wie sich Meer und Küstenfelsen
Ineinanderschmiegen.

Und wie das Schilf von jedem Sturm
Versenkt wird, überwallt,
So sank auf seiner Seele Grund
Ihr Wesen: die Gestalt.

In Jahren voller Not und Qualen,
In Zeiten, reich an Leid,
Hoben sie des Schicksals Wogen
Vom Grund an seine Seite.

Durch ein Gewirr von Hindernissen,
Vorüber an Gefahr,
Trugen sie die Wellenspitzen
Bis in seinen Arm.

Davongefahren ist sie plötzlich,
Mag sein, gezwungenermaßen.
Die Trennung wird sie beide töten,
Der Schmerz die Knochen nagen.

Betroffen blickt der Mann umher:
Sie hat ganz ungezielt
Das Unterste hinaufgekehrt
Und alles durchgewühlt.

Er geht umher, und bis zum Dunkeln
Füllt er die Kommoden
Mit hingeworfenen Flicken,
Schnitten, Musterproben.

Als er in eine Nadel faßt,
Vergessen, fortzunehmen,
Sieht er sie mit einmal ganz,
Steigen ihm die Tränen.[300]

Allein in seinem Arbeitszimmer, zog sich Boris in ein un-
glückliches Einsiedlerdasein zurück. Seine Schlaflosigkeit, die

ihm mit Unterbrechungen sein ganzes Leben lang zusetzte, verschlimmerte sich, während er gleichzeitig die Isolation und die Ambivalenz seines Platzes in der Literatur immer deutlicher spürte. Mit Olga hatte er seine größte Verfechterin und Unterstützerin verloren. Sie spielte eine entscheidende Rolle, denn sie lieferte nicht nur den kreativen Brennstoff für die Liebesgeschichte im Mittelpunkt der Story, sondern war auch eine Generation jünger als Boris und konnte so dem Roman zu einem zeitgenössischeren, »sowjetischeren« Anstrich verhelfen. Im Roman schreibt er über seine Qualen durch die Trennung von Olga/Lara:

In seiner Seele war eine solche Finsternis, daß er ganz traurig wurde. Und wie ein Vorbote der Trennung, wie ein Sinnbild der Einsamkeit leuchtete vor ihm, in der Höhe seines Gesichts, der junge Mond.

Müdigkeit bemächtigte sich seiner. Als er durch die Schuppentür Holz in den Schlitten warf, raffte er jedesmal weniger Scheite zusammen. Die eisigen Knüppel mit dem daran haftenden Schnee anzufassen war bei der Kälte selbst mit Handschuhen schmerzhaft. Die raschen Bewegungen erwärmten ihn nicht. In ihm war etwas stehengeblieben und gerissen. Er schmähte sein unglückseliges Schicksal und flehte zu Gott, das Leben der schönen, traurigen, demütigen, herzensguten Frau zu erhalten und zu bewahren. Der Mond stand noch immer über dem Schuppen und brannte, ohne zu wärmen, schien, ohne zu leuchten.[301]

Die Spannung, unter der Boris persönlich und beruflich stand, hatte gefährliche Auswirkungen. Irina erinnerte sich an einen Vorfall im Jahr 1950: »Ein paar Monate später traf uns ein weiterer Schlag. Großmutter nahm vier Stufen auf einmal, als sie die Treppe zu unserer Wohnung hinaufrannte, um uns zu berichten, dass alles vorbei sei: Pasternak hatte einen Herzanfall erlitten.«

Boris' Herzprobleme waren zum ersten Mal nach Olgas Verhaftung und seinem Besuch in der Lubjanka aufgeflammt. Obwohl er mit sechzig einen relativ robusten Eindruck machte, war der von einer Thrombose verursachte Anfall ein Warnschuss. Für Boris typisch, äußerte er die Besorgnis über seinen Gesundheitszustand in seinem Roman, indem er Juri Schiwago ähnliche Herzprobleme andichtete: »Es ist eine Krankheit der jüngsten Zeit«, schrieb er. »Ich glaube, ihre Ursachen sind sittlicher Natur. Den meisten von uns wird ständig eine zum System erhobene Heuchelei abverlangt. Ohne Folgen für die Gesundheit kann man sich nicht tagtäglich anders geben, als man fühlt, sich für etwas einsetzen, was man nicht liebt, sich über etwas freuen, was einem Unglück bringt … Unsere Seele nimmt einen Platz im Raum ein und sitzt in uns, so wie die Zähne im Mund sitzen. Man kann ihr nicht endlos ungestraft Gewalt antun.«[302]

Pasternak erholte sich wieder, auch dank Sinaidas tatkräftiger Pflege in Peredelkino. Die folgenden zwei Jahre arbeitete er weiter am Roman und an seinen *Faust*-Übersetzungen, da keines seiner eigenen Werke veröffentlicht wurde. Er wollte den *Faust* unbedingt abschließen, um sich wieder Schiwago zuzuwenden – »ein völlig uneigennütziges und verlustbringendes Unterfangen, denn für die gegenwärtigen Periodika ist er nicht bestimmt.«[303] Und dann vermerkte er: »Ich schreibe ihn überhaupt nicht als Kunstwerk, obwohl er in einem strengeren Sinne Belletristik ist als alles, was ich früher gemacht habe. Doch ich weiß nicht, ob auf der Welt überhaupt noch Kunst existiert und was sie zu bedeuten hat. Es gibt Menschen, die mich sehr lieben (viele sind es nicht), und mein Herz steht in ihrer Schuld. Für sie schreibe ich diesen Roman, schreibe ihn wie einen langen, großen Brief von mir an sie, in zwei Büchern.«[304]

Die Szenen mit Juris Seelenqualen wegen Lara spiegeln die unerträgliche Sehnsucht nach Olga wider: »Nicht er selbst, sondern etwas Allgemeineres als er schluchzte und weinte in ihm mit zarten und hellen, im Dunkel wie Phosphor leuchtenden Worten. Und mit seiner weinenden Seele weinte auch er. Er tat sich selber leid.«[305] Über den spirituellen Bund ihrer Liebe schrieb er: »Uns ist gewissermaßen beigebracht worden, uns im Himmel zu küssen, und dann wurden wir als Kinder losgeschickt, um in derselben Zeit zu leben und diese Fähigkeit aneinander auszuprobieren. Die Krone der Gemeinsamkeit, die gleiche Seite, die gleiche Stufe, nicht hoch noch niedrig, die Gleichwertigkeit des ganzen Wesens, all das bereitet Freude, all das ist zu einer Seele geworden. Aber in dieser immerfort lauernden, wilden Zärtlichkeit ist etwas kindlich Ungezügeltes, Unerlaubtes. Es ist ein eigenmächtiges, zerstörerisches Element, dem häuslichen Frieden feindlich gesonnen. Es ist meine Pflicht, es zu fürchten und ihm nicht zu vertrauen.«[306]

Im Oktober 1952, nachdem Olga den schlimmsten Sommer ihres Lebens im Lager überstanden hatte, erlitt Boris einen zweiten, viel schwereren Herzanfall. In den vergangenen Monaten hatten ihn Zahnschmerzen und Abszesse am Gaumen geplagt. Ein Herzleiden war bestätigt worden, als er nach einem Besuch beim Zahnarzt zu Hause ohnmächtig wurde. Er wurde ins Moskauer Botkin-Krankenhaus gebracht, wo der leitende Arzt, Professor B. E. Votchal, sich ernstlich besorgt zu Pasternaks Überlebenschancen äußerte. Boris verbrachte seine erste Nacht, wie er es beschrieb, »mit einer Ansammlung von Sterblichen an der Schwelle des Todes«[307]. Die restliche Woche lag er auf einer Allgemeinstation, da das Krankenhaus überbelegt war. Als es ihm etwas besser ging, bestand Sinaida auf eine Verlegung ins Kreml-Krankenhaus, in dem der berühmte jüdische Professor Miron Wowsi, einer der besten Kardiologen Moskaus, wirkte. (Wochen später, nach Pasternaks Entlassung aus dem Krankenhaus, wurde Wowsi, während des Krieges leitender Arzt in der Roten Armee, unter dem Verdacht der Mitgliedschaft in einer zionistischen Terrorgruppe, genannt »Ärzteverschwörung« festgenommen.[308])

In jener ersten Nacht, in der Pasternak auf einer Bahre im Krankenhausflur vor sich hin dämmerte, kreisten seine Gedanken um seine Nähe zum Tod und seine Todesangst. Am 6. Januar 1953 war er wieder in Peredelkino. »Ninoschka! Ich lebe, ich bin zu Hause …«, schrieb er an Nina Tabidze:

Als das alles passierte, kam ich ins Krankenhaus und lag abends an die fünf Stunden in der Notaufnahme und dann im Korridor eines überbelegten Allgemeinkrankenhauses. Zwischen Ohnmachten, Brechanfällen und Übelkeit erfüllte mich ein solches Gefühl von Frieden und Glückseligkeit! Und neben mir ging alles auf so vertraute Weise vonstatten, alles war so deutlich und so herausragend arrangiert, und Schatten sanken so abrupt. Ein Korridor, einen Werst[309] lang mit schlafenden Körpern, alle dunkel und still, mit einem Fenster am Ende zum Garten hinaus, verloren in der tintengleichen Trübung einer Regennacht, und hinter den Bäumen konnte man Moskau leuchten sehen.

Und dieser Korridor und eine grüne Kugel des Lampenschirms auf dem Tisch, und die diensthabende Schwester, und Stille, und die Schatten von Krankenschwestern, und die Nähe des Todes hinter dem Fenster und hinter unserem Rücken. In dieser Dichte war es ein so bodenloses, ein so übermenschliches Gedicht.

In jenem Moment, der mir wie der letzte in meinem Leben erschien, wünschte ich mir mehr denn je, mit Gott zu sprechen, alles Gesehene zu verherrlichen, es zu ergreifen und mir einzuprägen.

›Lieber Gott‹, so flüsterte ich, ›danke für Deine Sprache, die Majestät und Musik ist, dafür, dass Du mich zu einem Künstler gemacht hast, für Deinen Unterricht in Schaffenskraft, für mein ganzes Leben, welches eine Vorbereitung auf diese Nacht war.‹ Und ich jubelte und weinte vor Glück.«[310]

Es passte zu Boris, dass er sich im Angesicht des Todes gewählt und lyrisch ausdrückte. Doch er war auch praktisch veranlagt. »Waren es Schuldgefühle, die er uns gegenüber hegte?«, sinnierte Irina. »Während er auf einer Bahre in einem Korridor des Botkin-Krankenhauses wartete, kritzelte er auf eine Nachricht an seine Sekretärin Marina Baranowitsch noch eine Anmerkung, dass sie versuchen sollte, tausend Rubel aufzutreiben und das Geld an unsere Adresse zu schicken. Das Geld wurde uns übergeben, und so konnten wir überleben. Auch Pasternak überlebte.«[311]

Bei seinem zweieinhalbmonatigen Aufenthalt im Kreml-Krankenhaus unterzog Boris sich auch einer Kieferoperation. Seine langen Pferdezähne wurden durch eine schimmernde, amerikanische Zahnprothese ersetzt, was ihm ein vornehmeres Aussehen verlieh.

In Peredelkino pflegte Sinaida Boris abermals gesund und päppelte ihn auf, wodurch sein Schuldgefühl und seine Verzweiflung nur noch größer wurden. Nun verdankte er sein Leben *beiden* Frauen.

Am 2. Januar, als Boris einigermaßen wiederhergestellt war, schrieb er einen ausführlichen Brief an Olgas Mutter, in dem er ihr mitteilte, dass er die Zahlung des Honorars für seine Übersetzungen bei Goslitizdat an sie veranlasst hatte. Umsichtig, sich seines Doppelspiels durchaus bewusst, drängte er Maria, den Herausgeber anzurufen, »damit er die Zahlung anweist, und fragen Sie dann…, wieviel es ist, und wann Sie es abholen können. Sagen Sie beiden, Sie möchten wegen dieses Honorars nicht bei mir zu Hause anrufen, ich hätte einen Freund (männlich), der ins Unglück geraten und schon seit vier Jahren abwesend sei. Seine Kinder gingen noch zur Schule, seien allein; daher vertraue ich Ihnen, der Großmutter, dieses Geld an, das ich speziell für die Kinder reserviert hätte.« Am Ende des Briefes fügte er wenig feinfühlig hinzu: »Sinaida Nikolajewna hat mich gerettet. Ihr schulde ich mein Leben. All dies und alles übrige und alles, was ich erfahren und erlebt habe, ist so gut und so einfach. Wie groß sind Leben und Tod, und wie erbärmlich ist der Mensch, der es nicht begreift.«[312]

Sein Brief an Maria war jedoch auch voller Liebe und Dankbarkeit, denn er begann so: »Liebe Marija Nikolajewna! Ich bat Marina Kasimirowna Baranowitsch, Ihren Brief an mich zu öffnen und ihn mir am Telefon vorzulesen. Wie erkenne und empfinde ich Sie in ihm!«, schrieb er. »Ihre Warmherzigkeit und Güte, Ihre Lebendigkeit. Vielvielmals küsse ich Sie dafür. Ich mußte mich sehr zusammennehmen, um Sie nicht sofort anzurufen. Ich darf auch jetzt noch nicht telefonieren, denn man hat mir verboten, mich aufzuregen. Danke! Danke! Irotschka, mein kleines Mädchen, danke, und Dir, Mitjenka, danke, für Euer Gedenken. Eure Tränen. Auch Euch, Ihr Lieben, und Ira, Deinen Träumen und Gebeten verdanke ich meine Genesung.«[313]

Am 5. März 1953 starb Josef Stalin an einer Gehirnblutung. Als der Tod des Führers verkündet wurde, sagte Boris zu Sinaida, dass »ein schrecklicher Mann gestorben ist, ein Mann, der Russland in Blut ertränkt hat.«[314]

»Als Stalin am 5. März 1953 starb, waren Borja und ich noch getrennt«, schrieb Olga, »er in Moskau, ich im Lager. In der Hauptstadt Moskau, im Lager in Potjma und im ganzen Land herrschte Panik. Die überwiegende Mehrheit der Bevölkerung, Millionen und aber Millionen, beweinte Stalin aus ehrlichem Herzen. Man fragte sich und andere in blankem Entsetzen: Was wird jetzt werden? Eine Minderheit war insgeheim froh. Nur sehr wenige wagten es, ihre Freude zu äußern. Pasternak hatte vollkommen recht, als er schrieb: ›Der unfreie Mensch kann nicht anders, als seine Unfreiheit zu glorifizieren.‹«[315]

In einem Bericht, basierend auf den Aussagen zweier weiblicher polnischer Häftlinge, die nach Stalins Tod freigekommen waren, ist von Olgas Verhalten in Potjma die Rede. Sie hielten Olga für Pasternaks Ehefrau. Im Einzelnen steht darin: »Iwinskaja beeindruckte sie durch ihren unerschütterlichen Patriotismus und überraschte sie im Lager nach der Arbeit mit improvisierten Literaturlesungen für Intellektuelle, bei denen sie üblicherweise Pasternaks Gedichte rezitierte.«[316]

Als sich herumsprach, dass nach Stalins Tod einige Gefangene im Gulag amnestiert werden sollten, war Boris voller Hoffnung, dass Olga entlassen werden würde. Er schickte ihr schnell eine weitere Postkarte von »Mama«:

10.4.1953: Oljuscha, mein Täubchen, mein Herz! Wie bald wird nun nach der Veröffentlichung des Dekrets … diese lange, entsetzliche Zeit beendet sein! Welch unerhörtes Glück, daß wir die Stunden werden erleben dürfen, in der all das Schreckliche hinter uns liegen wird. Du wirst wieder bei uns sein, bei den Kindern. Und das Leben wird sich wieder zu einer breiten Straße weiten. Das ist das Wichtigste. Darüber wollen wir sprechen, darauf uns freuen. Alles übrige gilt nicht mehr! Dein armer B. L. war sehr krank, ich schrieb es Dir schon. Im Oktober hatte er einen Herzinfarkt, lag drei Monate im Krankenhaus, danach zwei Monate im Sanatorium. Jetzt ist er mehr denn je von dem Gedanken besessen, seinen Roman zu Ende zu schreiben, damit, wenn das Unvorhersehbare eintritt, nichts unvollendet bleibt. Eben habe ich ihn an den »Reinen Teichen« getroffen. Irotschka kam mit. Sie hatte ihn ja auch lange nicht gesehen. Er fand sie gewachsen und hübsch geworden.

...

12.4.1953. Oljuscha, mein Engel, mein Kleinchen! Ich will rasch die Karte, die ich vorgestern anfing, fertig schreiben. Gestern saß ich mit Irotschka und B. L. auf dem Boulevard »Reine Teiche«. Wir lasen Deinen Brief, überlegten, wann wir Dich erwarten könnten, erinnerten uns an vielerlei. Du schreibst wie immer so wundervoll. Trotzdem, was für ein trauriger, trauriger Brief! Du schriebst ihn, als Du noch nichts von der Amnestie wußtest, nichts von der großen Freude, die uns bevorsteht. Jetzt ist nur eins wichtig: nicht ungeduldig werden. Die bevorstehende Befreiung darf uns nicht überwältigen, durch ihre Nähe und Ungeheuerlichkeit. Wappne Dich mit Geduld, bleib ganz ruhig. Wir sind fast am Ziel. Ich fühle mich gut und bin froh, daß auch B. L. sich erholt hat. Er meinte, dass Irotschkas Augen sich reguliert hätten. Sie ist sehr hübsch geworden. Verzeih, daß ich Dir all so was von unserm Alltag schreibe.

Deine Mama[317]

Am Vortag hatte Boris ein Treffen mit Irina auf einer Bank auf einem Boulevard in Moskau arrangiert, da er es nach seiner Krankheit nicht schaffte, die fünf Stockwerke zu ihrer Wohnung hinaufzusteigen. Es war ein emotionales Treffen, noch verstärkt durch die Nachricht, dass Olga sich tatsächlich unter den Amnestierten befand. Irina hatte auch befürchtet, Boris überhaupt nicht mehr wiederzusehen, dass er seine Herzattacke vielleicht nicht überleben würde. »[Ich] sah eine dunkle Silhouette auf der Bank sitzen, mit einer vertrauten Kopfbedeckung, seiner Militärkappe«, sagte sie über ihr Treffen. »Ich rannte zu dieser Person hin, für die ich zum ersten Mal ein wirklich lebhaftes, brennendes Gefühl der Familienzugehörigkeit, Nähe, Zärtlichkeit und Freude empfand... Nie vergessen werde ich den schwarzen, festgebackenen Schnee auf dem Boulevard, sein nagelneues Gesicht (nach seiner Krankheit hatte er abgenommen und sich die Zähne richten lassen), das Klingeln der Straßenbahnen, unsere Umarmungen und ein wenig später auch den Ausruf meines Nachbarn, der alles gesehen hatte: ›Aber wen hast Du da so leidenschaftlich geküsst?‹«[318]

Unerwarteterweise nahm ihr Gespräch eine unerfreuliche, fast absurde Wendung. Auf seine spezielle, herzlose Art verkündete er, dass er ihre Mutter zwar nie verlassen werde, seine Beziehung mit Olga aber nicht wie gehabt weitergehen könne. Absurderweise sollte die Sechzehnjährige Olga eröffnen, dass das Paar nicht mehr zusammenleben könne. Er beschwor Irina, ihrer Mutter beizubringen, diese neue Realität zu verstehen und zu akzeptieren. So viel Zeit sei vergangen, in der beide so sehr gelitten hatten, dass sie zweifellos verstehen würde, dass es nur eine »sinnlose Einschränkung« wäre, wenn sie wieder dort anknüpften, wo ihre Beziehung unterbrochen worden war. Mit atemberaubender Taktlosigkeit erklärte Boris Irina dann, dass Olga sich von ihm befreien müsse und nur auf seine Zuneigung und aufrichtige Freundschaft zählen könne. Er wisse einfach nicht, wie er Sinaida verlassen sollte, die so viel investiert habe, um ihn nach seinen zwei Herzinfarkten wieder gesundzupflegen. Daher müsse er seine persönlichen Gefühle für Olga »auf dem Altar von Zuneigung und Dankbarkeit« opfern.

Irina hätte nun die nachvollziehbare Gegenfrage stellen können, wo denn seine Zuneigung und Dankbarkeit ihrer Mutter gegenüber abgeblieben waren, die gerade drei kostbare Jahre ihres Lebens für ihn geopfert hatte. Aber da sie schon so viele theatralische Szenen von Boris erlebt hatte, weigerte Irina sich, seine »abstruse Mission« allzu ernst zu nehmen. Sie hielt sein Ansinnen für »eine typische Mischung aus Aufrichtigkeit, grandioser Naivität und ausgesprochener Grausamkeit«[319] und beschloss daher schlauerweise, es zu ignorieren. Es sprach für ihre Loyalität zu Boris wie auch zu ihrer Mutter, dass sie Olga von dieser Unterhaltung auf der Bank erst lange nach Pasternaks Tod erzählte. Zur Zukunft ihrer Beziehung merkte Irina gelassen an: »Das sollen die beiden untereinander ausmachen. Und genau das taten sie auch.«

Was Boris ebenso entgegenkam und seine Ängste intuitiv berücksichtigte, war Olgas Befürchtung, Boris könnte feststellen, dass sie sich verändert hatte. Sie wusste, dass er Veränderungen bei Menschen verabscheute, denen er zugetan war. So sträubte er sich hartnäckig gegen ein Treffen mit seiner Schwester Lydia, die ihn in Russland besuchen wollte; am liebsten hätte er sie als das schöne, junge Mädchen in Erinnerung behalten, mit dem er aufgewachsen war. »Wie grauenvoll wäre es«, hatte er einmal zu Olga gesagt, »wenn vor uns ein gräßliches Weib stünde, ein vollkommen fremder Mensch!«[320]

Olga vermutete, dass Boris erwartete, auch sie könnte ähnlich verändert aus dem Lager zurückkommen. »Und nun sah er, ich war dieselbe geblieben, nur ziemlich abgemagert. Meine Liebe zu Boris Pasternak und seine unmittelbare Nähe belebten mich auf unerklärliche Weise. Mit einem Wort: Unser durch meine Verhaftung auseinandergerissenes Leben hielt ein Geschenk für uns bereit. Wieder triumphierte die ›lebendige Magie‹ heißer Hände und das Fest zweier Menschen in den Bacchanalien der Welt.«[321] Es kam so, wie Irina es prophezeit hatte: Als Olga in jenem April nach Moskau zurückkehrte, trieben Leidenschaft, Einsamkeit und Schuldgefühl Boris direkt wieder in die ausgebreiteten Arme ihrer Mutter.

7

Ein Märchen

Nach dreieinhalb Jahren Trennung wieder vereint, waren Olga und Boris »von verzweifelter Zärtlichkeit besessen«[322] und entschlossen, für immer zusammenzubleiben. »Was Boris in diesen ersten Minuten des Wiedersehens sagte, und wie er es sagte, läßt sich nicht wiedergeben«, erinnerte sich Olga. Er war bereit, »das All zu umarmen, die Welt auf den Kopf zu stellen.«[323]

Boris hatte gerade noch genügend Kraft, langsam die Treppe zu ihrer Moskauer Wohnung hinaufzusteigen, wo sie im Schlafzimmer ihre Beziehung endlich wieder aufnehmen konnten. Geborgen in seinen Armen, legte Olga den Kopf an die Brust ihres Geliebten und lauschte schweigend seinem Herzschlag. Dieses zärtliche Ritual hatte sie schon immer nach jeder Trennung angewandt. »Wenn ich bei ihm war, konnte er einfach nicht altern.« Ihre wiedergefundene Anziehungskraft erschien nach einer so langen Trennung zwingender und noch stärker. Sie konnten und wollten einfach nicht ohneeinander leben.

Ein Bericht, 1961 von Collins/Harvill, dem zukünftigen Verlag Pasternaks, erstellt, gewährt einen Einblick in Olgas Situation nach ihrer Entlassung:

Die Lage der Menschen, die nach ihren Erlebnissen im Gefangenenlager unter diesen Bedingungen wieder ihr normales Leben aufnahmen, wird im Westen im allgemeinen nicht verstanden. Die Machthaber, die sie schikaniert und ihr Familienleben zerstört hatten, verwandelten sich augenblicklich zu ihren beflissenen Wohltätern. Sie sorgen für ihre Rekonvaleszenz in Sanatorien und, wenn nötig, für Unterkunft, selbst in der Stadtmitte von Moskau, sie kümmern sich darum, dass die Menschen gerecht bezahlte Arbeit bekommen, und manchmal, wie im Fall von Frau Iwinskaja, besorgen sie ihnen eine Haushaltshilfe. Als Gegenleistung erwarten sie von den Ex-Häftlingen eine gewisse Bereitschaft zur Kooperation, also einerseits den Verzicht auf Schuldzuweisungen, Beschwerden und die Veröffentlichung ihrer Erlebnisse und andererseits eine frohgemute, positive und kreative Einstellung zur sowjetischen Realität und gelegentlich ein wenig Unterstützung der Sicherheitsorgane bei der Ausführung ihrer heiklen Aufgaben.

Wie so viele andere akzeptierte Frau Iwinskaja diese Situation, um dafür mit ihren Kindern und mit Pasternak wieder zusammenzukommen. Ihre Rückkehr ins Leben bedeutete für Pasternak eine Rückkehr zu seiner kreativen Arbeit, und endlich nahm die große Saga, an der er die meiste Zeit seines Lebens gearbeitet hatte, konkrete Formen an.[324]

Dass Olga wieder in Boris' Leben eintrat, inspirierte und beflügelte ihn. Mit einer seit den traumatischen ersten paar Monaten nach Olgas Inhaftierung nicht mehr gekannten Leidenschaft und mit wiedergewonnenem Elan setzte er sich an *Schiwago*. Nachdem er fast acht Jahre an der ersten Hälfte des Romans geschrieben hatte, skizzierte er die zweite Hälfte (zehn Teile) in der atemberaubenden Zeit von zwölf Monaten und stellte die endgültige Fassung des gesamten Romans zwei

Jahre später fertig.[325] Über Juri Schiwagos Wiedervereinigung mit Lara schrieb er:

Noch mehr als die seelische Gemeinschaft verband sie der Abgrund, der sie von der übrigen Welt trennte. Gleichermaßen verhaßt war ihnen beiden das so fatal Typische des zeitgenössischen Menschen – seine einstudierte Begeisterung, seine schreierische Schwülstigkeit und die tödliche Lähmung, die so fleißig verbreitet wurden von den unzähligen Mitarbeitern der Wissenschaften und Künste, so daß Genialität weiterhin eine Seltenheit blieb.

Ihre Liebe war groß. Aber alle Menschen lieben, ohne sich der Einzigartigkeit ihrer Gefühle bewußt zu sein.

Für sie beide aber – und darin bestand ihre Einmaligkeit – waren die Augenblicke, in denen wie ein Hauch der Ewigkeit die Leidenschaft in ihr zum Untergang verurteiltes menschliches Dasein hineinwehte, Momente, in denen sie Neues und immer Neues über sich und das Leben entdeckten und erfuhren.[326]

Dann beschreibt er die intensiven Emotionen der Wiedervereinigung, als Lara und Juri sich zusammen in Varykino abkapseln: »Jene Wildnis im Winter ohne Nahrung, ohne Kraft oder Hoffnung – ist absoluter Wahnsinn. So lasst uns denn wahnsinnig sein, wenn uns nichts als der Wahnsinn bleibt.« Und so »brechen sie wie Räuber« in das leere, eiskalte Haus ein. In dem Wissen, dass ihre gemeinsamen Tage gezählt sind, da »der Tod wirklich an unsere Tür klopft«, richten sie sich darauf ein, das letzte Mal allein zusammen zu sein. »Sagen wir uns noch einmal all unsere geheimen nächtlichen Worte, die so groß und so still sind wie der Name des asiatischen Ozeans«, sagt Juri zu Lara. Die Ahnung ihrer dem Untergang geweihten Leidenschaft verstärkt sich in jener Nacht. Während draußen die Wölfe heulen, steht Juri vor Tagesanbruch auf und setzt sich, eingehüllt in der Stille, inspiriert an einen leeren Schreibtisch und beginnt an seiner Lyrik zu schreiben. »In solchen Momenten spürte Shiwago, daß die Hauptarbeit nicht er selbst tat, sondern etwas, was über ihm stand und ihn leitete.«[327]

Boris sah sich immer gern in einem heldenhaften Licht: Schließlich ist sein Archetyp Juri Schiwago ein edler Mann, ein Dichter und Arzt. Er glaubte, dass es irgendwie seinem Namen zu verdanken war, dass Olga zwei Jahre früher als vorgesehen aus dem Gulag entlassen wurde. »Gegen meinen Willen bist du in all dies hineingeraten, Oljuscha«, sagte er, »aber sie wagten dennoch nicht, zu weit zu gehen. Du hast es selbst gesagt: Fünf Jahre ist nach ihren Maßen ein Nichts! Sie messen nach ›Zehnern‹. Durch dich wollten sie mich treffen«.[328] Doch Olga dachte nicht daran, ihm all das vorzuwerfen, was sie hatte erleiden müssen. Vielmehr war sie »überglücklich« zu spüren, dass er sie nun als Teil seiner Familie betrachtete.

Zur Erinnerung an die Freilassung seiner Geliebten verfasste Pasternak das allegorische Gedicht »Ein Märchen«, das er Juris Gedichten im letzten Teil von *Schiwago* hinzufügte. In dem Roman schreibt Pasternak, dass Juri das Gedicht auf die Legende von St. Georg mit dem Drachen bezog; der schreckliche Drache, der über einen dunklen Wald herrscht, repräsentiert Stalin und seine Arbeitslager. »In seinen Entwürfen vom Vorabend hatte er mit Mitteln, die in ihrer Einfachheit bis zum Stammeln gingen und an die Innigkeit eines Wiegenliedes erinnerten, seine gemischte Stimmung von Liebe und Angst und Wehmut und Tapferkeit so ausdrücken wollen, daß sie gleichsam an der Sprache vorbei, durch sich selbst herüberkäme.«[329] Boris/Juri sagt dann zu den Feinheiten des Schreibvorgangs: »Die Arbeit lief lebhaft, und doch war noch immer Geschwätzigkeit zu spüren. Da zwang er sich, die Zeilen noch mehr zu verkürzen. In der dreihebigen Zeile wurde es den Wörtern zu eng, die letzten Spuren der Schläfrigkeit verließen den Schreibenden, er war hellwach, geriet in Feuer, die knappen Zwischenräume in den Zeilen sagten von selbst, womit sie gefüllt werden wollten. Die kaum mit Wörtern benannten Gegenstände wurden aus dem Zusammenhang ersichtlich. Er hörte den Gang des Pferdes im Gedicht, so wie das Straucheln des Passgängers in einer Ballade von Chopin zu hören ist. Georg der Siegbringende sprengte durch den unendlichen Raum der Steppe …«.

Mit den Flammenzungen
Säte er das Licht.
Dreifach schwanzumschlungen
Hielt er ein schönes Kind.

Pfiff er mit dem Schwanze
Wie ein Peitschennest,
Hielt er mit dem Halse
Des Mädchens Schulter fest.

Jenes Landes Regeln
Forderten es kalt,
Eine Sklavin hinzugeben
Dem Untiere im Wald.[330]

Pasternak sah sich ganz klar als der Recke, der zur Rettung der Jungfrau reitet und »Furte, Flüsse und Jahrhunderte« durchquert, um zu ihr zu kommen. Er tötet den Drachen, wird jedoch im Kampf verletzt. Am Ende des Gedichts sind der Ritter und seine Maid auf ewig miteinander verbunden.

Im Übermaß der Freude
Floß ein Tränenbach.
Die Seele, bald vergessend,
Bald schlafend, bald erwacht.

Mal spannen sich die Muskeln,
Mal liegen sie erschlafft
Vom Verlust des Blutes
Und dem Schwund der Kraft.

Doch ihre Herzen schlagen,
Manchmal sie, mal er,
Heben sie die Köpfe
Und finden sie zu schwer.

Fest geschloßne Lider.
Gebirge. Wolkenwand.
Wasser. Pässe. Flüsse.
Zeit und Zeitenrand.[331]

Boris, der sich nicht mehr von Olga trennen wollte, wich nur von ihrer Seite, wenn er arbeiten musste. Einen großen Teil seiner Zeit verbrachte er damit, zwischen seinem Atelier in Peredelkino und ihrer beengten Wohnung in Moskau zu pendeln. Im Winter 1953 war seine Datscha ausgebaut und »in einen Palast verwandelt« worden. Sie verfügte nun über einen Gasanschluss, fließendes Wasser, ein Bad und drei zusätzliche Zimmer. Bevor Olga aus Potjma freigekommen war, hatte Boris sich auf Drängen seiner Ärzte entschlossen, das ganze Jahr über in Peredelkino zu leben, wo die ländliche Umgebung seiner Gesundheit zuträglicher war als Moskau. Er gärtnerte mit Begeisterung: Schon immer war sein üppiger Gemüsegarten für ihn ein Ort der Entspannung gewesen, wie er seinem Vater einmal geschrieben hatte: »Letztes Jahr haben wir aus unserem großzügigen Küchengarten die Früchte unserer, insbesondere Sinaidas, Arbeit geerntet: einen halben Keller Kartoffeln, zwei Fässer Sauerkraut, viertausend Tomaten und große Mengen Erbsen, grüne Bohnen, Karotten und anderes Gemüse, das ein Jahr lang reichen wird.«[332] Doch kaum war Olga wieder in Moskau und Boris hatte einen besonders produktiven Arbeitstag hinter sich gebracht, kehrte er am Abend zu ihr zurück, »wie um seinen wohlverdienten Feierabend mit ihr zu verbringen.«[333]

Obwohl Olga mittlerweile wusste, dass sie Boris' »Auserwählte« war, so war sie noch immer nicht seine offizielle Auserwählte, seine Frau. Schuldete er ihr das nicht, nachdem sie sich ihm gegenüber so loyal gezeigt hatte? Ihre von Dankbarkeit geprägten Momente des Zusammenseins wurden bald von ihren »Weiberlaunen«[334] durchbrochen. »Ich wünschte mir Anerkennung, man sollte mich beneiden«, schrieb sie.[335] Wie zu erwarten, besänftigte Boris sie mit leidenschaftlichen Versicherungen seiner unnachahmlichen, mystischen Liebe, weigerte sich aber, Sinaida zu verlassen. Er behauptete, für Sinaida empfinde er bloß Mitleid, und versuchte, Olga davon zu überzeugen, dass sie so unendlich viel mehr von ihm hätte. Vielleicht habe sie nicht den Status einer Ehefrau, doch sein Herz gehöre nur ihr. Nur sie verstehe, wer er wirklich sei. Olga war hin- und hergerissen zwischen Zufriedenheit mit dem Status quo und zunehmender Enttäuschung, sie sehnte sich nach einer öffentlichen Anerkennung ihrer Rolle und ihres Standes in seinem Leben. Warum konnte er nicht klare Verhältnisse schaffen, Sinaida verlassen und sich öffentlich zu ihr bekennen? Sie erinnerte sich an eine typische Diskussion – besser gesagt, an einen Monolog von Boris – zu diesem Thema:

Mein Herz, du bist mein Frühlingsgeschenk. Wie gut, daß Gott dich als Mädchen erschaffen hat. Laß es immer so bleiben wie jetzt, wir fliegen zueinander, ich brauche nichts anderes, als zu dir zu kommen! Alles andere ist unwichtig – wir brauchen nichts zu planen, nichts zu komplizieren, niemanden zu kränken... Möchtest du an der Stelle jener Frau sein? Wir haben schon seit Jahren kein Ohr mehr füreinander... Man kann nur Mitleid mit ihr haben, sie war immer taub... an ihr Fenster klopft die Taube vergebens...[336]

Boris bestand darauf, dass sie eine Veränderung ihrer Beziehung nicht erzwingen durften. Er setzte weiterhin wachsweich auf äußere Umstände, die ihr Leben gestalteten.

Trotzdem wurde der Sommer 1954 die glücklichste Zeit des Paares. In dieser Zeit fand Olga, wie sie schrieb, »unter Schwierigkeiten und Freuden in ein Leben zurück, das mir fast vier Jahre verwehrt gewesen war.«[337] Da Boris keine Entscheidung zur Lösung seiner doppelt besetzten Ehe treffen wollte, war er hocherfreut, als das Schicksal die Karten neu mischte. Olga stellte fest, dass sie abermals schwanger war. »Das ist genau, wie es sein soll, rückt alles auf den richtigen Platz; die Lösung wird nun ganz von selbst kommen. Die Welt ist groß genug für uns und unser Kind.«[338]

Mit fortschreitender Schwangerschaft machte Olga sich Sorgen, dass Irina die Nachricht schlecht aufnehmen, sie missbilligen würde. Als sich die Schwangerschaft nicht länger verheimlichen ließ, schickte Olga ihre Mutter mit Irina und Mitja den Sommer über zu ihrer Tante nach Suchinitschi südwestlich von Moskau. Passenderwesie fuhr auch Sinaida mit ihrem Sohn Leonid nach Jalta in die Ferien.

So konnten Olga und Boris ungestört in Peredelkino leben,

wo sie ihm seelischen Beistand leistete, während er mit Feuereifer an seinem Roman weiterarbeitete. Kopien des fast fertig-
gestellten Manuskripts wurden bei verschiedenen Freunden
in Umlauf gebracht; viele erwarteten die Veröffentlichung in
Buchform und als Fortsetzungsroman. Der Name eines He-
rausgebers wurde auch oft genannt, denn gleichzeitig wurde
ein umfangreicherer Band mit Pasternaks Gedichten vorbereitet.[339]

Pasternak wollte, dass das, was er als sein Lebenswerk
betrachtete, von möglichst vielen Menschen gelesen wurde,
zum Teil aus Sorge, dass der Roman vielleicht nie publiziert
werden würde, und zum Teil, weil er wie alle auch noch so
begnadeten Künstler nach Anerkennung von außen lechzte.
Ariadna Efron schrieb einmal: »Pasternak ist eitel wie jeder
wahre Künstler. Er weiß, daß er die Anerkennung der Zeitgenossen nicht erleben wird. Er pfeift auf die, die unfähig sind,
ihn zu verstehen, und sehnt sich gleichzeitig nach ihrer Anerkennung. Und er weiß, daß die posthume Anerkennung,
deren er gewiß ist, ihm so viel nützt wie dem Arbeiter der nach
seinem Tode ausgezahlte Lohn.«[340] Boris war beunruhigt, als
er ein Exemplar einer britischen Zeitung mit einem doppel-
seitigen Artikel unter dem Titel »Pasternaks mutiges Schweigen« in die Hand bekam. Darin stand, dass Shakespeare, hätte
er auf Russisch geschrieben, ähnlich formuliert hätte, wie Pasternak ihn übersetzt hatte, dessen Name in England einen
sehr guten Ruf genoss, wo sein Vater bis zu seinem Tod gelebt hatte. Wie schade, hieß es im Artikel weiter, dass Pasternak ausschließlich Übersetzungen veröffentlichte und seine
eigenen Arbeiten nur für sich selbst und einen kleinen Kreis
guter Freunde schrieb. »Woher weiß denn dieser Mensch, daß
ich ›mutig schweige‹?«, sagte Pasternak traurig zu Olga: »Ich
schweige, weil ich nicht gedruckt werde.«[341]

Irina erinnert sich an die letzte Gelegenheit, als Pasternak 1954 eine Lyriklesung gab und Fragen des Publikums beantwortete. Die Lesung fand in einem riesigen Saal in der Moskauer Hochschule für Ingenieurwesen statt, und das Thema des Abends war »Ungarische Dichtkunst«. Das Auditorium bestand aus ungarischen Dichtern, Übersetzern und Studenten. Irina saß neben ihrer Mutter, deren Gesicht, wie sie beschrieb, immer noch »dieses sonnengebräunte Leuchten der Menschen zeigte, die in den Lagern waren.«[342] Olga trug dasselbe Kleid, das sie am Tag ihrer Verhaftung getragen hatte, und sah darin besonders schlank aus. Jedoch machten sich beide »Sorgen« wegen Boris, da der Abend schlecht vorbereitet war und keine Werbeplakate auf die Veranstaltung hingewiesen hatten. Irina »ärgerte sich über den halbleeren Raum, das Getuschel und die offensichtliche Gleichgültigkeit der Zuhörer«. Boris wirkte »in dem Anzug, den er von seinem Vater geerbt hatte, verletzlich und unbeholfen«, erinnerte sie sich, »in dem Anzug, den er bis zu seinem letzten Tag zu allen besonderen Gelegenheiten trug. Da stand er nun in diesem düsteren Saal auf einem schlecht beleuchteten Podium, und sein einziges Publikum war eine Handvoll Studenten. Er erinnerte mich an einen großen Vogel, der an den Strand gespült worden war und der seine Flügel nun kraftlos auf dem Sand hinter sich herzog.« Mit den Lesungen zehn Jahre zuvor hatte das nichts mehr zu tun: Damals hingen glückselige Menschenmassen an seinen Lippen und brüllten wie aus einem Mund seine Gedichte nach.

Als Pasternak ans Rednerpult ging, flüsterte ein Mann namens Gidas, der neben Irina saß und gerade erst aus den Arbeitslagern entlassen worden war, für alle hörbar: »Mein Gott, es ist wirklich wahr, dass Genies nicht älter werden.«[343]

Mit bleierner Stimme rezitierte Pasternak einige Gedichte, die er übersetzt hatte. Und mit gleichermaßen ernstem Tonfall las er dann eigene Gedichte. Aber die meisten Studenten hörten anscheinend nicht einmal zu. Es gab schwachen Applaus. Sobald Pasternak erkannte, dass niemand eine Zugabe verlangte, konnte er seine Verstimmung nicht verbergen. Ganz offensichtlich erwartete er, wie gewohnt, Rufe nach Zugabe.

* * *

Vorher, im April 1954, hatte nach einem acht Jahre währenden, erzwungenen Schweigen die Zeitschrift *Znamia* zehn Gedichte Pasternaks aus *Doktor Schiwago* veröffentlicht. Den Gedichten war eine Einführung von Boris vorangestellt: »Der Roman wird wahrscheinlich im Laufe des Sommers fertiggestellt sein. Er umspannt den Zeitraum zwischen 1903 und 1929 und beinhaltet einen Epilog, der sich mit dem 2. Weltkrieg befasst. Der Held Juri Andrejewitsch Schiwago, ein Arzt und Denker auf der Suche (nach Wahrheit), mit einer kreativen und künstlerischen Neigung, stirbt 1929. Unter seinen Schriftstücken, die er in jüngeren Jahren verfasst hatte, fand sich eine Anzahl von Gedichten, die dem Buch als letztes Kapitel hinzugefügt wurden. Einige davon werden hier wiedergegeben.«[344]

Die offizielle Reaktion auf die Gedichte war bestenfalls lauwarm, doch Boris war überglücklich: »Die Worte ›Doktor Schiwago‹ haben es auf eine Seite mit aktuellen Nachrichten geschafft – wie ein Schandfleck!«[345] Zu seiner Cousine Olga Freudenberg sagte er, dass er den Roman beenden müsse und wolle, und »bis zu seinem Abschluß bin ich auf aberwitzige, manische Weise nicht Herr meiner Zeit«[346].

Zu Beginn des Jahres erhielt der Dichter und Prosaschriftsteller Warlam Schalamow »aus Pasternaks kleinem Freundeskreis« ein Exemplar des Manuskripts zum Lesen. Schalamow hatte siebzehn Jahre im Gulag verbracht und später

Berichte über die berüchtigsten Lager von Kolyma im äußersten Nordosten Sibiriens veröffentlicht. Nachdem er Pasternaks noch unfertige Arbeit gelesen hatte, schrieb er einen langen Brief an ihn: »Ich hätte nie gedacht und hätte mir selbst in meinen kühnsten Hoffnungen in den vergangenen fünfzehn Jahren auch nie vorstellen können, dass ich Ihren unveröffentlichten, unfertigen Roman lesen würde, und noch dazu als Manuskript, das ich von Ihnen persönlich erhalten habe … es ist sehr lange her, dass ich ein Werk russischer Literatur gelesen habe, welches sich mit Tolstoj, Tschechow und Dostojewski messen kann. Ganz ohne Zweifel ist *Doktor Schiwago* von diesem Kaliber.«[347]

Nach Beobachtungen und Betrachtungen zum Anfang des Buches und Pasternaks Erörterungen zu Glauben und Christentum widmete Schalamow Seite um Seite einer ausführlichen Diskussion der Persönlichkeit Laras:

Was ist also der Roman und, darüber hinaus, wer ist Doktor Schiwago, der zumindest bis zur Mitte des Romans nicht wirklich existiert und auch dann noch nicht auftaucht, als Lara Guichard, die wahre Heldin der ersten Hälfte dieser Betrachtungen, schon ihre volle Größe mit all ihrer Anmut erreicht hat, eine Anmut, die nur zum Teil entlehnt ist bei Turgenjew-Dostojewski – klar wie Kristall, sprühend, wie die Steine ihrer Hochzeits-Halskette. Ihr Portrait ist ein großer Wurf, ein Portrait von solcher Reinheit, dass es vom Schmutz der Komarowskis dieser Welt weder verunglimpft noch besudelt werden konnte.

Ich kannte solche Laras, nun, nicht dieselbe, ein wenig geringer, ein wenig kleiner. In dem Roman ist sie voller Leben. Sie kennt etwas Erhabeneres als alle anderen

Figuren im Roman, Schiwago eingeschlossen, etwas Realeres und Bedeutenderes, als es mit jemandem teilen zu können, so sehr sie es sich auch wünschen mochte.

Der Name, den Sie ihr gaben, passt sehr gut – Lara ist der beste russische Name für eine Frau. Der Name von Frauen, die ein trauriges russisches Schicksal erlitten haben – der Name der Braut ohne Mitgift, der Heldin eines bemerkenswerten Theaterstückes, und es ist auch der Name einer Frau, der Heldin aus meiner Jugend, einer Frau, die ich bis zur Besinnungslosigkeit liebte wie ein Junge, mit einer Liebe, die mich läuterte und belebte ...

Aber ich will nicht über sie sprechen, sondern über Larisa Guichard. Absolut alles an ihr ist aufrichtig. Selbst die sehr schwierige Szene über Laras Fall ruft nichts anderes als Zartheit und Reinheit hervor ... Bei Ihnen kommen Ihre Frauen besser weg als Ihre Männer – anscheinend ist das allen großen Schriftstellern inhärent ...

Ihre Worte zur zweiten Revolution, die für jeden von uns so persönlich ist, sind sehr gut, wie dieses ganze Stück im Allgemeinen. Und nur Larisa mit ihrem unergründlichen Aussehen, innerlich reicher als Doktor Schiwago und so viel reicher als Pascha – Larisa ist ein Magnet für alle, Schiwago eingeschlossen.

Ich habe zweihundert Seiten des Romans gelesen – wo bleibt Doktor Schiwago? Dies ist ein Roman über Larisa ...[348]

In jenem August erlitt die Larisa im wahren Leben des Autors eine Tragödie, die einer Erwähnung im Roman wert gewesen wäre. Olga war gerade auf dem Land westlich von Moskau mit einem Pick-up unterwegs, um nach geeigneten Datschas zur Miete zu suchen, irgendwo, wo sie und Boris zusammen sein konnten. Die Fahrt ging über Stock und Stein, über unbefestigte Pfade und Straßen. Da sie sich nicht wohl fühlte, hielt sie an einer Apotheke in Odinzowo an und bat um Hilfe. Der Notarzt wurde gerufen, und auf dem Weg ins Krankenhaus setzten bei Olga vorzeitig die Wehen ein, doch das Kind kam tot zur Welt. »Ich glaubte, meine Familie würde dies nicht sonderlich betrüben«, schrieb Olga später. »Ira, deren Reaktion ich am meisten gefürchtet hatte, würde nun keinen Grund haben, sich aufzuregen. Boris brauchte sein gewohntes Leben nicht zu ändern; ein Kind würde unseren jetzigen Modus gestört, wenn nicht unmöglich gemacht haben.«[349]

Aber sie irrte sich gründlich: »Alle waren böse auf mich, fühlten sich gekränkt. Ira war untröstlich, daß ich es nicht geschafft hatte, das Kind auszutragen. Borja saß bitterlich weinend an meinem Bett und wiederholte immer wieder: ›Hast du wirklich geglaubt, für unser Kind sei kein Platz auf der Welt? Hast du so wenig Vertrauen zu mir?‹«

Im darauffolgenden Frühling, nach der Enttäuschung, den langen Winter ohne eigenes Nest zu überstehen – die Abstecher nach Moskau und zurück mussten eingestellt werden, wenn das Wetter schlecht und die Schneeverwehungen besonders schlimm waren –, stellte Olga etwas »unglaublich Dummes« an. Auf den Rat einer Freundin hin mietete sie eine Datscha an der Kazan-Straße, einer Ausfallstraße im Osten Moskaus, was es für sie und Boris deutlich schwieriger machte, einander zu treffen. Es gab keine direkte Zugverbindung, und jedes Mal, wenn Olga am Bahnhof von Peredelkino ankam, lief ein missgelaunter Boris schon ungeduldig auf dem Bahnsteig auf und ab.

Als es Sommer wurde, beschloss Olga dann, die Sache selbst in die Hand zu nehmen. Kurzentschlossen mietete sie für ihre ganze Familie, zunächst nur für ein paar Monate, eine halbe Datscha am Ufer des Sees von Ismalkowo, in einem Dorf, das an Peredelkino grenzte. Die Lage war idyllisch, Silberbirken und Trauerweiden streckten ihre dichten Kronen über das Wasser, und Olgas Nähe war für Boris eine willkommene Erleichterung, der die zwanzig Minuten von seiner Datscha über die Holzbrücke, die über den See führte, zu Fuß herüberspazieren konnte. Maria, Irina und Mitja richteten sich in den beiden Zimmern der Datscha ein, während Olga die verglaste Veranda für sich in Anspruch nahm. Knorrige Wurzeln boten einen holprigen, doch reizvoll urigen Zugang zur Veranda.

Bei seinem ersten Besuch verschlug es Boris den Atem: »Du solltest doch eine Zuflucht für uns suchen, kein Glashaus!«[350]

Schuldbewusst fuhr Olga sofort nach Moskau zurück und kaufte rot-dunkelblau gemusterten Chintz, den sie vor alle Glasfronten der Veranda hängte. Die Sicherheit, endlich ihr eigenes, gemeinsames Heim zu haben – ihr erstes Nest mit Boris –, erfüllte sie mit nie gekannter Freude. Aber Boris war noch immer nicht zufrieden. Er hasste die fehlende Privatsphäre und die großen, extrem hellhörigen Glasfronten.

Dennoch war der Sommer 1955 wunderbar: brütend heiß und sonnig mit häufigen Gewittern. Die wilden Rosen standen in voller Blüte. Gegen Ende des Sommers begann Boris sich zu sorgen, dass Olga nach Moskau zurückgehen und ihn in Peredelkino wieder »allein« lassen könnte.

Als Maria und die Kinder also wieder in die Wohnung in der Potapow-Gasse zurückkehrten, beschloss Olga, in Ismalkowo zu bleiben, wo Boris sie zweimal am Tag besuchen konnte. Wenn nötig, wollte sie dann von hier aus nach Moskau reisen. Sie versuchte ihre Vermieterin zu überreden, ihr einen Teil des Hauses den Winter über zu vermieten, doch diese gab Olga selbst den Rat, eine andere Wohnung in der

Nähe zu mieten, die gut isoliert war und einen Herd hatte. Der Ehemann half Olga beim Umzug und trug ihren blau lackierten Verandatisch, die Schreibmaschine und Segeltuchstühle in ihr neues Domizil.

Ihr neuer Vermieter hieß Sergej Kusmitsch. Olga sagte später, dass sie die besten Jahre ihres Lebens auf dem Kusmitsch-Anwesen verlebt hatte, in einem kleinen, von hohen Pappeln gesäumten Haus. Sie liebte den engen Raum, der auf eine Veranda hinausführte, die im Sommer als Esszimmer und im Winter als Vorratskammer diente. Als das Zimmerchen schließlich eingerichtet war, die Ottomane einen Überwurf aus Olgas Lieblingsstoff, dem rot-dunkelblau gemusterten Chintz, bekommen hatte, als passende Vorhänge und ein flauschiger roter Teppich das Zimmer schmückten und dann auch noch der Ofen in der Ecke bullerte, war es ein kuscheliges Zuhause. »Wenn es in meinem Leben eine Zeit ›vollkommenen Glücks‹ gegeben hat, dann waren es die Jahre von 1956 bis 1960«, schrieb sie. »Es war das Glück des täglichen Zusammenseins mit dem geliebten Mann, all die gemeinsam verbrachten Vormittage und die Winterabende, an denen wir uns gegenseitig vorlasen oder Gäste hatten. Mir war es wie ein nicht endender Festtag.… Bis zu Borjas Tod blieben unserer Liebe noch fast vier wunderbare Jahre: lange Spaziergänge, Freuden und Aufregungen, gemeinsame Arbeit, Begegnungen mit Freunden. Ich lernte von ihm, lauschte auf jedes seiner Worte.«[351]

In dieser Phase, als Boris nicht mehr regelmäßig nach Moskau fuhr, wurde Olga mit seinen literarisch-geschäftlichen Angelegenheiten betraut. Sie redigierte seine Manuskripte und tippte den gesamten *Doktor Schiwago* zweimal für ihn ab. Sie fungierte als seine Sekretärin und las Korrektur.

Kurze Trennungen, wenn Olga etwa nach Moskau musste,

machten Boris zunehmend unruhig. Er sorgte dafür, dass die Wohnung in der Potapow-Gasse ein eigenes Telefon bekam, und rief Olga täglich pünktlich um neun Uhr früh an, um sich über ihren Tag zu informieren und ihr von dem seinen zu erzählen. Morgens war es den Kindern untersagt, ans Telefon zu gehen, sie sollten die Leitung für Boris freihalten. Er begann das Telefonat stets mit: »Oljuscha, ich liebe dich!« und beendete es mit: »Halt dich morgen nicht unnötig auf.«[352]

Jeden Sonntag kamen Irina, Mitja und Olgas Freunde aus Moskau zu Besuch. Olga und Boris waren Gastgeber bei diesen informellen sonntäglichen Mittagessen, die sich bald zu regulären literarischen Zusammenkünften entwickelten.

Auch für Irina gehörten die Tage, die sie in dem »kleinen Haus« in Ismalkowo verbrachte, zu den schönsten Erlebnissen und zu ihren liebsten Erinnerungen. »Um meine pubertäre Melancholie verschwinden zu lassen, brauchte ich nur Boris im Dorf zu sehen, wenn er mit seinen Gummistiefeln im Matsch stand, die Kappe auf dem Kopf und in dem Ölzeug, das für dieses Wetter wie geschaffen war«, erinnerte sie sich. »Und immer, wenn er zu meiner Mutter ins Kusmitsch-Haus lief, spürte ich inneren Frieden. ›Komm, mach dir schnell ein Omelett‹, sagte er dann mit gestrenger Miene, wodurch er sich sogar noch wichtiger anhörte. ›Du musst was essen. Was hat deine Mutter dir zum Mittagessen gekocht?‹ Er fand mich zu dünn und wiederholte mit seiner dröhnenden Stimme: ›Oljuscha, du musst dafür sorgen, dass sie was isst.‹«[353]

»Damals, als Boris sich so wohl fühlte und so gut aussah, besuchte ich ihn gern«, fuhr Irina fort. »Jemand sagte über ihn: ›Bei Pasternak ist sogar sein Erscheinungsbild ein Kunstwerk.‹« Das traf selbst dann noch zu, als er älter wurde. Irgendwie war es ein Wunder. Sein graues, wild zerzaustes

Haar hellte sein gebräuntes Gesicht auf und verlieh ihm das ganze Jahr über eine gesunde Farbe. In Peredelkino wurde er bei seinen morgendlichen Spaziergängen an der frischen Luft bei jedem Wetter, beim Werkeln im Gemüsegarten und beim Schwimmen im Setun-Fluss zu einem quicklebendigen Landbewohner, der Untätigkeit hasste. Er war immer beschäftigt, immer stilvoll und immer engagiert.

Der Sommer 1955 war eine Zeit »vollkommenen Glücks«[354]. Jeden Abend um sechs Uhr traf Boris ein, während Olga fleißig Passagen von *Schiwago* abtippte, die er ihr am Abend zuvor herübergebracht hatte. »Meine Mutter nahm ihren Job als Schreibkraft nie sehr ernst«, sagte Irina. »Ihre Schreibmaschine war nicht besonders gut, und es war auch nicht ihr Beruf. Boris bat sie nur um Hilfe, wenn seine eigene Schreibkraft nicht da war oder wenn wir uns einen Abschnitt ansehen sollten, an dem er noch feilen wollte. Einmal wurde ich mit dieser heiligen Aufgabe betraut, da meine Mutter gerade Gäste empfangen musste und Boris jeden Moment erwartet wurde. Aber ich machte besonders bei den sibirischen Buchstaben so viele Schreibfehler, dass ich nie wieder gefragt wurde.«

Über ihre harmonischen Zeiten zusammen mit der Familie bei Kusmitsch an den zugewachsenen Ufern des Setun-Flusses schrieb Olga: »Wir hatten ein Zimmer, ein Heim, waren vor Anker gegangen. Oft noch mache ich mir Vorwürfe, nicht schon früher einen solchen Hausstand eingerichtet zu haben. Wir hätten doch von Anfang an unabhängig von allem und allen leben und arbeiten können.… Weihnachten hatten wir eine Tanne, die auf meinen Arbeitstisch gestellt wurde. Wir lachten über unsere Katze Dinkie, die die Kugeln stahl und versteckte. Warm durchflutete uns die Gewißheit: unsere Tanne, unser Tisch, unser Leben.«[355]

Von links nach rechts: Rosalia, Boris, Leonid und Alexander im Esszimmer ihrer Moskauer Wohnung, 1906

Von links nach rechts:
(hinten) Boris, Leonid
und Alexander, (vorne)
Lydia und Josephine

Von links nach rechts:
Leonid, Lydia, Rosalia,
Josephine, eine nicht
bekannte Freundin und
Boris in Molodi, wo sie
vor der Revolution ihre
Sommer verbrachten

Boris mit seiner ersten
Ehefrau Evgenija und
ihrem Sohn Evgenij,
Moskau, 1924

*Tolstoi vor einem
stürmischen Himmel*,
Gemälde von Leonid,
Jasnaja Poljana, 1901

Frederick, Evgenij, Evgenija und Josephine an einem See in der Nähe von München, 1931

Leonid und Rosalia mit (von links nach rechts) Charles und Helen Pasternak und Evgenij beim Picknick. Deutschland, 1931

Zeichnung von Leonid Pasternak: Sein Enkelsohn Charles im Alter von zwei Jahren. München, 1932

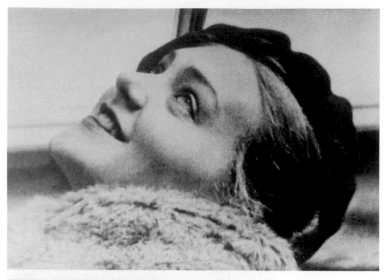

Olga mit 25 Jahren,
Moskau, 1937

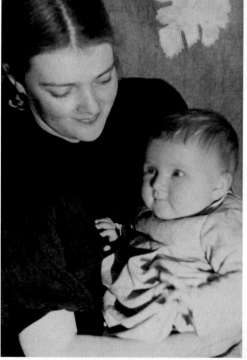

Olga und ihre Tochter Irina,
Moskau, 1939

Olga im Alter von
30 Jahren,
Moskau 1942

Irina mit ihren Groß-
eltern Maria und
Dmitri Kostko an
dem Tag, als Maria in
den Gulag geschickt
wurde, Moskau, 1943

СССР

**МИНИСТЕРСТВО
ВНУТРЕННИХ ДЕЛ**

ИТЛ

„АК"

4 Мая 195_3_ г.

7-АЧ ~~2/х 53~~ ~~001954~~

Форма «А»

СПРАВКА

Выдана гражданину (ке) *Ивинской*
Ольге Всеволодовне
1912 года рождения, уроженцу (ке) *г. Тамбова*
гражданство (подданство) *ссер* национальность *русская*
осужденному (ой) *Управления МГБ ссер*

« *22* » *Июля* 1950 г. по ст.ст. *58-10 ч I* УК *РСФСР*
к лишению свободы на *пять* лет с поражением в правах на
Урожар года, имеющему (ей) в прошлом судимость
не судима

в том, что он (она) отбывал (ла) наказание в местах заключения
МВД по « *7* » *Мая* 1953 г. и по *с 1. Указа президиума*
Верховного Совета ссер от 27/III 53. со снятием судимости
С применением
Освобожден(на) « *4* » *Мая* 1953 г. и следует к избранному
месту жительства *гор. Москва*
(город, село, дер., район, область)

до ст. *Москва* *Моск. Рязанск* жел. дороги.

Начальник лагеря (ИТЛ) *АК*

Полковник с/сл. _Теренецкая_

Нач. Отдела (части)
Болниган

Печать

Olgas Entlassungspapiere aus dem Gulag, 4. Mai 1953

Boris Pasternaks
Datscha in
Peredelkino
(Foto aufgenom-
men von der
Autorin)

Boris und Irina in Peredelkino, 1957

Olgas »Glashaus«: ihre erste angemietete Unterkunft am Ufer des Ismalkowo-Sees, wo sie 1955 ihren glücklichsten Sommer verbrachte

Die Brücke zum »Kleinen Haus« (im Hintergrund)

Olga und Boris im »Kleinen Haus«, Sommer 1958

Olga, Boris und Irina, Peredelkino, 1958

Boris liest das Nobelpreistelegramm, seine Frau Sinaida sitzt links von ihm,
rechts seine Freundin Nina Tabidze, Peredelkino, 23. Oktober 1958

Einer von Pasternaks letzten Briefen an
Olga vom 30. April 1960. Boris lag krank
im Bett und schrieb an Olga »entgegen
den Anweisungen des Arztes«.

Boris lehnt am Fenster, nachdem er auf den Nobelpreis verzichtet hat, Peredelkino, 1958

Pasternaks Sohn Leonid, Charles Pasternak und Rosa, die Ehefrau von Alexander
Pasternaks Sohn Fedia, in Alexander Pasternaks Datscha, Peredelkino, 1961

Der Trauerzug, Peredelkino, 2. Juni 1960

Olga bei der Trauerfeier, Peredelkino, 2. Juni 1960

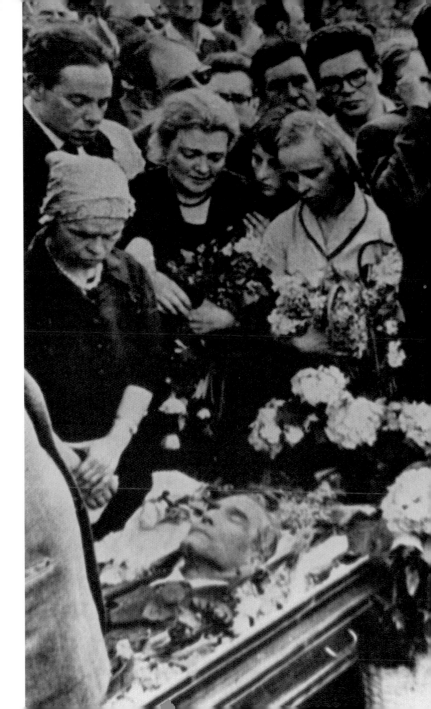

Olga kurz vor ihrer
zweiten Verhaftung und
Deportation

Olgas amtliche
Erkennungsfotos,
aufgenommen in der
Lubjanka während
ihrer zweiten Inhaftie-
rung 1960

17423 ИВИНСКАЯ ОЛЬГА ВСЕВОЛОДОВНА 1912 г.р.

Leider war Boris immer noch hin- und hergerissen. Zerrissen zwischen der entspannten Atmosphäre in dem Kleinen Haus und den Spannungen oben in der Datscha, dem »Großen Haus«. Obwohl Olga niemals direkt in Sinaidas Territorium eindrang und der Datscha nur dann einen Besuch abstattete, wenn Sinaida nicht da war und sie sich mit Boris in den Wäldern um Peredelkino verabredete, bekam Sinaida trotzdem sofort Wind davon, dass sie in Ismalkowo lebte. (Jahre später erklärte Boris in einem Brief an seine Schwester Josephine dennoch unverdrossen: »S. weiß nicht, dass O. gerade ein Zimmer in einem Bauernhaus in einem benachbarten Dorf mietet.«[356]) Als Olga aus Potjma entlassen wurde, schlossen sich Sinaidas Freunde zusammen und unternahmen den fruchtlosen Versuch, alle weiteren Annäherungen »dieser Verführerin« zu vereiteln. Sinaida, der die Anwesenheit ihrer Rivalin am anderen Seeufer nur allzu bewusst war, verhielt sich Boris gegenüber sogar noch feindseliger, stellte »viele Forderungen« an ihren Ehemann und erinnerte ihn ständig an seine Loyalitätskonflikte.

So lag Boris nächtelang allein in seinem schmalen Bett im Arbeitszimmer und sehnte sich nach der Geborgenheit in Olgas Armen. Während einer dieser Nächte, heimgesucht von seinem alten Feind, der Schlaflosigkeit, stand er auf und setzte sich an den Schreibtisch. Am folgenden Morgen brachte er sein neuestes Gedicht zu Olga – einen mit Bleistift geschriebenen Liebesbrief –, den sie abtippen sollte:

Wie spät? Noch dunkel. Drei vielleicht. Und Stunden
schon klar, daß ich auch heut kein Auge schließen
kann.
Bald macht der Hirt mit Peitschenknall durchs Dorf die
Runde.

Die Morgenkälte schleicht wohl auch schon an,
Vom Hof durchs Fenster zieht sie irgendwann.
Ich bin allein.
Das stimmt nicht. Du,
Die ganze Welle deiner Weiße hier.
Bei mir.[357]

Ein Freund von Boris und Olga, Nikolaj Ljubimow, Übersetzer für Spanisch und Französisch, besuchte den Schriftsteller in Peredelkino. Hinterher sagte er zu Olga, dass Pasternak einen »herzzerreißend einsamen« Eindruck machte, als er die Treppe von seinem Atelier herunterkam, um Ljubimow im Salon zu begrüßen, wo Sinaida und ihre Freundinnen Bridge spielten. »Sie warfen ihm alle missbilligende Blicke zu.«

Olga zufolge hatte Sinaida eine Trumpfkarte in der Hand: Sie »hatte ihm einen ›Olymp‹ in der Großen Datscha und die bestmöglichen Arbeits- und Lebensbedingungen bereitet.«[358]

Doch Boris wollte keinen materiellen Luxus. Der einzige Luxus, auf den er Wert legte, war Frieden und Ruhe zum Schreiben. Einen Schreibtisch, an dem er arbeiten konnte, und ein Arbeitszimmer waren ihm wichtig; nicht so sehr seinem eigenen Wohlbefinden zuliebe, als vielmehr seiner Schriftstellerei, die eine geordnete Lebensweise verlangte.

»Sinaida wußte, daß sie ihre Stellung als seine Ehefrau und Herrin der Großen Datscha stärkte, wenn sie Pasternaks häusliches Leben perfekt organisierte. Daher söhnte sie sich auch mit der vor niemandem geheimgehaltenen Kleinen Datscha … aus.«[359] Sie wusste, dass jeder unüberlegte Versuch, Druck auf Boris auszuüben, für sie in einer Katastrophe geendet hätte.

Obwohl Boris hauptsächlich in seinem Arbeitszimmer am Buch arbeitete, besuchte er Olga mehrmals täglich und brachte ihr immer am frühen Abend die Seiten, die er geschrieben hatte. Oder er saß am Tisch und hatte die neueste Produktion vor sich ausgebreitet, während Olga es sich mit einem Buch auf dem Sofa bequem machte. Diese behagliche Häuslichkeit stand in scharfem Kontrast zu seinem Einsiedlerleben in seinem großen Atelier über der Treppe im Großen Haus, das Sinaida nur zum Putzen betrat. Doch zu Olgas Befremden weigerte sich Boris, Sinaida zu verlassen oder den Status quo durcheinanderzubringen.

»Daß er Sinaida Nikolajewna nicht mehr liebte, belastete sein Gewissen«, sagte Ariadna Efron.[360] Sie erzählte Olga, dass ihn diese ungehobelte Frau, der es nicht gelungen war, Boris' Liebe zu bewahren, an Rotkäppchen erinnerte, das sich im Wald verirrt hatte. Und darüber vergieße er Tränen des Mitleids. In diesem Zusammenhang sagte er zu Olga: »Du tust mir nicht leid. Gebe Gott, daß es zwischen uns immer so bleiben möge. Andere verdienen unser Mitleid. Ich sah die alternde Frau am Gartenzaun und dachte, ob du wohl mit ihr tauschen möchtest? Also, laß uns alles gesegnet sein durch unser Mitleid.«[361] Später schrieb Olga über das Doppelleben von Boris, hin- und hergerissen zwischen den zwei Frauen und zwei Wohnorten:

>»Anzunehmen, der olympischen Ruhe in einem Elfenbeinturm habe Boris Leonidowitsch alles andere untergeordnet, wäre absurd. Sein Wagemut kapitulierte vor dem Mitleid gegenüber der Frau, die er, wie ihm schien, zu Unrecht nicht mehr liebte. Selbst in einer besonders schweren Zeit, als der uns fremde Geist in der Großen Datscha unerträglich geworden war und wir nach Tarussa übersiedeln wollten, brachte Boris es im letzten Augenblick doch nicht fertig, den Bruch zu vollziehen.

Nicht aus Bequemlichkeit. Es war das Mitleid mit jenen, die ›nichts verstanden und nur litten‹.«[362]

Gut möglich, dass es ihm nicht darum ging, sich selbst an die erste Stelle zu setzen und auf Sinaidas Gefühle bewusst Rücksicht zu nehmen. Wahrscheinlich aber war ihm der Roman am wichtigsten. Seine häusliche Situation auf den Kopf zu stellen, bedeutete eine Bedrohung seines Arbeitsablaufes. Möglich, dass er angesichts der Spannungen zwischen den beiden Häusern nicht die idealen Arbeitsbedingungen hatte, doch sie kamen seiner Kreativität und seinen emotionalen Bedürfnissen durchaus entgegen. Tagsüber konnte er ungestört arbeiten, bevor er das Manuskript allabendlich zu seiner glühendsten Unterstützerin brachte.

Jede Unterhaltung mit Boris führte anscheinend zwangsläufig zu *Doktor Schiwago* zurück. Irina malt ein rührend warmherziges Bild über die Art und Weise, in der sie und ihre Mutter ihn wegen seiner Besessenheit für seinen Roman augenzwinkernd aufzogen:

So lange er noch an dem Roman schrieb, landete jede Unterhaltung irgendwann wieder bei diesem Thema. Wir mussten immer schmunzeln, wenn ihm alle möglichen Ausreden einfielen, nur um wieder darauf zu sprechen zu kommen. Er hatte nur den Roman im Kopf, und alles um Boris herum wurde damit in Verbindung gebracht. Meine Mutter neckte ihn dann gern: ›Komm schon, Boris, was hat das jetzt mit Doktor Schiwago zu tun? Allmählich langweilt mich das Buch!‹ Wenn sie etwa an einem friedvollen Teich standen, auf dem ein paar Enten herumpaddelten, konnte man Gift darauf nehmen, dass er ›dieses Buch‹ wieder in die Unterhaltung einschleuste.[363]

Auch wenn sie ihn gerne ein bisschen neckte, hätte sie dem gequälten Schriftsteller wohl kaum mehr Unterstützung, Liebe und Ermunterung geben können, als sie es tat. Der riesige Aufwand, den Olga in die Entstehung von *Doktor Schiwago* steckte, bereitete ihr fast so viel Befriedigung, als hätte sie den Roman höchstpersönlich geschrieben. Selbstlos bis ins Mark, half sie ihrem Geliebten, seinen literarischen Traum zu erfüllen. Boris' enger Freund Alexander Gladkow beschrieb Olgas Einstellung zu dem Buch als »eine Abrechnung mit allem, was sie durchlebte, einen vernichtenden Schlag gegen einen hasserfüllten Gegner ... die Apotheose ihres Lebens, ihr Lieblingskind, geboren unter Schmerzen und Tränen.«[364]

Eines Abends war Olga wieder in ihrer Moskauer Wohnung, um ihren Geschäften nachzugehen, als sie einen Anruf von Boris aus Peredelkino erhielt. Er klang erschüttert und sprach mit tränenerstickter Stimme. »Was ist los?«, wollte Olga wissen. »Er ist tot, verstehst du, tot!«, wiederholte er mehrmals untröstlich.[365]

Es stellte sich heraus, dass er Juri Schiwagos Tod meinte. »Boris hatte gerade dieses schmerzliche Kapitel vollendet«, folgerte Olga kurz und bündig.[366]

Zum Sommer 1955 lagen mehrere Exemplare des ersten Teils des Romans in einem hübschen braunen Einband vor. Olga zufolge »freute Boris sich wie ein Kind darüber«. Kurz danach war auch der zweite Teil gebunden. Die Gespräche am Esstisch im Kleinen Haus zwischen Olga, Irina und Boris konzentrierten sich nun darauf, wo der Roman publiziert werden sollte. 1948 hatte Boris mit der *Nowy Mir* einen Vertrag für die Veröffentlichung unterschrieben. Im Verlauf der Arbeit an dem Buch begann er jedoch daran zu zweifeln, ob *Nowy Mir* es jemals würde herausbringen können. Er kündigte den Vertrag und zahlte den

Vorschuss zurück. Nun fungierte Olga als Boris' Literaturagentin und schleppte drei der beeindruckenden braunen Bände zu Moskauer Verlagen. Die endlektorierten und korrigierten Exemplare waren für die Veröffentlichung bereit.

An einem warmen Oktoberabend 1955 holte Boris Olga nach einer ihrer regelmäßigen Moskaufahrten vom Bahnhof in Peredelkino ab und wanderte mit ihr zum Kleinen Haus. Als sie die lange Brücke überquerten, die über den Ismalkowo-See führte, sagte Boris zu ihr: »Glaub mir, um nichts in der Welt werden sie den Roman drucken. Sie können es gar nicht! Wir müssen ihn deshalb überallhin zum Lesen ausleihen. Jeder, der möchte, soll ihn lesen, denn er wird ganz bestimmt nie gedruckt werden.«[367] Er erläuterte seine Gründe, nachdem er sich durch die beiden hübsch gebundenen Bände gelesen hatte. Er reflektierte, dass »die Revolution keineswegs als Creme-Torte geschildert war«.[368] In seinem ausführlichen Brief an Pasternak vom Januar 1954 hatte sein Freund Warlam Schalamow geschrieben:

Ihr Roman wirft eine Unmenge von Fragen auf, zu viele, um sie in einem Brief einzeln aufzuzählen und zu entwickeln. Die erste Frage betrifft das Wesen der russischen Literatur. Menschen lernen von Schriftstellern, wie sie leben sollen. Sie zeigen uns, was gut ist, was schlecht ist, sie ängstigen uns, sie erlauben unserer Seele nicht, in den dunklen Ecken des Lebens zu versinken. Moralische Prägnanz ist das besondere Merkmal der russischen Literatur.

Ich weiß nicht, wie offizielle Kritiker zu dem Roman stehen werden. Der Leser, der noch nicht von authentischer Literatur entwöhnt ist, wartet genau auf ein solches Buch. Und für mich als gewöhnlicher Leser, der sich lange Zeit nach authentischer Literatur gesehnt hat, wird dieser Roman für lange Zeit ein außerordentliches Ereignis bleiben. Hier werden eindringlich Fragen gestellt, die kein Mensch ignorieren kann, der etwas auf sich hält. Hier kommen lebendige Helden unserer tragischen Zeit, die schließlich auch meine Zeit ist, mit ihrem ganzen literarischen Charme zum Vorschein. Hier sah das bemerkenswerte Auge des Künstlers so viel Neues in der Natur, und sein Pinselstrich wählte die zartesten Farben, um die lebendige Verfassung der Menschheit herauszubringen.[369]

In seiner Schlussfolgerung zu seinem autobiographischen Essay, den Pasternak zur Veröffentlichung bei Goslitizdat vorbereitete, schrieb er: »Ich habe gerade mein Hauptwerk und zugleich wichtigstes Werk vollendet, das einzige, für das ich mich nicht schäme und für das ich die volle Verantwortung übernehme: *Doktor Schiwago*, ein Roman mit Prosa und einem lyrischen Abschnitt. Die Gedichte, die verstreut in den letzten Jahren meines Lebens entstanden und in dem vorliegenden Buch gesammelt sind, sind vorbereitende Stufen für den Roman. Und als Vorbereitung für den Roman betrachte ich auch ihre Veröffentlichung in diesem Buch.«[370]

Kurz nachdem er das Manuskript vollendet hatte, ging Boris mit seinem Nachbarn Konstantin Fedin im Wald von Peredelkino spazieren. Fedin, ein altgedienter sowjetischer Erzähler, sollte später Alexej Surkow als Sekretär des Schriftstellerverbands nachfolgen. Verborgen unter den Silberbirken, fern von spähenden Augen und Ohren, las Boris seinem Freund den Roman Kapitel für Kapitel vor. Fedin lauschte aufmerksam und weinte sogar bei verschiedenen Passagen. Doch später, als der redaktionelle Beirat der *Nowy Mir* nach

Einblick in die fertiggestellte Ausgabe sich gegen die Veröffentlichung von *Doktor Schiwago* aussprach, schloss Fedin sich dem Votum seiner Kollegen an.

Goslitizdat veröffentlichte weder Auszüge aus dem Buch noch Lyrik daraus. Die Zeitschrift *Znamia* lehnte das Manuskript ebenfalls ab. Bis zum Mai 1956 blieb das Buch, das als gebundenes Manuskript von allen drei russischen Verlagshäusern abgelehnt worden war, denen Olga es gegeben hatte, unveröffentlicht. Boris, Olga und Irina ahnten nicht, dass dieses Werk ein äußerst bemerkenswertes Eigenleben entwickeln sollte.

»Das Buch sollte uns in eine Abwärtsspirale führen«, schrieb Irina. »Es wurde zum Zentrum eines weltweiten Ruhms, stellte uns aber gleichzeitig auch an den Pranger; es war für uns sowohl Triumph wie auch Golgatha. Der Preis dieses Romans war Demütigung, meine und Mutters Inhaftierung, und höchstwahrscheinlich war er auch verantwortlich für Boris Leonidowitschs Tod.«[371]

8

Der italienische Engel

Anfang Mai 1956 brachte die italienische Sektion von Radio Moskau die folgende Nachricht: »Die Veröffentlichung von Boris Pasternaks *Doktor Schiwago* steht unmittelbar bevor. Als eine Art Tagebuch geschrieben, ist es ein Roman, der ein Dreivierteljahrhundert umspannt und mit dem Zweiten Weltkrieg endet.«[372]

Ein junger Italiener, Sergio d'Angelo, der seine Geburtsstadt Rom zwei Monate zuvor verlassen hatte, um beim Sender zu arbeiten, übersetzte die Kulturnachrichten mit wachsendem Interesse. Die Kommunistische Partei Italiens hatte ihm angeboten, zum Team von Radio Moskau zu stoßen und italienischsprachige Sendungen mitzugestalten. Abgesehen davon, war d'Angelo auch bereit, für den Mailänder Verleger Giangiacomo Feltrinelli als Teilzeit-Literaturagent tätig zu werden. Der Spross einer der reichsten Unternehmerfamilien Italiens, die an Bau- und Holzunternehmen sowie Banken beteiligt war, fühlte sich als junger Mann zum Sozialismus und Kommunismus hingezogen. Feltrinelli hatte erst kürzlich einen Verlag gegründet und war speziell an zeitgenössischer Literatur aus der Sowjetunion interessiert. Er zielte darauf ab, seinem Verlag mit einem bedeutenden literarischen Fang weltweite Anerkennung zu verschaffen.

D'Angelo fragte Wladlen Wladimirski, einen russischen

Kollegen bei Radio Moskau, ob er wohl Kontakt zu Pasternak aufnehmen und einen Termin mit ihm vereinbaren könnte. Wladimirski, der nicht nur selbst sehr daran interessiert war, den berühmten Dichter kennen zu lernen, sondern auch daran, mit d'Angelo sein Italienisch zu praktizieren, war zu gerne bereit, den gutaussehenden Abgesandten auf seinem Besuch in Peredelkino zu begleiten.

Am 20. Mai bestiegen Wladimirski und d'Angelo am Moskauer Kiew-Bahnhof den elektrisch betriebenen Zug und stiegen fünfzig Kilometer südwestlich davon am Bahnhof der Schriftstellerkolonie Peredelkino aus. Sie wanderten über die schmalen, unbefestigten Straßen und freuten sich an der herrlichen, frühlingshaften Landschaft. Sie kamen an einsamen Datschen vorbei und fanden schließlich diejenige, die sie suchten. Pawlenko-Straße Nr. 3.

Boris stand in seinen Arbeitsklamotten im Gemüsegarten und schnitt die Büsche zurecht. Als er die unerwarteten Besucher sah, »kam er mit breiten Lächeln herüber, stieß das kleine Gatter auf und streckte die Hand aus«; d'Angelo zufolge »war sein Händedruck angenehm und fest«.[373] Er lud die beiden ein, sich mit ihm auf zwei Holzbänke in die Sonne zu setzen. Boris wollte wissen, wie Sergio zu seinem Familiennamen gekommen war, der »vom Engel« bedeutete. D'Angelo erläuterte, dass der Name byzantinischen Ursprungs sei und in Italien ein keineswegs ungewöhnlicher Familienname. Daraus entspann sich eine Unterhaltung, besser gesagt, ein Monolog von Boris über d'Angelos Heimatland. Boris erzählte, dass er das Land 1912 bereist hatte, als er in Marburg studierte. Er hatte Venedig und Florenz besucht und wäre gern nach Rom weitergefahren, doch aus Geldmangel musste er nach Deutschland zurückkehren. Typisch für ihn, unterbrach er sich dann und fragte die jungen Männer, was der Grund ihres Besuches sei.[374]

D'Angelo begann mit seiner Präsentation. Er sprach hervorragend Russisch und wandte sich nur gelegentlich an Wladimirski, wenn er bei einem Wort oder einer Redewendung Unterstützung brauchte. Er berichtete, dass er als Literaturagent für Feltrinelli Editore arbeitete und der Verlag daran interessiert wäre, Boris' Roman zu veröffentlichen. Pasternak machte eine wegwerfende Handbewegung: »In der UdSSR«, sagte er, »wird der Roman nicht erscheinen. Er entspricht nicht den offiziellen kulturellen Richtlinien.«[375] D'Angelo hielt diese Prophezeiung für »viel zu pessimistisch«. Er entgegnete, dass die Veröffentlichung des Buches im sowjetischen Rundfunk bereits angekündigt worden war und dass es seit Stalins Tod eine Lockerung der Restriktionen gebe und eine größere Empfänglichkeit für neue Ideen. Er erklärte Boris, dass nun alle im Westen vom »Tauwetter« sprächen, also von einer Lockerung der Einflussnahme unter Nikita Chruschtschow. (Der Begriff »Tauwetter« entstammt Ilja Ehrenburgs gleichnamiger Erzählung, die 1954 veröffentlicht werden konnte, nachdem sie ursprünglich unter dem Titel »Ottopel« in *Nowy Mir* abgedruckt worden war.)

D'Angelo unterbreitete Pasternak ein »vernünftiges« Angebot. »Sie überlassen mir ein Exemplar von *Doktor Schiwago* für Feltrinelli, der die italienische Übersetzung sofort in die Wege leiten wird, um sich einen Vorsprung vor anderen westlichen Verlagen zu sichern«, erklärte er. »Er [Feltrinelli] seinerseits verpflichtet sich, die italienische Ausgabe erst freizugeben, nachdem die russische Version publiziert worden ist.«[376]

In seinem Eifer, sich das Manuskript zu sichern und seine Spesen gegenüber dem reichen Italiener zu rechtfertigen, hatte d'Angelo bestimmt keine klare Vorstellung davon, was Pasternak riskierte, falls er das Manuskript in ausländische Hände gab. Pasternak war nur allzu bewusst, dass die ungenehmigte Publikation eines in der Sowjetunion noch nicht erschienenen Werks im Westen ihm den Vorwurf der Illoyalität einbringen und ihn und seine Familie in Gefahr bringen konnte. Und natürlich auch Olga.[377]

Boris wurde still. »Urplötzlich wurde mir klar, dass der Schriftsteller mir kaum zuhörte, sondern seinen eigenen Gedanken nachhing«, sagte d'Angelo. »Deshalb formulierte ich mein Angebot abermals und versuchte diesmal, sogar noch präziser und überzeugender zu sein.«[378]

Nach einer angespannten Pause sagte Boris: »Kümmern wir uns erst einmal nicht darum, ob die sowjetische Ausgabe irgendwann herauskommen wird oder nicht. Ich bin bereit, Ihnen den Roman zu geben, solange Feltrinelli verspricht, ein Exemplar davon, sagen wir innerhalb der nächsten paar Monate, an andere Verlage in wichtigen Ländern, in erster Linie nach Frankreich und England zu schicken. Was denken Sie? Können Sie das in Mailand erfragen?«[379] D'Angelo versicherte ihm, dass dies nicht nur möglich, sondern sogar unvermeidlich sei, zumal Feltrinelli ein großes Interesse daran hätte, ausländische Rechte an dem Buch zu verkaufen.

Boris entschuldigte sich und ging langsam zur Datscha. Kurze Zeit später erschien er mit einem in Zeitungspapier eingewickelten Paket. Das Manuskript bestand aus 433 eng mit der Maschine beschriebenen Seiten und hatte fünf Teile. Jeder dieser Teile war in weiches Papier oder Karton gebunden und wurde von einer Schnur zusammengehalten, die durch grob gestanzte Löcher in den Seiten gefädelt und dann verknotet worden war. Der erste Abschnitt war mit 1948 datiert, und der Text war übersät mit Pasternaks handschriftlichen Korrekturen.[380]

»Das ist Doktor Schiwago«, sagte Pasternak und übergab das Paket. »Möge der Text um die Welt gehen.«[381] D'Angelo erklärte, dass er das Manuskript Feltrinelli schon in wenigen Tagen geben könne, denn er plane eine Reise in den Westen.[382]

Es war kurz vor Mittag, und die Männer unterhielten sich noch ein Weilchen. Als sie am Gartentor standen ... und einander auf Wiedersehen sagten, lag ein seltsamer Ausdruck auf Pasternaks Gesicht – bitter, ironisch. Er sagte zu dem Italiener: »Hiermit sind Sie zu meiner Hinrichtung eingeladen.«[383]

Am frühen Abend desselben Tages kehrte Olga von einem erfolgreichen Besuch aus Moskau zurück, wo sie sich abermals mit Verlegern in der Stadt getroffen hatte. Boris hastete die Straße hinauf zum Bahnhof, um sie abzuholen. Sie war bester Stimmung. *Nowy Mir* hatte bestätigt, einige Auszüge aus dem Roman veröffentlichen zu wollen. Bevor sie diese aufmunternden Nachrichten loswerden konnte, verkündete Boris begeistert:

Oljuscha, denk Dir, ich bekam mitten in der Arbeit Besuch von zwei jungen Leuten. Der eine ist so ein richtig netter Junge, gut gewachsen, jung, sympathisch ... Du würdest entzückt von ihm sein! Und weißt Du, er hat so einen fabelhaft extravaganten Namen: Sergio d'Angelo! Dieser d'Angelo also kam mit einem Mitglied unserer Botschaft in Italien, Wladimirow heißt der. Sie sagten, sie hätten im Radio die Meldung über meinen Roman gehört, und Feltrinelli, das ist einer der wichtigsten Verleger in Italien, interessiere sich dafür. Der d'Angelo ist Feltrinellis Emissär. Natürlich ist das sein Privatjob. ...
Im übrigen ist der Mitglied der italienischen kommunistischen Partei und Mitarbeiter der italienischen Sektion unseres Moskauer Rundfunks.[384]

»Boris Leonidowitsch spürte genau, daß er etwas entsetzlich Dummes angestellt hatte«, erinnerte sich Olga, »und war in Unruhe, wie ich reagieren würde. An seinem schmeichelnden Ton merkte ich: Er war zufrieden mit seiner Tat, und zugleich war ihm nicht wohl dabei. Nun lauerte er ungeduldig darauf, daß ich sein Vorgehen billigte.«[385]

Aber Olga dachte gar nicht daran, ihm zur Übergabe des Manuskripts zu gratulieren, sondern war außer sich. »Um Himmels willen, was hast du da angerichtet?«, schimpfte sie. »Stell dir doch vor, wie man jetzt die Hunde auf dich loslassen wird. Ich habe gesessen. Und schon damals versuchte man in der Lubjanka fortwährend, mich über den Inhalt des Romans auszuhorchen. Kriwitzkij [Mitherausgeber der *Nowy Mir*] hat doch nicht von ungefähr gesagt, sie könnten nur Teile des Romans drucken. Sie *können* einfach das Ganze nicht drucken. Sie wollen die scharfen Ecken vermeiden und publizieren, was ohne spätere Komplikationen gedruckt werden kann. Du weißt doch, wie sehr sie darauf aus sind und darauf aus sein *müssen*, sich selber zu decken. Ich verstehe einfach nicht, wie du das tun konntest! …«[386]

»Ach, Oljuscha, warum plusterst du dich auf? Das ist doch alles unwichtig«, rechtfertigte er sich schwach. »Sollen sie es erst mal lesen. Vielleicht gefällt es ihnen ja. Dann können sie damit machen, was sie wollen.« »Aber Borja«, rief Olga, »das ist ja eine Druckgenehmigung! Begreifst du das denn nicht? Sie fassen das doch als deine Zustimmung auf! Und das gibt unweigerlich einen wahnwitzigen Zirkus. Du wirst es erleben!«

Olga, deren traumatische Erlebnisse im Gulag nicht lange zurücklagen, war nicht absichtlich prophetisch. Sie wusste um das große Interesse, das ihr Vernehmungsbeamter Semjonow an dem noch nicht geschriebenen Roman gezeigt hatte, und um seinen Verdacht, *Doktor Schiwago* sei ein Ausdruck literarischer Opposition. Ihr war bewusst, dass Goslitizdats Versprechen, das Buch zu publizieren, einer Atmosphäre wachsender sozialer Liberalisierung entsprang, doch der Ungarn-Aufstand im Herbst 1956 gab Moskau den Anlass, die Daumenschrauben erneut anzuziehen und Pasternaks Roman auf Eis zu legen.

Boris reagierte pikiert auf Olgas Reaktion. »Also gut, du musst tun, was du für richtig hältst, Oljuscha«, sagte er. »Von mir aus, ruf diesen Italiener an – denn ich werde nichts ohne dich unternehmen – du kannst diesen Italiener anrufen und ihm sagen, dass er den Roman zurückgeben soll, wenn du dich darüber so aufregst. Dann müssen wir uns allerdings ein bisschen dumm stellen: Sag ihm, dass die Art, wie Pasternak ihm den Roman gegeben hat, wirklich typisch für ihn ist, aber was denkst du selbst?« Doch Olga wusste ganz genau, dass Boris sich längst entschieden hatte. Nachdem er zwanzig Jahre lang an einem Werk gearbeitet hatte, das ihm so sehr am Herzen lag, wollte er es nun veröffentlicht sehen. Und wenn das zu Hause nicht möglich war, dann sollte es eben im Westen erscheinen.

Das Exemplar, das er Sergio d'Angelo überreicht hatte, war nicht das einzige, das aus der Sowjetunion herausgeschmuggelt wurde. Er gab auch Abschriften an Ziemowit Fedecki (seinen Freund und zugleich Übersetzer für Polnisch), an den Oxford-Literaten Isaiah Berlin und an Professor George Katkov, die das Werk in England in Umlauf bringen sollten. Auch Hélène Peltier und Jacqueline de Proyart (beide französische Slawistinnen, die später bei der französischen Übersetzung des Romans zusammenarbeiteten) erhielten Kopien.[387] Doch dass eine ausländische Veröffentlichung einer russischen Ausgabe zuvorkommen würde, hatte er vorher weder beabsichtigt noch in Betracht gezogen. Ohne den italienischen »Engel« hätte *Doktor Schiwago* kaum eine derartige internationale Zugkraft gewonnen.

Ironischerweise erwuchs daraus das einzige Ereignis, bei dem Sinaida und Olga sich einig waren. Beide lebten in ständiger Angst, dass der Roman veröffentlicht werden könnte, und hielten Boris, wie Stalin ihn einmal genannt hatte, für einen »heiligen Narren«.

Am Tag nach d'Angelos Besuch übergab Pasternak ein weiteres Exemplar des Manuskripts an Fedecki, den er 1945 kennen gelernt hatte, als Fedecki Pressesprecher der polnischen Botschaft in Moskau wurde. Bei dem Zusammentreffen war auch der polnische Dichter Wiktor Woroszylski zugegen. Gemeinsam spazierten die Männer auf dem gleichen Weg wie tags zuvor d'Angelo und Wladimirski vom Bahnhof aus durch die reizvolle ländliche Umgebung, vorbei an Wiesen und Silberbirken, zu Pasternaks Datscha. Boris bat sie herein, und beim Tee übergab er ihnen sein Manuskript. »Das ist wichtiger als Gedichte. Ich habe sehr lange daran gearbeitet«, erzählte er seinen Gästen und reichte Fedecki »zwei dicke, gebundene Folianten«.[388]

Woroszylski erinnerte sich: »Wir schauten zur Tür: Dort stand Sinaida Nikolajewna, eine hochgewachsene, massige, leicht vornübergebeugte Frau. Wir hatten sie nicht hereinkommen hören, spürten aber ihre Präsenz. Sie sah Jamomir [Ziemowit Fedecki] missbilligend an: »Sie müssen wissen, dass ich dagegen bin! Boris Leonidowitsch leidet unter Gedankenlosigkeit: Gestern gab er den Italienern ein Exemplar, und heute Ihnen. Er erkennt die Gefahr nicht, und ich muss auf ihn aufpassen.«

»Aber Sinaida Nikolajewna«, antwortete der Dichter, »alles hat sich verändert. Es ist an der Zeit, die Ängste zu vergessen und normal zu leben.«[389]

Einer von Boris' Freunden berichtete Olga, dass er eine ähnliche Unterhaltung im Großen Haus zwischen Pasternak und Ettore Lo Gatto, einem italienischen Wissenschaftler mitgehört hatte. Gatto hatte eine Geschichte der russischen Literatur und des russischen Theaters geschrieben. Im Verlauf der Unterhaltung sagte Boris, er sei bereit, sich allen Schwierigkeiten zu stellen, wenn nur der Roman veröffentlicht werde. Als Sinaida geiferte: »Ich habe die Nase voll von solchen Schwierigkeiten«, entgegnete Boris seelenruhig: »Ich bin Schriftsteller. Ich schreibe, um gedruckt zu werden.«[390]

Sergio d'Angelo brachte seinen literarischen Schatz nach Deutschland, er flog nach Ostberlin und nahm sich ein Hotelzimmer im Westen der Stadt, von wo aus er Feltrinelli in Mailand anrief und um Instruktionen bat. Bei seiner Abreise aus Moskau war er nicht durchsucht worden, und das Manuskript lag nun eingepackt und unangetastet in seinem Koffer. Feltrinelli schätzte die Brisanz dieser kostbaren Fracht vermutlich besser ein und beschloss, am folgenden Tag nach Deutschland zu reisen, um das Manuskript selbst abzuholen. Am nächsten Morgen wanderte das *Schiwago*-Manuskript dann in d'Angelos Zimmer in dem kleinen Hotel in der Joachimstaler Straße nahe der eleganten Einkaufsstraßen Berlins wie Schmuggelware von dem einen Koffer in den anderen.

Die nächsten zwei Tage spazierten die beiden Männer durch Berlin, gingen shoppen, aßen in Gartenrestaurants und unterhielten sich über d'Angelos erste Eindrücke vom Leben in der Sowjetunion. »Irgendwann fragte mich Feltrinelli dann, ob es in Moskau Prostituierte gebe«, erinnerte sich d'Angelo. »Als ich ihm erzählte, dass ich an den größeren Hotels welche gesehen hatte (wo sie oft auch Ausländer ausspionierten), war er offenbar sehr überrascht und ernüchtert.«[391]

Bevor der kommunistische Verleger am darauffolgenden Morgen wieder nach Mailand flog, wollte er noch unbedingt ein Fernglas für seine Yacht kaufen.

Sobald Feltrinelli aus Berlin zurückgekehrt war, schickte er das Manuskript an einen Übersetzer, da er kein Russisch lesen konnte. Pietro Zweteremitsch, ein italienischer Slawist, wurde beauftragt, den Roman im Hinblick auf eine mögliche Publikation zu prüfen. Sein Verdikt: »Einen solchen Roman nicht zu veröffentlichen wäre ein Verbrechen an der Kultur.«[392] Am Tag nach d'Angelos Besuch war Olga unverzüglich wieder mit dem Taxi nach Moskau gefahren, um Nikolaj Bannikow zu treffen. Bannikow war Boris' Freund und Lektor seiner Lyrikanthologie, die Goslitizdat zusammen mit einem Vorwort mit autobiographischen Anmerkungen veröffentlichen wollte. Olgas Verärgerung, als sie erfuhr, dass Boris den Roman aus der Hand gegeben hatte, hatte auch damit zu tun, dass sie befürchtete, Bannikow könnte wütend werden und die Veröffentlichung der Gedichtsammlung vereiteln.

Sie sollte Recht behalten. Bannikow war tatsächlich wütend und alarmiert. Er schimpfte: »Da hat Boris was Schönes angestellt!« Olga besprach mit ihm den einzigen Ausweg: Sie mussten einen Weg finden, den Roman zuerst in Russland zu veröffentlichen. Anschließend machte sie einen weiteren Besuch bei der Verlagslektorin Witaschewskaja, die in der Befehlskette bei Goslitizdat höher angesiedelt war. Olga fand es seltsam, dass Witaschewskaja, die ehemalige Kommandantin eines Arbeitslagers, nun einen Job als Verlagslektorin bekleidete. Olga erzählte ihr in deren Haus, was passiert war: »Witaschewskaja zeigte sehr großes Verständnis und Mitgefühl: ›Wissen Sie, Oljetschka‹, sagte mit ihrer katzenhaft schnurrenden Stimme die ungeheuerlich fette Person, ›lassen Sie mich das Manuskript jemandem ganz oben zeigen. Es kann gut sein, daß sich dann alles einrenkt.‹«[393]

Als eine erschöpfte Olga wieder in der Potapow-Gasse eintraf, übergab ihr der Hausmeister einen versiegelten Umschlag. Es war eine Nachricht von Bannikow: »Wie kann jemand sein eigenes Land so wenig lieben! Man kann Differenzen mit ihm haben, aber was *er* getan hat, ist Verrat. Wie ist es möglich, daß er nicht begreift, was er sich selbst und uns antut.«[394]

Für Boris' Freunde und Lektoren war seine Aktion nur in einer Hinsicht Verrat: Sie drohte ihre Bemühungen, sein Werk in der Sowjetunion zu veröffentlichen, scheitern zu lassen. Nachdem sie herausgefunden hatten, dass der Roman ins Ausland geschickt worden war, schrillten in der Hierarchie des Schriftstellerverbands die Alarmglocken, da Pläne für eine sowjetische Ausgabe nicht verwirklicht werden konnten. Höhere sowjetische Beamte wie Dmitrii Polikarpow, der Leiter der Kulturabteilung des Zentralkomitees der Kommunistischen Partei – der »Wächter der ideologischen Reinheit« – befürchteten eine politisch peinliche Situation, falls eine sowjetische Zeitschrift eine gesäuberte Version von *Doktor Schiwago* akzeptierte, während die Italiener den vollen Text veröffentlichten.

Am folgenden Morgen kehrte Olga nach Peredelkino zurück und zeigte Boris die Nachricht. Wenn sie so wütend auf ihn sei, weil er den Roman aus der Hand gegeben habe, und wenn ihre Freunde so negativ darauf reagierten, sagte er, sollte sie versuchen, ihn von d'Angelo zurückzubekommen. Und er gab ihr die Moskauer Adresse des Italieners.

D'Angelos Wohnung lag in einem großen Gebäude in der Nähe des Kiew-Bahnhofs. Olga war erstaunt, als seine Frau Giulietta, eine ausgesprochene Schönheit mit einem Flair wie ein italienischer Filmstar, die Tür öffnete. Sie war »langbeinig, dunkel, mit lockigem Haar, einem wie gemeißelten Gesicht und unwahrscheinlich blauen Augen«[395]. Da Giulietta nur schlecht Russisch sprach und Olga kein Italienisch, verständigten sie sich mit Händen und Füßen. Aber beide wussten instinktiv, was geschehen war. Olga begriff, was Giulietta ihr zu sagen versuchte: dass ihr Mann niemals die Absicht hatte, Boris in irgendwelche Schwierigkeiten zu bringen.

Nach über einer Stunde einer »in erster Linie gestenreicher und lautstarker als inhaltlich bedeutender Unterhaltung« erschien der blendend aussehende und charismatische d'Angelo«, schrieb Olga. »Er war tatsächlich jung, groß, gut gebaut, mit glatten, schwarzen Haaren, zarten, ikonenhaften Gesichtszügen.«[396] Noch beeindruckter war sie, dass er »ausgezeichnet Russisch mit nur ganz leichtem Akzent« sprach. Mitfühlend wiegte er den Kopf, als Olga erklärte, welch ernste Konsequenzen Pasternak drohten, falls der Roman in Italien veröffentlicht werden sollte, und als sie ihn anflehte, das Manuskript zurückzugeben.

»Zum Zurückgeben ist es leider schon zu spät«, gab er zur Antwort. »Feltrinelli hat schon darin gelesen und sagt, er werde den Roman, koste es, was es wolle, veröffentlichen.«

Als er Olgas entsetztes Gesicht sah, fuhr d'Angelo fort: »Beruhigen Sie sich. Ich werde ihm schreiben, vielleicht kann ich ihn auch telefonisch erreichen. Ich bin mit Feltrinelli befreundet und werde ihm auf jeden Fall von Ihrer Sorge berichten. Vielleicht finden wir einen Ausweg. Aber Sie müssen auch verstehen, daß ein Verleger, der so einen Roman in der Hand hat, sich schwer von ihm trennt! Ich glaube nicht, daß er ihn ohne weiteres wieder herausgibt.«[397]

Olga flehte ihn an, Feltrinelli zu bitten, so lange mit der Veröffentlichung im Ausland zu warten, bis die russische

Ausgabe auf dem Markt war. Wenn d'Angelo tatsächlich mit Feltrinelli darüber sprach, erreichte er damit anscheinend nur, dass der Verleger sich umso brennender wünschte, sich den Roman zu sichern. Mitte Juni schrieb Feltrinelli an Boris und dankte ihm für die Chance, *Doktor Schiwago* zu veröffentlichen. Ein Kurier lieferte persönlich einen Brief ab, in dem die Honorare und die ausländischen Rechte angesprochen wurden, plus zwei Exemplare eines Vertrages. Hätte Boris tatsächlich vorgehabt, die Veröffentlichung zu stoppen, wäre dies der Moment gewesen. Doch im vollen Bewusstsein der potenziellen Gefahr, die ihm drohte, dachte er nicht weiter darüber nach. Er unterzeichnete den Vertrag. D'Angelo zufolge, der den Autor abermals in Peredelkino besuchte, betrachtete Pasternak den Vertrag »als seine geringste« Sorge.[398]

Wie üblich stellte Boris seine Kunst über kommerzielle Überlegungen. Er brauchte Geld, wusste aber, dass es praktisch ausgeschlossen war, in Russland Honorare in Fremdwährung zu bekommen. Ende Juni schrieb er ihm [Feltrinelli], dass er zwar nicht uninteressiert an Geldfragen sei, die geographischen und politischen Verhältnisse jedoch eine Entgegennahme des Honorars verunmöglichten.[399] Ungeachtet dessen traf er eine dreiste und buchstäblich lebensgefährliche »Nach mir die Sintflut«-Entscheidung zugunsten einer Publikation, als er am 30. Juni seinem Verleger schrieb: »Wenn sich die von verschiedenen Zeitschriften in Aussicht gestellte Veröffentlichung verzögern sollte und das Buch bei Ihnen zuerst publiziert wird, werde ich mich in einer auf tragische Weise peinlichen Lage befinden. Das soll Sie aber nicht betreffen. Machen Sie um Gottes willen ohne Zögern mit der Übersetzung der Veröffentlichung des Buches weiter, und ich wünsche Ihnen dazu viel Glück! Ideen werden nicht geboren, um schon im Entstehen versteckt oder unterdrückt, sondern um den anderen mitgeteilt zu werden.«[400]

Damit, dass Feltrinelli diesen Fisch an Land ziehen konnte, hatte er den Jackpot geknackt, der ihm Millionen einbringen sollte. (Später verkaufte er noch die Filmrechte für 450.000 Dollar an MGM.) Paradoxerweise erzielte dieser marxistische Millionär seinen größten Erfolg als kapitalistischer Verleger mit *Doktor Schiwago* und ein Jahr später mit Giuseppe di Lampedusas *Der Leopard. Der Leopard* war zuvor von allen maßgeblichen italienischen Verlagen abgelehnt worden.

Boris' Neffe, Charles Pasternak, lernte Giangiacomo Feltrinelli und seine dritte Frau, die deutsche Fotografin Inge Schönthal, 1963 kennen. Inge war die Mutter von Feltrinellis Sohn und Erben Carlo. Die Feltrinellis waren damals in Oxford bei Charles' Mutter Josephine Pasternak zum Lunch eingeladen. »Ich werde Feltrinelli nie vergessen«, sagte Charles. »Zweifellos der eleganteste und charmanteste Mann, den ich je getroffen habe. Er war außerordentlich gut gekleidet, mit dem für exquisite italienische Schneiderkunst typischen Understatement.«[401] Feltrinelli, der vier Mal heiraten sollte, war ein Playboy mit wachem Blick. Er war alles andere als ein Dilettant, sondern in jeder Hinsicht ein scharfsinniger Profi.

Sobald der Kreml von dem Vertrag mit Feltrinelli Wind bekommen hatte, wurde die KGB-Überwachung im Umfeld Pasternaks intensiviert. Am 24. August schrieb der KGB-General und Leiter der Geheimpolizei, Iwan Serow, ein ausführliches Memorandum, in dem er das oberste Kommando der kommunistischen Führung von der Übergabe des Manuskripts an Feltrinelli informierte. Er erwähnte, dass Pasternak die Übertragung der Rechte an Verleger in England und Frankreich autorisiert hatte.

Der KGB hatte ein Paket abgefangen, das Pasternak an den französischen Journalisten Daniil Reznikow nach Paris geschickt hatte. In einem Brief hatte Boris geschrieben, dass eine Genehmigung, in der Sowjetunion zu publizieren, nicht erteilt worden war. »Ich verstehe sehr gut, dass [der Roman] jetzt nicht veröffentlicht werden kann, und wahrscheinlich wird dies lange so bleiben, vielleicht für immer …« Boris fuhr fort: »Daß sie mich jetzt in der Luft zerreißen werden, sehe ich schon voraus, und Sie werden von ferne und voller Trauer Zeuge dieses Vorgangs werden.«[402]

Eine Woche später bereitete die Kulturabteilung des Zentralkomitees einen ausführlichen Bericht zu dem Roman vor. Das Buch wurde als feindlicher Angriff auf die Oktoberrevolution und als bösartige Schmähschrift der bolschewistischen Revolutionäre verrissen, während Boris als »bürgerlicher Individualist«[403] gegeißelt wurde. Nachdem man *Doktor Schiwago* in dem Memorandum in aller Ausführlichkeit kritisiert hatte, zog man den folgenden Schluss: »Der Roman von B. Pasternak ist eine perfide Verleumdung unserer Revolution und unserer Lebensweise insgesamt. Dieses Werk, das nicht nur ideologisch unseriös, sondern auch antisowjetisch ist, darf niemals veröffentlicht werden. Angesichts der Tatsache, dass B. Pasternak seinen Roman einem ausländischen Verlagshaus übergeben hat, wird die Kulturabteilung des Zentralkomitees der KPdSU über seine freundschaftlichen Beziehungen zu anderen kommunistischen Parteien die nötigen Schritte unternehmen, um zu verhindern, dass dieses diffamierende Buch im Ausland erscheint.«[404]

Olga, die immer noch versuchte, die Autorisierung für eine Veröffentlichung des Buches in Russland zu bekommen, lief »wie ein aufgescheuchtes Huhn«[405] durch Moskau. Die arme Olga war nicht zu beneiden. Als Pasternaks Agentin war sie ausersehen, mit den Moskauer Offiziellen zu verhandeln, die ihrem Anliegen unversöhnlich gegenüberstanden, und musste gleichzeitig ihrem geliebten Boris und seinem Buch treu bleiben. Sie besuchte Wadim Koschewnikow, den Cheflektor der Zeitschrift *Znamia*, die bereits einige der Gedichte aus *Doktor Schiwago* veröffentlicht hatte. Die Zeitschrift hatte ebenfalls ein Exemplar des Romans vorliegen, den Koschewnikow wohl gelesen hatte. Als Olga an den Lektor appellierte, seufzte er: »Ach du liebe Zeit, wie dir das ähnlich sieht! Natürlich mußtest du dich ausgerechnet mit dem letzten in Rußland übriggebliebenen Romantiker einlassen.«[406] Genosse Dmitrii Polikarpow sei ein guter Bekannter, fügte Koschewnikow hinzu. Er wollte ein Treffen mit dem Leiter der Kulturabteilung organisieren, dem sie alles detailliert berichten sollte. Kurz darauf bekam Olga einen Anruf aus dem Zentralkomitee, in dem ihr mitgeteilt wurde, dass ein Passierschein für sie bereitläge.

Olga traf Polikarpow, einen hageren Mann mit wässrigen Augen, in einem der trostlosen Regierungsgebäude in Moskau. Er bestand darauf, dass Olga das Manuskript von den Italienern zurückholte. Olga gab zu bedenken, dass sie es vermutlich nicht zurückbekommen werde und sie die einzige Lösung darin sehe, es schnellstmöglich zuerst in der Sowjetunion zu veröffentlichen. »Nein«, antwortete Polikarpow. »Wir müssen das Manuskript wiederhaben, denn es käme nicht besonders gut an, wenn wir ein paar Kapitel herausschneiden, die sie aber drucken. Der Roman muss um jeden Preis zurückgegeben werden.«

Nach mehreren weiteren Gesprächen mit d'Angelo besuchte sie Polikarpow ein zweites Mal. Sie sagte ihm, dass Feltrinelli, wie sie erfahren habe, das Manuskript nur zum Lesen behalten habe. Allerdings werde er sich nicht davon trennen. Er sei bereit, die Verantwortung zu tragen, und nehme dieses »Verbrechen« auf sich. Olga berichtete Polikarpow tapfer, dass Feltrinelli nicht an eine Veröffentlichung des Manuskripts durch die Russen glaubte und es für ihn ein noch größeres Verbrechen wäre, der Menschheit ein Meisterwerk vorzuenthalten.

Polikarpow rief in Olgas Gegenwart Anatoli Kotow an, den Direktor von Goslitizdat. Er befahl Kotow, einen Vertrag mit Pasternak aufzusetzen und einen Lektor zu organisieren. »Der Lektor sollte sich Gedanken darüber machen, welche Passagen abgeändert oder gestrichen werden müssen und was unverändert bleiben kann.«

Als Boris Leonidowitsch von diesem Gespräch erfuhr, äußerte er sich nicht sofort dazu.[407] Später notierte er: »… Bin nicht daran interessiert, daß der Roman gedruckt wird, solange man ihn nicht vollständig herausbringen kann.«

Olga wurde beauftragt, mit d'Angelo in Verbindung zu bleiben und auf jeden Fall das Manuskript wiederzubeschaffen. Sie sollte Feltrinelli die erste Option auf ein Umbruchexemplar des überarbeiteten Texts anbieten, der in Russland veröffentlicht werde. Feltrinelli war weiterhin nicht kompromissbereit; er bezweifelte die Wahrscheinlichkeit einer sowjetischen Ausgabe. »Man hätte annehmen sollen, es sei das Selbstverständlichste von der Welt, daß der Roman nun tatsächlich in der Sowjetunion erscheinen würde. Doch diejenigen, die die endgültige Entscheidung zu treffen hatten, waren von Angst geschüttelt«, sagte Olga.[408]

Boris sah das ganz genauso. Obwohl der KGB ihm immer mehr zusetzte – von November 1956 bis Februar 1957 wurde fast seine gesamte eingehende und ausgehende Post abgefangen –, verteilte er weiterhin Abschriften des Manuskripts an verschiedene ausländische Besucher in Peredelkino. Das war extrem waghalsig. Als er der französischen Wissenschaftlerin Hélène Peltier ein Exemplar des Manuskripts gab, vertraute er ihr auch eine Notiz für Feltrinelli an, die auf einen schmalen Papierstreifen getippt und undatiert war. »Sollten Sie je einen Brief in irgendeiner anderen Sprache als Französisch erhalten, dürfen Sie auf gar keinen Fall tun, was von Ihnen verlangt wird – nur die auf Französisch verfassten Briefe sind gültig.«[409]

In jenem August reiste Isaiah Berlin mit Sinaidas erstem Ehemann Heinrich Neuhaus von Moskau nach Peredelkino, wo sie zum Sonntags-Lunch eingeladen waren. Im Zug bearbeitete Neuhaus Isaiah Berlin, Boris davon zu überzeugen, die Publikation im Ausland zu stoppen. Er sagte: »Es ist wichtig – mehr als wichtig – vielleicht eine Angelegenheit von Leben und Tod.« Berlin stimmte zu, dass »Pasternak wahrscheinlich tatsächlich physisch vor sich selbst geschützt werden müsse.«[410]

Doch statt sich von einer Veröffentlichung im Westen abbringen zu lassen, drückte Boris das Manuskript Berlin in die Hand mit der Bitte, es zu lesen und dann nach England zu seinen Schwestern Josephine und Lydia in Oxford mitzunehmen. Am folgenden Tag las Berlin den Roman: »Im Unterschied zu einigen Lesern dieses Buches in der Sowjetunion als auch im Westen hielt ich es für ein Meisterwerk. Meiner Ansicht nach vermittelte es und vermittelt es noch immer eine breite Palette menschlicher Erfahrung, und in einer beispiellosen, imaginativen Sprache erschafft es eine ganze Welt, auch wenn sie nur einen einzigen wirklichen Bewohner hat.«[411]

Beim Lunch nahm Sinaida Berlin zur Seite und flehte ihn unter Tränen an, Boris zu überreden, nicht im Ausland zu publizieren. Sie, die unermüdlich beschützende Mutter, wollte verhindern, dass ihre Kinder weiterhin litten. Sie glaubte, dass Leonid, der sich für die Moskauer Höhere Technische Schule beworben hatte, vorsätzlich abgelehnt wurde, weil er Boris Pasternaks Sohn war. Sie erzählte Berlin auch, dass Evgenij, Boris' ältester Sohn, im Mai 1950 daran gehindert wurde, sein Aufbaustudium an der Moskauer Militärakademie abzuschließen, und dass man ihn stattdessen im Rahmen von Stalins antisemitischer Kampagne als Wehrpflichtigen in die Ukraine geschickt hatte.

Behutsam schnitt Berlin das Thema Konsequenzen für die Familie Pasternak an, falls Boris sich weiterhin den Behörden widersetzen sollte. Er versicherte Boris, dass das Buch, selbst wenn es in naher Zukunft nicht veröffentlicht werde, sich letztendlich doch behaupten werde. Er sagte, er würde an seiner Stelle Mikrofilme in allen Himmelsrichtungen vergraben, um sicherzustellen, dass der Roman sogar einen Atomkrieg übersteht. Fuchsteufelswild entgegnete Boris, dass er bereits mit seinen Söhnen gesprochen habe »und dass sie bereit seien, Leid auf sich zu nehmen.« Berlin zog daraus den Schluss, dass Boris die Publikation mit »offenen Augen«[412] weiterverfolgen wollte. Auch wenn er sich immer gern als naiv hinstellte, spielte der Schriftsteller offenbar sein eigenes, sehr riskantes russisches Roulette.

Am 14. August schickte Boris aus Peredelkino einen an Lydia, Josephine und Frederick adressierten Brief (der erste seit fast zehn Jahren, den Boris schreiben durfte, nachdem die Restriktionen im »Tauwetter« gelockert worden waren). Er berichtete seiner Familie, dass Isaiah Berlin ihn besucht habe und ihnen ein Exemplar des Manuskripts nach Oxford mitbringe. Er bat sie, zwölf Transkriptionen davon anzufertigen und sie an die »namhaftesten Russen« zu schicken und »unbedingt [an Maurice] Bowra[413]«, beziehungsweise an »meinen lieben und mehr als lieben, dreifach lieben Bowra«, wie Boris es ausdrückte. Der klassische Philologe, Professor für Lyrik und Rektor des Wadham College, Oxford, war ein einflussreicher Verfechter von Pasternaks Werk und hatte den Dichter wiederholt für den Literatur-Nobelpreis vorgeschlagen.

Pasternak erzählte seiner Familie von dem Roman. Nachdem er seine Befürchtung wiederholte, dass ihnen große Teile davon nicht gefallen würden, fasste er zusammen: »Und dennoch, dennoch ist es ein großes Werk, ein Buch von gewaltiger, von Jahrhundertbedeutung, dessen Schicksal zwar meinem eignen Schicksal und Wohlergehen nicht unterzuordnen, doch dessen Existenz und Eintritt in die Welt dort, wo das möglich ist, wichtiger und teurer ist als meine eigne Existenz. Darum können mich Argumente der Vorsicht und Vernunft, die mir B[erlin] anführte, nach einigen mit dem Buch schon verbundenen Umständen, von denen er euch erzählen wird, nicht erreichen.«[414]

* * *

Anfang September zitierte der Generaldirektor des Auslandsnachrichtenbüros von Radio Moskau Sergio d'Angelo in sein Büro. D'Angelo vermutete, er solle sich einen Rüffel abholen. Sein »exaltierter Arbeitgeber« saß hinter einem »riesigen Schreibtisch, auf dem verschiedene sperrige Gegenstände aus Marmor und Bronze standen.«[415] Er fragte d'Angelo mit einstudierter Beiläufigkeit, ob er zufällig im Besitz eines unveröffentlichten Romans von Pasternak sei. D'Angelo erwiderte, dass er ein Exemplar von *Doktor Schiwago* einige Tage lang gehabt habe und es dann – »da der Roman, wie im Rundfunk angekündigt, in der UdSSR veröffentlicht werden sollte, woran sich der Herr Generaldirektor bestimmt noch erinnern wird« – einem Freund im italienischen Verlagswesen übergeben hatte, der daran interessiert war, das Werk auch in Italien

zu drucken.[416] D'Angelo war von der Reaktion des General-
direktors überrascht. Statt ihm die Hölle heiß zu machen, verabschiedete er sich in aller Freundlichkeit von ihm.

D'Angelo reiste zu einem Kurzbesuch nach Peredelkino,
wo er Pasternak »bei guter Laune und offen wie immer« an-
traf. Boris bestätigte, dass er den Vertrag mit Feltrinelli unterschrieben hatte, und erzählte dann von seinem Treffen mit
Anatoli Kotow, dem Direktor von Goslitizdat, der ihm versichert habe, dass sie *Doktor Schiwago* veröffentlichen würden,
allerdings erst, nachdem sie ihn »literarisch auseinanderge-
pflückt hätten.« Ein solcher Kompromiss sei »vollkommen
absurd«, wie der verstimmte Schriftsteller achselzuckend anmerkte.[417] Die beiden Männer unterhielten sich dann darüber,
was Goslitizdat wohl bewogen haben könnte, sich ein solches
Angebot auszudenken. Pasternak war nach wie vor überzeugt
davon, dass die Herausgeber genau wussten, dass er niemals
seine Zustimmung für die Zensur seines Werks geben würde.
Sie spielten vielmehr auf Zeit und hofften, dass Feltrinelli
irgendwann einknicken und sein Vorhaben aufgeben würde,
den Roman zu veröffentlichen.

D'Angelo versicherte Pasternak, Goslitizdats Überlegungen seien völlig realitätsfremd. »Feltrinelli ist fest entschlossen, sein Verlagshaus ganz groß herauszubringen, und auf der
Suche nach einem durchschlagenden literarischen Coup«,
sagte d'Angelo zu Boris. »Und sollte er irgendeinen Zweifel
haben, welches Werk mit diesem Coup gemeint sein könnte,
gibt es immer noch seine Kollegen, die sicherstellen werden,
dass es nur Doktor Schiwago sein kann.« D'Angelo erinnerte
Pasternak auch daran, dass sich Feltrinelli trotz seiner im-
merwährenden Loyalität gegenüber der Kommunistischen
Partei niemals einer derart himmelschreienden Art von Zensur unterwerfen werde. Im Gegenteil: Er würde erhobenen

Hauptes auf sein Recht pochen, für die künstlerische Freiheit einzutreten. »Pasternak zuckte resigniert die Achseln. ›Ich hoffe, dass das so ist‹, war seine einzige Antwort.«[418]

Mitte September wies der Redaktionsbeirat von *Nowy Mir* den Roman mit einer langen beißenden Zurechtweisung formell zurück: »Was uns an Ihrem Roman gestört hat, kann weder von den Redakteuren noch vom Autor durch Kürzungen oder Textänderungen korrigiert werden. Wir meinen den Geist, in dem dieser Roman geschrieben ist, seinen allgemeinen Tenor, die Sicht des Autors auf das Leben.… Ihr Roman ist im Geiste der Nichtakzeptanz der sozialistischen Revolution geschrieben. Sein allgemeiner Tenor lautet, dass die Oktoberrevolution, der Bürgerkrieg und die damit verbundene gesellschaftliche Wandlung dem Volk nichts als Leiden gebracht und die russische Intelligenzija sowohl physisch wie moralisch zerstört hat.«[419]

Dieser Schmähbrief wurde hauptsächlich von Olgas ehemaligem Kollegen Konstantin Simonow verfasst. Vier weitere Beiratsmitglieder, darunter Boris' direkter Nachbar Fedin, unterzeichneten das Schriftstück. Sie verurteilten die »Bösartigkeit« von Juri Schiwagos Feststellungen zur Revolution: »Ein paar Seiten sind wirklich erstklassig, vor allem jene, auf denen Sie die russische Landschaft mit bemerkenswerter Wahrheitstreue und poetischer Kraft beschreiben. Viele Seiten aber sind eindeutig minderwertig, leblos und didaktisch trocken – vor allem in der zweiten Hälfte des Romans.«[420]

Der Brief wurde zusammen mit dem Manuskript per Boten zu Pasternaks Datscha gebracht. Typisch für Boris, der die Kritik an sich abprallen ließ, war, dass er eine Woche, nachdem er den ätzenden Brief erhalten hatte, Fedin trotzdem zum Sonntagslunch einlud. Zu den anderen erwarteten Gästen sagte er: »Ich habe auch Konstantin Aleksandrowitsch

[Fedin] eingeladen: genauso herzlich und vorbehaltlos wie in den vergangenen Jahren – seien Sie also nicht überrascht.« Als sein Nachbar eintraf, bat Pasternak Fedin, die Ablehnung nicht zu erwähnen, und die beiden Männer umarmten sich.

Anfang des Jahres 1957 wurden die sowjetischen Behörden zunehmend unruhig angesichts der Tatsache, dass Feltrinelli alle Einladungen und Befehle, das Manuskript zurückzugeben, ignoriert hatte. In einem Versuch, den Druck auf den italienischen Verleger zu erhöhen, schrieb Goslitizdat an Feltrinelli, dass der Roman im September in der Sowjetunion publiziert werde und man ihn bitte, die Veröffentlichung so lange aufzuschieben. Feltrinelli antwortete auf konziliante Weise, dass er keine Probleme hätte, dieser Bitte zu entsprechen. Doch Olga gab zu bedenken: »Daß der Brief des Verlags nichts anderes war als ein Winkelzug, um Zeit zu gewinnen, ging… aus dem Zeitpunkt hervor, zu dem er geschrieben wurde.«[421]

Am 7. Januar unterschrieb Pasternak den Vertrag mit Goslitizdat. Weder er noch Olga glaubten dem Herausgeber Anatoli Starostin, der Folgendes zum Roman sagte: »Ich werde daraus etwas machen, das den Ruhm des russischen Volkes widerspiegelt.«[422] Starostin war nur ein Mittel zum Zweck und der Vertrag ein Trick, um weiterhin auf Feltrinelli einwirken zu können, das Manuskript zurückzubekommen. So viel war klar: Die sowjetischen Behörden wollten nicht, dass der Roman veröffentlicht wurde, weder in Russland noch im Ausland.

Gegen Ende jenes Jahres, am 16. Dezember, schrieb Boris an einen Freund: »Vor ungefähr einem Jahr hat Goslitizdat einen Vertrag mit mir über die Publikation des Buches abgeschlossen. Wäre es tatsächlich veröffentlicht, gekürzt und zensiert worden, hätte es die Hälfte des Ärgers und der Probleme gar nicht erst gegeben. Schließlich wurden auch Tolstojs *Auferstehung* und eine Menge anderer Bücher vor der Revolution hier und im Ausland in zwei voneinander abweichenden Ausgaben publiziert, und niemand hatte Angst oder schämte sich für irgendetwas, die Leute konnten ruhig schlafen, und die Katastrophe blieb aus.«[423]

Mitte Februar, als die Anspannung darüber eskalierte, dass die Veröffentlichung verhindert wurde, erkrankte Boris. Er hatte an einer schmerzhaften Krankheit gelitten, hinter der viele eine Arthritis im rechten Knie des Beines vermuteten, das er sich als Kind bei einem Reitunfall gebrochen hatte. Zuerst wurde er in der Moskauer Klinik behandelt und dann in eine Dependance des Kreml-Krankenhauses nach Uzkoe verlegt, wo man nur bedeutende sowjetische Bürger behandelte; er war über vier Monate lang nicht in Peredelkino.

In jenem Winter hatte das Moskauer Kunsttheater begonnen, an einer Neuproduktion von *Maria Stuart* zu arbeiten, dem Drama Friedrich Schillers über die letzten Tage der Königin von Schottland. Pasternak hatte das Drama auf Wunsch des Theaters übersetzt. Bevor er erkrankte, hatte er mit großer Freude die Proben mit Alla Tarasowa besucht, einer der führenden Moskauer Schauspielerinnen in der Hauptrolle. Am 7. Mai schrieb er aus dem Kreml-Krankenhaus an Tarasowa: »Am 12. März war ich gerade auf dem Weg in die Stadt, um mir eine der letzten Proben, die Kostümprobe, anzusehen. Ich hatte Sie bereits in verschiedenen Szenen gesehen und also schon eine klare Vorstellung davon, welche Offenbarung Ihre Maria Stuart alles in allem sein würde. Und plötzlich, als ich die vordere Treppe unserer Veranda herunterkam, schrie ich auf, weil mir ein unerträglicher Schmerz ins Knie schoss, in dasselbe Knie, das ich vor Ihnen in nächster Zukunft beugen wollte, und ich konnte keinen Schritt mehr laufen.«[424]

Olga zufolge »waren die Schmerzen für ihn fast unerträglich, und er fürchtete, sterben zu müssen.« (Aber das hielt ihn nicht davon ab, an einer einbändigen Gedichtsammlung zu arbeiten, sobald die Schmerzen so weit nachließen, dass er einen Bleistift halten konnte.) Aus Angst um sein Leben und dass er Olga nie mehr wiedersehen würde, schrieb er ihr von seinem Krankenbett aus neun Briefe:

In der Nacht vom 1. auf den 2. April:
… Bestimmt bitte ich Dich bald um Deinen Besuch … Ich muß Dich noch ein letztes Mal sehen und Dich segnen für dieses lange Leben in mir und ohne mich, für die Aussöhnung mit allen, für die Sorge um sie. Ich küsse Dich … Ich danke Dir unendlich. Danke. Danke. Danke.

6. April 1957:
Oljuscha, mein Liebes …
Die Nacht war ein Alptraum. Ich konnte nicht eine einzige Minute schlafen, wälzte mich im Bett und konnte keine auch nur einigermaßen erträgliche Lage finden. So kann es nicht weitergehen. Wir waren wie verhätschelte Kinder, ich bin ein Narr und Taugenichts sondergleichen. Jetzt habe ich die verdiente Strafe. Verzeih, aber was wäre sonst zu sagen? Schmerzen im Bein, Schwäche, Übelkeit. Du kannst Dir nicht vorstellen, wie krank ich bin. Ich meine nicht die Lebensgefahr, sondern die Schmerzen. Sollte es mir Dienstag auch nur ein bißchen wohler sein, lasse ich Dich rufen. In meinem

jetzigen Zustand ist mir alles zuwider – das Leben, die Welt.

Ich küsse Dich. Sei mir nicht böse. Sag Ira meinen Dank für ihren Brief. …

[Undatiert]

Oljuscha, … Sag Deiner Mama und allen anderen: Das Sterben fürchte ich nicht, aber ich wünsche es mir so, daß es schnell geht. Alles hat sich verschlimmert, es wird immer komplizierter; meine organischen Funktionen schwinden dahin bis auf zwei: die Fähigkeit, nicht zu schlafen, und die Fähigkeit, mich zu quälen. Auf welche Seite ich mich auch lege, ich finde keine erträgliche Lage. Nicht einmal Du kannst Dir dieses Elend vorstellen.[425]

Die hier von Boris demonstrierte Konzentration auf sich selbst raubt einem den Atem. Wie konnte er an Olgas Fähigkeit zweifeln, sich nach ihrem Schlafentzug in der Lubjanka und den qualvollen Jahren im Gulag Elend, Leiden und Schmerzen vorzustellen?

Er schloss seinen Brief: »Bleib geduldig. Komm nicht her. Ich rufe Dich wieder unverhofft. Wann, das weiß ich nicht.

Gestern hast Du es ja gesehen. Völlig kraftlos vor Schmerzen.«

Sinaida, die Boris jeden Tag besuchte, reagierte verstimmt, als ein Mitarbeiter des Krankenhauses sie bei einem Besuch fragte, wer sie sei. Sie zeigte ihm ihre Papiere, und der Angestellte sagte, vor einer Stunde sei eine Blondine da gewesen, die ebenfalls behauptet habe, seine Frau zu sein.

Bis zum Juli hatte Pasternak sich so weit erholt, dass er zur Reha ins Uzkoe-Sanatorium im Südosten Moskaus verlegt werden konnte. Vor der Revolution war Uzkoe das Anwesen der Trubetzkoj-Brüder gewesen. Die Brüder waren gefeierte Philosophen. Boris kannte deren Sohn seit seiner Schulzeit in Moskau. Evgenij Pasternak schrieb über einen Besuch mit seinem Halbbruder Leonid:

> Wir sahen unseren Vater in Uzkoe, wohin er nach dem Krankenhausaufenthalt verlegt worden war. Der Anblick seines Gesichts mit den dunklen Ringen unter den Augen, seine Kraftlosigkeit und seine Magerkeit waren ein Schock für uns. Aber er versuchte uns zu beruhigen, sagte, dass es nur eine Reaktion auf das Penizillin sei und dass er sich nun wesentlich besser fühle. Wir gingen mit ihm im Park spazieren, er erzählte uns von Wladimir Soloview, der hier bei den Trubetzkojs gelebt hatte, und zeigte uns das Zimmer, in dem er gestorben war. Uzkoe lag mitten in den Feldern; in der Ferne war eine riesige Stadt zu sehen, so vertraut aus der Kinderzeit. 1928 war Vater mit Mutter hergekommen und ganz vernarrt in dieses Haus und den Park gewesen.[426]

Anfang August kehrte Boris nach Peredelkino zurück. Sein Freund Alexander Gladkow besuchte ihn, und sie unternahmen zusammen einen ausgedehnten, lockeren Spaziergang in den Wäldern. »Ich erinnere mich an alles, als wäre es gestern gewesen...«, schrieb Gladkow von dem Zusammentreffen:

> ... das hellgrüne Wasser des Sees mit dem rosaroten Schimmer auf der Oberfläche, gesäumt von Weiden und den schwarz eingefassten weißen Pfosten, die schönen alten Linden, Zedern und Lärchen im noch erhaltenen Teil des früheren Anwesens, wohin Pasternak mich

führte, und seine geliebte Stimme mit der Sprachmelodie, die ich so gut kannte.

Auch seine Art zu sprechen hatte sich nicht verändert – das heißt, seine Sätze bauten sich schnell zu dichten, dringlichen Gebilden auf, er unterbrach sich, schweifte ab, um dann wieder zum Thema zurückzukommen – immer war es, als verlöre er den Faden dessen, was er sagen wollte, bis man sich darauf einließ und die unbarmherzige Logik dahinter erkannte. Er wirkte ziemlich aufgewühlt und begierig, seinen Gefühlen freien Lauf zu lassen.[427]

Auf ihrem Spaziergang unterhielten sich die beiden Männer zwei Stunden lang, besser gesagt, Pasternak führte wie üblich das Wort. Zunächst hatte Gladkow das Gefühl, dass Boris seine Lage zu prekär darstellte. »An jenem schönen Sommermorgen in der friedlichen, vertrauten Landschaft außerhalb von Moskau hielt ich seine düsteren Vorahnungen zu auftretenden Problemen und einer Verfolgung durch die Staatsmacht für ein reines Phantasieprodukt. Ein Jahr und zwei Monate später verstand ich, dass er sich keineswegs übertriebene Sorgen gemacht hatte, sondern dass ich zu gleichgültig war. Er sagte zu mir, dass sich Gewitterwolken über ihm zusammenbrauten. Sein Roman sollte in Kürze in Italien erscheinen.«[428]

Boris erzählte, dass er am vergangenen Freitag zu einem Treffen des Sekretariats des Schriftstellerverbands zitiert worden war. Es sollte hinter verschlossenen Türen getagt werden, sagte er zu Gladkow, aber da er sich geweigert hatte, der Aufforderung nachzukommen, gingen die Mitglieder zum »Frontalangriff« über und verfassten einen »schrecklichen, verletzenden Beschluss«. »Ich stelle plötzlich fest, dass ich eine Menge Feinde habe«, vertraute Pasternak ihm an:

Diesmal kann ich mich auf Schwierigkeiten gefasst machen; jetzt bin ich an der Reihe. Sie können sich das wirklich nicht vorstellen – es ist eine sehr komplizierte Angelegenheit, bei der es um den Stolz und das Ansehen aller möglichen Leute geht. Es ist ein Aufeinanderprallen von rivalisierenden Obrigkeiten. Mit dem Roman selbst hat das eher nichts zu tun – die meisten Leute, die mit dem Thema befasst sind, haben ihn nicht einmal gelesen. Ein paar von ihnen würden die ganze Sache am liebsten fallen lassen – nicht aus Sympathie zu mir, Gott bewahre, sondern nur, weil sie einen öffentlichen Skandal vermeiden wollen. Aber das geht jetzt nicht mehr. Ich höre, dass jemand mir bei dem Treffen vorgeworfen hat, ich sei wild auf einen Riesenzirkus. Wenn die nur wüssten, wie fremd und zuwider mir so etwas ist! Manchmal wache ich auf, bin entsetzt über mich selbst und fühle mich elend wegen meines unseligen Charakters, der vollkommene Freiheit des Geistes fordert, und wegen der plötzlichen Wendung in meinem Leben, die denen, die mir nahestehen, so sehr zusetzt.[429]

Boris hatte den Schriftstellerverband erzürnt, denn er hatte sich nicht nur geweigert, an dem Treffen teilzunehmen, sondern noch dazu Olga an seiner Stelle mit einer Nachricht vorgeschickt. Und die Boris loyal ergebene Olga überbrachte Polikarpow und Surkow einen wahren Brandbrief:

Gewissenhafte Menschen sind niemals mit sich zufrieden; es gibt vieles, was sie bedauern, vieles, was sie bereuen. Das Einzige in meinem Leben, das zu bereuen ich keinen Grund habe, ist der Roman. Ich schrieb, was ich denke, und meine Gedanken sind bis zum heutigen Tag dieselben. Vielleicht war es ein Fehler, [den Roman] nicht vor anderen versteckt zu haben. Ich versichere Ihnen, wäre er kraftlos geschrieben, hätte ich ihn versteckt. Doch er hat sich als stärker erwiesen, als ich es mir hätte träumen lassen – Stärke ist eine Himmelsmacht, und so war mir sein weiteres Schicksal aus den Händen genommen.[430]

Es überraschte nicht, dass ein aufgebrachter Polikarpow von Olga verlangte, die Nachricht vor seinen Augen zu zerreißen. Dann verlangte er, dass Pasternak und Olga am nächsten Tag bei ihm und Surkow zu erscheinen hatten. Die vier trafen sich an zwei aufeinanderfolgenden Tagen. Pasternak wurde unmissverständlich aufgefordert, ein Telegramm an Feltrinelli zu schicken und die Rückgabe des Manuskripts zu verlangen. Nichtbeachtung würde »sehr unangenehme Konsequenzen« nach sich ziehen.

Boris sollte ein von Polikarpow und Surkow gefertigtes Telegramm unterschreiben. Darin stand:

Ich habe die Arbeit am Manuskript meines Romans wiederaufgenommen und bin zu der Überzeugung gelangt, daß das, was ich geschrieben habe, in keiner Weise als vollendetes Werk anzusehen ist. Ich betrachte die in Ihrem Besitz befindliche Abschrift des Manuskripts als erste Fassung eines künftigen Werkes, das einer tiefgreifenden Überarbeitung bedarf. In der vorliegenden Fassung halte ich die Veröffentlichung für unmöglich, da sie gegen mein Prinzip verstoßen würde, meine Werke nur in ihrer endgültigen Fassung erscheinen zu lassen. Haben Sie deshalb bitte die Freundlichkeit, dafür zu sorgen, daß das Manuskript meines Romans *Doktor Schi-*

wago so schnell als möglich an meine Moskauer Adresse geschickt wird, da es für meine Arbeit unerläßlich ist.[431]

Boris hatte zwei Tage Zeit, das Telegramm zu unterzeichnen, andernfalls, so kündigten sie ihm an, werde man ihn verhaften. Trotz erheblichen Drucks seitens Olga, die zu Recht besorgt war, dass Boris das Todesurteil der beiden besiegeln würde, falls er das Telegramm nicht losschickte, war es für den unbeugsam stolzen Boris so oder so gleichbedeutend mit dem Tod seiner kreativen Integrität.

Abermals fürchtete Olga um ihr Leben. Sie besuchte d'Angelo, um sich seiner Unterstützung zu versichern, Boris umzustimmen und ihn zu veranlassen, das Telegramm innerhalb des folgenden Tages auf jeden Fall zu unterzeichnen. »Das war kein leichter Auftrag«, erinnerte sich d'Angelo. »Jeder, der Pasternak näher kannte, weiß, wie herzlich und aufgeschlossen, zartfühlend und großzügig er war; er wird sich aber auch seines stolzen Temperaments, seiner Ausbrüche von Zorn und Empörung entsinnen.«[432] Pasternak wies ihr Ansinnen empört zurück, brüllte d'Angelo und Olga an, sie hätten kein Recht, ihn zu diesem Schritt zu bewegen. Sie ließen es an Respekt ihm gegenüber fehlen, polterte er, und »behandelten ihn wie einen Menschen ohne Würde«. Und was um alles in der Welt sollte Feltrinelli denken, tobte er, wo er ihm doch gerade erst geschrieben hatte, dass die Publikation von *Doktor Schiwago* sein wichtigstes Lebensziel sei? Würde dieser ihn nicht für einen Narren oder Feigling halten?

Irgendwann gelang es d'Angelo, Boris zu besänftigen und ihn davon zu überzeugen, dass er in Feltrinellis Augen nicht sein Gesicht verlieren würde, wenn er das Telegramm abschickte. Denn schließlich sei es auf Russisch verfasst, während Boris ihm doch geschrieben habe, er solle nur französischsprachige Korrespondenz beachten. Außerdem sei es ohnehin zu spät, die Publikation zu stoppen, da viele westliche Verlage das Originalmanuskript bereits fotokopiert hätten und Verträge für die Vergabe ausländischer Rechte unterzeichnet seien.

Am 21. August wurde das Telegramm unterzeichnet und losgeschickt. Sofort informierte Polikarpow das Zentralkomitee und schlug vor, eine Kopie an die Kommunistische Partei Italiens zu schicken und so Feltrinelli weiter unter Druck zu setzen, von einer Veröffentlichung abzusehen. Als ein leitender Funktionär der Kommunistischen Partei Italiens im Büro des Verlegers wütend mit dem Telegramm wedelte, weigerte Feltrinelli sich, klein beizugeben.

Später an jenem Tag schrieb Boris an Irina, die in dem subtropischen georgischen Badeort Sochumi Urlaub machte:

Iroschka, mein Schatz,
Du hast den wunderbarsten Brief an Deine Mutter geschrieben. Sie hat ihn mir gerade vorgelesen, und wir sind voller Bewunderung. Hier braut sich ein unglaubliches Gewitter über mir zusammen, aber bis jetzt hat mich gottlob noch kein Blitz getroffen. Weil Du nicht hier bei mir bist und mich nicht beraten kannst, blieb mir keine andere Wahl, als ein Telegramm an F zu schicken und ihn zu bitten, seine Aktionen herunterzufahren. Das Donnerwetter war ohrenbetäubend. Deine Mutter wird alles erklären, wenn Du zurück bist. Sie schickt Dir ein bisschen Geld und wird dir später noch mehr schicken, wenn sie kann. Nun zu Dir: Ich hoffe, dass Du so fröhlich bleibst, wie Dein Brief es vermittelt. Lass es Dir an nichts fehlen. Ich küsse Dich innig, bis wir uns wiedersehen. Dein BP[433]

Olga steckte zu Boris' Brief noch eine von ihr verfasste Nachricht in das Kuvert, das sie Irina zufolge in »nonchalantem Ton« geschrieben hatte. Olga erzählte von dem Treffen mit Surkow und Polikarpow und ergänzte, dass die Situation nur dank ihrer Diplomatie nicht aus dem Ruder gelaufen war. »Boris hat mich begleitet und ihnen alle möglichen Vorträge gehalten, wie er es immer macht. Ich stand, bewaffnet mit meinen Baldrian- und Kampferdrops, hinter ihm, während er seine Rede schwang. Irgendwann hat sich dann alles normalisiert. Ich war sehr berührt davon, dass Boris mitten im Gewittersturm ständig sagte: ›Schade, dass Iroschka nicht da ist, sie wäre eine große Unterstützung gewesen‹, und ich kann dir versichern, dass er das vollkommen ernst gemeint hat.«[434]

Die italienische Zeitung *L'Unità* berichtete von einer Pressekonferenz in Mailand am 19. Oktober, auf der Surkow Folgendes ausführte: Seine Genossen hätten Pasternaks Roman abgelehnt, weil er Zweifel an der Bedeutung der Oktoberrevolution schüre. Pasternak habe diese Kritik akzeptiert und seinen italienischen Verleger um Rückgabe des Manuskripts gebeten, damit er es überarbeiten könne. Doch nun soll der Roman laut Presseberichten gegen den Willen seines Autors erscheinen. »Der Kalte Krieg greift auf die Literatur über«, tönte Surkow. »Wenn man das im Westen unter Freiheit versteht, dann, muss ich sagen, vertreten wir unterschiedliche Ansichten.«[435]

Wochen später schrieb Boris an seine Schwester Lydia auf Englisch und gab den Brief durch Sergio d'Angelo in Rom auf. Die seltsame, gestelzte Form war beabsichtigt. Pasternak hatte sich dazu entschlossen, da seine russischen Briefe häufig auf dem Postweg verschwanden. Wegen der »Notwendigkeit ihres anonymen Inhalts«[436] gestaltete er ihn absichtlich verwirrend. Es gab einen Zwang zu dieser »broken language«, schrieb er später an Lydia. Sie verstand, dass seine Post abgefangen und überwacht wurde, obwohl er sie bat, »auf deine ganz normale, russische Art an mich zu schreiben«.

Peredelkino, 1. November 1957
in der Datscha bei Moskau

Meine Liebe, wir haben nun begonnen, wichtige Briefe unsichtbar zu machen. Dieser hier kommt zu dir über verschlungene, fremde Wege. Deshalb schreibe ich ihn auf Englisch.

Die Erfüllung meiner geheimsten Wünsche naht nun hoffentlich heran: die Veröffentlichung meines Romans im Ausland, zunächst nur in Übersetzung, leider, aber irgendwann im Original.

Ich hatte hier viel Druck zu ertragen, Plagen, Drohungen, man wollte das Erscheinen des Romans in Europa aufhalten und zwang mich, falsche, absurde, erfundene Telegramme und Briefe an meinen Verlag zu unterzeichnen. Ich tat das in der Hoffnung, dass die Empfänger die unerhörten, niederträchtigen und so offenkundigen Fälschungen und vorgetäuschten Bitten ignorieren werden, was sie zum Glück auch taten. Mein Triumph wird entweder tragisch oder glasklar sein. In beiden Fällen bedeutet es ein Glück, einen Sieg, und ich hätte das nicht alleine geschafft.

Hier muss einmal gesagt werden, welchen Anteil seit den letzten zehn Jahren meines Lebens Olga Wsewolodowna Iwinskaja hat. Sie, die Lara des Romans, ging für mich 1949 vier Jahre in Lagerhaft, nur wegen des eines Verbrechens, nämlich diejenige zu sein, die mir am nächsten steht.

Sie tut unglaublich viel für mich. Sie entlastet mich von dem quälenden Verkehr mit der Staatsmacht, nimmt all deren Schläge auf sich. Sie ist die einzige Seele, mit der ich rede über die Zumutungen dieser Zeit, wir beraten, was ich tun soll oder denken oder schreiben und so weiter. Ihre Übersetzung von Rabindranath Tagore wurde irrtümlich mir zugeschrieben – das ließ ich dies eine Mal so stehen.

Sinaida, die mild schreckliche, weckt in mir ständig Mitleid. Sie organisiert mit ihrer mal kindlich bestimmenden, mal weinerlichen Art alles. Sie beherrscht, ja erschafft Haus und Garten, die Sonntagspartys, das Familienleben, den gesamten Betrieb hier, die Jahreszeiten – sie ist weder die Frau, die schwer unter einer anderen leidet, noch die sich selbst betrügt, sie weiß Bescheid und nimmt es hin.

Das Leben geht weiter, verfinstert durch Gefahr und Traurigkeit und Heucheleien, ohne Pause, unausweichlich, geradezu perfekt.

Du wirst so klug sein zu wissen, was du in deiner russischen Antwort erwähnst oder eben nicht erwähnst.

Ich umarme dich zärtlich, dein B.[437]

Am folgenden Tag, dem 2. November, schrieb Pasternak an Feltrinelli und dankte ihm für die unmittelbar bevorstehende Veröffentlichung in Italien. Er gab seinem Wunsch Ausdruck, dass dies der Anstoß für weitere Übersetzungen sein werde: »Aber wir werden bald einen italienischen Schiwago, französische, englische und deutsche Schiwagos haben – und vielleicht eines Tages, zwar geographisch weit entfernte, doch russische Schiwagos!«[438]

Am 10. November veröffentlichte *L'Espresso* die erste Fortsetzung einiger Romanauszüge. Es war kein Zufall, dass fast ausschließlich antisowjetische Passagen ausgewählt wurden. Am 22. erschien das Buch erstmals, auf Italienisch, unter dem Titel *Il Dottor Zivago*. Feltrinelli gab einen großen Empfang im Hotel Continental in Mailand. Alles, was in Mailand Rang und Namen hatte, strömte zu dieser glamourösen Vorstellung. Die Startauflage von sechstausend Exemplaren war sofort ausverkauft. Innerhalb von elf Tagen folgten zwei weitere Auflagen. Feltrinelli hatte sein Ziel erreicht. *Doktor Schiwago* war ein kontroverser Bestseller. Sein Siegeszug um die Welt hatte begonnen.[439]

9

Jetzt haben wir den Salat

Innerhalb der ersten sechs Monate nach dem Erscheinen in November wurden elf Auflagen von *Doktor Schiwago* auf Italienisch gedruckt. In den folgenden zwei Jahren erschien er in dreiundzwanzig weiteren Sprachen: Englisch, Französisch, Deutsch, Spanisch, Portugiesisch, Dänisch, Schwedisch, Norwegisch, Tschechisch, Polnisch, Serbokroatisch, Holländisch, Finnisch, Hebräisch, Türkisch, Persisch, Arabisch, Japanisch, Chinesisch, Vietnamesisch, Hindi, Gujarati und auf Oriya, das im Bundesstaat Orissa, dem heutigen Odisha, gesprochen wird. Nur nicht auf Russisch, der Muttersprache des Autors.

Am 22. Dezember 1957 schrieb Boris an Nina Tabidze: »Sie können mir gratulieren. Schiwago wurde Anfang Dezember in Italien veröffentlicht. Im Januar wird er in England herauskommen, dann in Paris, in Schweden, in Norwegen und in Westdeutschland. Alle Ausgaben kommen noch vor dem Frühling. Meine Einstellung dazu war zwiespältig, da ich meine Bemühungen, die Verwirklichung meines brennendsten Wunsches zu stoppen, nicht mit letzter Konsequenz betrieben habe. Eine unverhoffte Gelegenheit bot sich an, und mein Traum wurde wahr, obwohl ich gezwungen wurde, eine Menge zu unternehmen, um ihn zu verhindern.«[440]

In dem Brief an seine Schwestern vom 14. August 1956 schrieb er, dass der richtige Übersetzer für Englisch gefunden werden müsse, der dem Roman gerecht werden könne. Angesichts der hohen Ansprüche von Boris keine geringe Herausforderung:

> [...] und dass man einen sehr guten Übersetzer findet (einen literarisch begabten Engländer), der perfekt Russisch spricht, denn dieses Buch kann man nicht irgendwie, mit den ersten besten Mitteln, dilettantisch übersetzen. Doch selbst ein künstlerisch vollkommener, idealer Übersetzer wird unbedingt die Hilfe von Kennern der russischen Folklore und verschiedener kirchlicher Feinheiten und Texte brauchen, denn von all dem steckt sehr viel im Roman, nicht in Gestalt durchgängiger Zitate und Entlehnungen, von denen ein Wörterbuch oder Nachschlagewerk einen Begriff geben kann, sondern in Form von Neubildungen, die lebendig und schöpferisch entstanden sind auf Grundlage des wirklich Authentischen, das heißt all dessen, was sich dem Sachkundigen in neuer, andrer Perspektive als bisher erschließt.[441]

Boris hatte Josephine und Lydia schon vorher gebeten, das Manuskript an George Katkov, einen russisch-jüdischen Emigranten und Freund von Bowra und Berlin, zu schicken. Als Katkov im darauffolgenden Monat Pasternak in Peredelkino besuchte, bekniete Boris ihn, die Übersetzung und Veröffentlichung des Buches in England sicherzustellen. Katkov gab zu bedenken, dass die Übersetzung der Schiwago-Gedichte eine spektakuläre Herausforderung sei, und schlug für diese Aufgabe Vladimir Nabokov vor. »Das wird nicht gehen« antwortete Boris, »er neidet mir meine Stellung in diesem Land zu sehr, um es ordentlich zu machen.«[442] Tatsächlich war Nabokov erbost, dass er im Westen mit Pasternak verglichen wurde. Beide Männer hatten ungefähr zur selben Zeit ungemein erfolgreiche und kontroverse Bücher veröffentlicht. *Lolita* erschien 1955, *Doktor Schiwago* zwei Jahre später, und dieses Werk verdrängte *Lolita* prompt von der Spitze der amerikanischen Bestsellerliste. 1958 sollte Nabokov sich weigern, eine Kritik zu *Doktor Schiwago* zu schreiben, da eine »katastrophale Rezension« dabei herauskommen würde, und in den 1960er Jahren bezeichnete er den Roman als »widerwärtig geschrieben«.[443] »*Doktor Schiwago* ist ein jämmerliches Ding«, schimpfte er, »unbeholfen, trivial und melodramatisch, mit abgedroschenen Situationen, sinnlichen Anwälten, unglaublichen Mädchen, romantischen Räubern und banalen Zufällen …«[444] Ein weiterer Schlag unter die Gürtellinie war seine Behauptung, dass bestimmt »Pasternaks Geliebte« ihn geschrieben hatte.

Katkov wandte sich daraufhin an Isaiah Berlins Protegé Max Hayward, einen begnadeten Linguisten und Forscherkollegen an der Universität von Oxford, der bei der britischen Botschaft in Moskau als Übersetzer gearbeitet hatte. Seine sprachlichen Fähigkeiten waren so ausgefeilt, dass Russen, die ihn zum ersten Mal trafen, ihn für einen Muttersprachler hielten, obwohl seine Familie aus Yorkshire stammte. Um den Prozess zu beschleunigen, unterstützte Manya Harari, die Mitbegründerin von Harvill Press, einer Sparte des Collins Verlags in London, Hayward bei der Übersetzung. Harari stammte aus einer wohlhabenden Familie in St. Petersburg und war mit ihrer Familie im Ersten Weltkrieg nach England emigriert. Nach Boris' Tod wurde sie zu Olgas kompromissloser Verteidigerin und Verbündeten.

Am 8. Juli 1957 schrieb Harari an Mark Bonham Carter, den Herausgeber bei Collins: »Ich schrieb an Max Hayward, versuchte herauszufinden, in welchem Zustand uns die Übersetzung erreichen wird, und bat ihn, uns mehr zu schicken. Ganz bestimmt will er nicht nur einen Entwurf liefern. Ich glaube allerdings, dass jemand über das, was er uns schickt, drüberschauen muss, und in diesem Stadium ist es schwer zu beurteilen, wie viel wir noch daran werden feilen müssen.«[445] Harari hatte an Hayward geschrieben und ihn informiert, dass Collins einen Übersetzungsvertrag mit ihm schließen wollte, da nun die Vertragsverhandlungen mit Feltrinelli fast abgeschlossen seien. Nachdem sie über das Honorar gesprochen hatten, das Collins ihm vorgeschlagen hatte – zwei Guineas pro tausend Worte »im unteren Honorarbereich für Russisch« –, erörterte Harari die technischen Schwierigkeiten bei der Buchübersetzung: Die Schiwago-Gedichte verursachten ziemliche Kopfschmerzen.

Was die Gedichte angeht, habe ich mich bis jetzt noch nach niemandem umgesehen, und ich weiß auch nicht, wie ich das ohne eine gewisse Transkription schaffen soll. Eines Tages habe ich selbst versucht, eines der Gedichte zu transkribieren, und dabei festgestellt, wie unglaublich schwierig das ist. Vermutlich wäre es ideal gewesen, wenn Sie die Gedichte (abgesehen von einigen wenigen, die Bowra am besten insgesamt überlassen worden wären) transkribiert hätten und sich Lyriker wie Auden für den Feinschliff geholt hätten. Aber das Letzte, woran uns liegt, ist, Sie bei der Übersetzung der Prosa aufzuhalten – je früher das Buch fertig ist, umso besser.

Also müssen wir eine andere Lösung finden. Vielleicht kann Katkov das eine oder andere transkribieren? Das würde erst einmal eine Möglichkeit bieten, ihm etwas für seinen Anteil an der Arbeit an dem Buch zu bezahlen – der sonst schwierig zu bestimmen ist![446]

Harari und Hayward arbeiteten jeweils an aufeinanderfolgenden Kapiteln des 160.000-Worte-Romans und redigierten anschließend den anderen. »So las Max eine Seite auf Russisch und schrieb sie dann auf Englisch nieder, ohne noch einmal nachzulesen … dann verglichen beide Übersetzer ihre jeweilige Arbeit mit dem Original und einigten sich auf eine gemeinsame Version.«[447]

Am 23. Juli 1957 schrieb Harari an Bonham Carter: »Was die Gedichte am Ende des Buches anbelangt, schlägt Max nun vor, sie herauszulassen, und ich muss sagen, ich neige dazu, ihm zuzustimmen. Die Probleme, die richtigen Übersetzer zu bekommen, ohne Bowra vor den Kopf zu stoßen und alles in vernünftiger Zeit zu schaffen, scheinen riesig zu sein, und der Roman steht auch ohne die Gedichte sehr gut auf eigenen Füßen. Und wenn der Erfolg des Romans es rechtfertigen sollte, könnten sie immer noch separat publiziert werden. Die Hauptsache ist doch jetzt, den Roman so schnell wie möglich zu veröffentlichen.«[448]

Doktor Schiwago wurde im darauffolgenden September zusammen mit der Schiwago-Gedichtsammlung in England publiziert. Die Dozenten in Oxford waren Pasternak gerecht geworden und angesichts der Herausforderung, »Juri Schiwagos« Gedichte auf Englisch zu übertragen, über sich hinausgewachsen.

Während die offizielle Publikation des Romans ihre Reise um die Welt antrat, hatte Pasternak keine Ahnung, dass das Buch parallel dazu ein dramatisches verborgenes Leben führte, das reichlich Stoff für einen Spionagethriller geboten hätte. Das russischsprachige Manuskript traf Anfang Januar in Form zweier Mikrofilmrollen in der CIA-Hauptverwaltung in Washington D.C. ein. Der britische Geheimdienst hatte den

Roman in dieser Form zur Verfügung gestellt. In einer Mitteilung an Frank Wisner, den Leiter der Abteilung für geheime Operationen, bezeichnete John Maury, Chef der Soviet Russia Division, *Doktor Schiwago* als »das ketzerischste Werk eines sowjetischen Autors seit Stalins Tod«.[449]

Das weckte das Interesse der CIA, die im Rahmen ihrer internationalen Bemühungen, Werke zu verbreiten, die der kommunistischen Ideologie entgegenwirkten, den Roman in einer russischsprachigen Ausgabe drucken wollte. *Doktor Schiwago* war ideal geeignet: zum Teil wegen seiner Ächtung in der Sowjetunion und zum Teil wegen der Gerüchte um die Nominierung des Schriftstellers für den Nobelpreis, die im Westen seit langem kursierten und die sich nach der italienischen Publikation verdichteten.

Die amerikanischen und britischen Geheimdienste verständigten sich darauf, *Doktor Schiwago* auf Russisch zu veröffentlichen; allerdings forderten die Briten, dies in den Vereinigten Staaten zu tun. Die CIA rechnete damit, dass eine in den Vereinigten Staaten produzierte russischsprachige Ausgabe in der Sowjetunion leichter als Propaganda abgetan werden konnte. Sie kamen daher zu dem Schluss, die Veröffentlichung des Romans wäre in einem kleinen europäischen Land glaubhafter.

Die Beteiligung der CIA am Druck einer Ausgabe in russischer Sprache zielte darauf ab, weltweite Aufmerksamkeit für das Buch zu erregen; doch in einem internen Memo, das kurz nach Veröffentlichung des Romans in Italien verfasst wurde, empfahlen CIA-Mitarbeiter, den Roman für weltweite Würdigung und Ehrungen wie den Nobelpreis in Betracht zu ziehen. Die Rolle, die die CIA bei den Transaktionen in Zusammenhang mit *Doktor Schiwago* spielte, wurde von höchsten Regierungskreisen begünstigt. Das Weiße Haus unter Eisenhower überließ der CIA die ausschließliche Kontrolle über die »Ausbeutung« des Romans.[450] Die Amerikaner befürchteten, dass die Russen, falls sie erführen, wer wirklich dahintersteckte, zu einem grausamen Gegenschlag gegen Pasternak und seine Familie ausholen könnten. Die CIA erhielt von höchster Stelle die Order, das Buch als »Literatur und nicht als Propaganda des Kalten Krieges« zu bewerben. Bücher jedoch wurden zu Waffen. Wenn ein literarisches Werk in der UdSSR wegen des Angriffs auf die »Sowjetrealität« verboten war, wollte die CIA sicherstellen, dass es in die Hände der Bürger geriet.

1956 finanzierte die CIA die Gründung der Bedford Publishing Company in New York. Deren Aufgabe war es, westliche literarische Werke zu übersetzen und sie auf Russisch zu veröffentlichen. Isaac Patch, der erste Leiter des Bedford-Verlages, sagte zu seiner verdeckten Arbeit: »Die sowjetische Öffentlichkeit, die langweilige, kommunistische Propaganda hatte über sich ergehen lassen müssen, … hungerte nach westlichen Büchern. … Wir hofften, mit unserem Buchprogramm die Leere zu füllen und die Tür zur Freiheit aufzustoßen«, damit »frischer Wind« hereinwehen konnte.[451] Zu den Werken, die ins Russische übersetzt wurden, gehörten unter anderem James Joyces *Porträt des Künstlers als junger Mann*, Vladimir Nabokovs *Pnin* und George Orwells *Farm der Tiere*.[452] Die CIA beabsichtigte sogar, den russischen Text in den Vereinigten Staaten unter Verwendung eines unüblichen kyrillischen Fonts drucken zu lassen, der nicht zu den Amerikanern zurückverfolgt werden konnte. Ein Vorschlag lautete, das Verlagszeichen von Goslitizdat auf die Titelseite zu setzen. Der amerikanische Verleger Felix Morrow wurde mit der Publikation betraut. Er arbeitete mit Rausen Brothers zusammen, einem Druckhaus in New York, das sich auf russische Texte spezialisiert hatte.[453]

Als Instrument für den Vertrieb wählte die CIA die Brüsseler Weltausstellung »Expo 58«, die vom 17. April bis zum 19. Oktober 1958 stattfand und zu der bis zu achtzehn Millionen Besucher erwartet wurden. Zweiundvierzig Nationen, darunter erstmals der Vatikan, präsentierten sich auf dem zweihundert Hektar großen Gelände im Nordwesten von Brüssel, und Belgien gab sechzehntausend Visa für sowjetische Besucher aus. »Dieses Buch hat großen Propagandawert... nicht nur wegen seiner immanenten Botschaft und weil es zum Nachdenken anregt, sondern auch wegen der Umstände seiner Publikation«, steht in einer Mitteilung an alle Abteilungsleiter der sowjetischen CIA-Zweigstelle. »Wir haben die Gelegenheit, dafür zu sorgen, dass sowjetische Bürger sich zu fragen beginnen, was an ihrer Regierung falsch ist, wenn das literarische Glanzstück jenes Mannes, der als größter lebender russischer Schriftsteller gilt, nicht einmal für sein eigenes Volk in seinem eigenen Land in seiner Muttersprache erhältlich ist.«[454]

Im Sommer 1958 war die CIA unter Zeitdruck geraten, die Auflage rechtzeitig für die Weltausstellung gedruckt zu bekommen. Am Ende arbeiteten sie mit dem holländischen Geheimdienst zusammen, dem BVD (Binnenlandse Veiligheidsdienst). Die Druckvorlage von *Doktor Schiwago*, die Felix Morrow produziert hatte, wurde an Ruud van der Beek weitergereicht, den Leiter der holländischen Zweigstelle der antikommunistischen Gruppe Paix et Liberté. Im Juli besuchte van der Beek Mouton Press in Den Haag mit den Reproduktionsvorlagen und bestellte tausend Exemplare. Sein Verhandlungspartner war Peter de Ridder, einer von Moutons Repräsentanten. De Ridder versuchte, mit Feltrinelli wegen der Genehmigung Kontakt aufzunehmen, doch der Verleger war nicht erreichbar – er machte Ferien in Skandinavien. De Ridder beschloss, dennoch fortzufahren.[455] Er versuchte Feltrinellis Anspruch auf exklusives Urheberrecht zu schützen, indem er »G. Feltrinelli – Milan 1958« in kyrillischer Schrift auf die Titelseite druckte. Allerdings fehlte ein Hinweis auf das Copyright von Feltrinelli. Pasternaks voller Name auf der Titelseite inklusive des Vaternamens »Leonidowitsch« war ein weiterer Hinweis darauf, dass das Buch von einem Nicht-Muttersprachler produziert worden war, denn Russen setzten den Vaternamen niemals auf eine Titelseite.

In der ersten Septemberwoche rollten die ersten Bögen der russischsprachigen Ausgabe von den Druckerpressen in Den Haag.[456] Die in hellblaues Leinen gebundenen Bücher, datiert auf den 6. September 1958, wurden, in braunem Papier eingepackt, zu Walter Cini, dem CIA-Beamten in Den Haag nach Hause geliefert. Zweihundert Exemplare gingen an die Hauptverwaltung nach Washington und weitere an CIA-Niederlassungen in ganz Westeuropa – zweihundert nach Frankfurt, hundert nach Berlin, hundert nach München, fünfundzwanzig nach London und zehn nach Paris. Das größte Paket war für die Weltausstellung in Brüssel bestimmt.

Da *Doktor Schiwago* natürlich nicht einfach im amerikanischen Pavillon ausgegeben werden konnte, zog die CIA einen genialen Verbündeten an Land: Der nahegelegene Pavillon des Vatikans erklärte sich bereit, den Roman zu verteilen. Russisch sprechende Priester und Laien brachten Bibeln, Gebetsbücher und die eine oder andere Ausgabe russischer Literatur unter die Leute. Ein russischer Schriftsteller formulierte es so: »Spitznasige Damen verkaufen und verteilen diese [Schriften] mit ›seligem‹ Lächeln.« Während der dreimonatigen Weltausstellung besuchten dreitausend Sowjettouristen den Pavillon des Vatikans. Ein Auslöser für den großen russischen Besucherstrom war auch Rodins Skulptur *Der Den-*

ker, eine Leihgabe des Louvre. Er lockte Schlüsselfiguren der Intelligenzija, Wissenschaftler, Gelehrte, Schriftsteller, Ingenieure, Leiter von Kolchosen und Bürgermeister an.

Das Ziel der CIA wurde triumphal erreicht. Deren »gesponserte« Ausgabe des Romans fand ihren Weg in die Hände von Sowjetbürgern. Am Ende jedes Tages übersäten blaue Leinenbände den Fußboden der Ausstellung, denn der Buchblock wurde herausgerissen, geteilt und in Taschen gestopft, um die literarische Schmuggelware besser verstecken zu können. Bald wechselten Exemplare des Buches für etwa dreihundert Rubel auf dem Schwarzmarkt den Besitzer, ein Betrag, der fast dem durchschnittlichen Wochenlohn eines sowjetischen Arbeiters entsprach.

In späteren Presseberichten ist zu lesen, dass russische Seeleute das Buch an Bord der *Gruzia* in die Sowjetunion geschmuggelt hatten und der sowjetische Botschafter in Belgien nach den Vorfällen auf der Brüsseler Weltausstellung abberufen worden war.[457] »Dieser Abschnitt kann als rundum gelungen betrachtet werden«, lautete eine auf den 9. September datierte Mitteilung der CIA.[458]

Am 19. schrieb Pasternak an seine Schwestern in Oxford: »Stimmt es, dass auch eine russische Originalausgabe aufgetaucht ist? Es gibt Gerüchte, dass sie auf einer Ausstellung in Brüssel verkauft wird.«[459]

In der Sowjetunion wurden in den Monaten nach der italienischen Veröffentlichung keine offiziellen Kommentare laut. Parteibonzen, darunter Chruschtschow, wussten über die internationale Reaktion auf den Roman und die Vorbereitung verschiedener Übersetzungen genau Bescheid. Polikarpows Abteilung erhielt Presseclips aus westlichen Medienberichten. Es entbehrt nicht einer gewissen Ironie, dass Pasternak in Russland seinen Lebensunterhalt mit Übersetzungen bestreiten musste, während Feltrinelli einen lukrativen Bestseller in Händen hatte.

Mehrere Übersetzungen Pasternaks erschienen in jenem Jahr: Schillers *Maria Stuart* wurde die Standardübersetzung für Sowjetproduktionen des Theaterstücks. Doch angesichts der trüben Aussichten für eine Publikation seines Romans in Russland im Frühling und der bedenklich schwindenden Rücklagen regte er bei Goslitizdat an, seine Shakespeare-Übersetzungen neu aufzulegen.

Der enorme Stress, unter dem Boris gestanden hatte, ließ seine alte Krankheit wieder aufflammen, mit neuen urologischen Komplikationen, akuten Schmerzen und schweren Fieberschüben. Irgendwann deutete eine Blutanalyse auf Krebs hin, was sich aber nicht bestätigte. Schließlich wurde ein eingeklemmter Nerv an der Wirbelsäule diagnostiziert. Eine stationäre Behandlung war geboten, aber kein geeignetes Krankenhaus stand zur Verfügung. Im abgelaufenen Jahr hatte jemand im Schriftstellerverband entschieden, dass Pasternak einer Behandlung im Kreml-Krankenhaus »unwürdig« sei. Und so war er gezwungen, die erste Woche seiner Krankheit in Peredelkino zu verbringen, wo er zwischen heftigen Schmerzattacken Henry James las und Radio hörte. Eine Woche lang mussten seine Familie, seine Freunde und medizinische Experten alle Hebel in Bewegung setzen, um für ihn ein Bett in der Kreml-Klinik zu ergattern. Am 8. Februar 1958 wurde er auf einer Krankentrage durch den tiefen Schnee aus Peredelkino hinausgetragen und warf Sinaida, seinen Söhnen und Freunden Kusshände zu.[460]

Irina fiel auf, dass gegen Ende 1958 und Anfang 1959 seine »Jugendlichkeit ihn einfach verlassen hatte«.[461] Seine ehemalige Vitalität war ihm abhandengekommen, und »eines

Tages war er nicht mehr wiederzuerkennen, wirkte grau, verkrampft. Er war alt geworden; alles schmerzte. Selbst seine Hände, so feingliedrig, so aktiv und so erstaunlich vital, sanken ihm mitten in einem Monolog erschlafft auf die Knie«.[462]

Als *Doktor Schiwagos* internationaler Erfolg in Schwung kam, wurde Pasternak mit einer Flut von Briefen aus dem Ausland, mit begeisterten Reaktionen der Leser, mit Glückwünschen und Presseausschnitten überschwemmt. In mancher Hinsicht half ihm das wieder ins Leben zurück. Und im Herbst waren es schon bis zu fünfzig Postsendungen täglich, die die Briefträgerin von Peredelkino über den Pfad zu seiner Datscha hinaufkarrte. Olga und Irina konnten es nicht fassen, wie viel Zeit Boris mit der Beantwortung all dieser Korrespondenz aufwendete. Doch nach der jahrelangen, erzwungenen Isolation berührten ihn diese aufmunternden und wohlwollenden Botschaften und verliehen ihm neuen Schwung.

Seit seiner Entlassung aus dem Krankenhaus hatte Boris einen Rückschlag befürchtet. Er musste sein Bein täglich trainieren, und so unternahm er hin und wieder zwei- bis dreistündige Spaziergänge in der Umgebung von Peredelkino. Er begann auch wieder in seinem Arbeitszimmer zu arbeiten, wo er sich an ein Stehpult stellte, um langes Sitzen zu vermeiden. In jenem Frühling und Sommer empfing er viele Besucher aus Russland und aus dem Ausland, erwartete und unerwartete. Im September dinierte der Oxford-Dozent Ronald Hingley mit Boris und Sinaida in Peredelkino. Er schilderte, dass die »ältere und schwarz gekleidete« Frau zwar schweigsam und höflich war, aber ihr Missbehagen über diese ausländischen Kontakte durchblicken ließ, die ihren Mann zum einen schützten, zum anderen kompromittierten. Hingley stellte auch fest, dass Pasternak die ständige Überwachung scheinbar gelassen hinnahm. Doch er beobachtete, wie sein Gastgeber sich versteifte, als einmal eine schwarze Limousine der Sicherheitspolizei langsam die schmale Gasse herunterkam und fast am Gartentor der Datscha Nr. 3 anhielt.[463]

Am 12. Mai 1958 schrieb Boris an Josephine:

Wenn D[oktor] S[chiwago] in England herauskommt und Du irgendetwas Interessantes und Berichtenswertes darüber liest, schick mir bitte Ausschnitte und schreib mir ein paar Worte über alles, was Du herausfindest oder hörst (auch wenn es Negatives ist). Hab keine Angst vor Konsequenzen für mich; es könnte höchstens sein, dass das, was Du mir schickst, vielleicht nicht bei mir ankommt.

Ich sende Dir, Fedia und Deiner ganzen Familie zärtliche Küsse. Nach diesen letzten beiden Krankheiten, mit den andauernden Schmerzen im Bein und der ständigen Möglichkeit eines akuten Rückfalls habe ich mein Vertrauen verloren, wie viel Zeit mir noch bleibt; ich weiß es einfach nicht – ganz zu schweigen von der permanenten (nur zeitweise gelockerten) politischen Bedrohung meiner Position, die es mir auch unmöglich macht, mir festen Boden unter den Füßen vorzustellen.[464]

Alexander Gladkow schrieb über Pasternak in dieser Zeit: »Ich nahm eine Art von Trotz wahr, den Trotz eines sehr einsamen, verzweifelten Schriftstellers, der seiner Einsamkeit und seiner Verzweiflung überdrüssig geworden war.« Im Dezember, kurz nach der italienischen Veröffentlichung von *Doktor Schiwago*, entdeckte Gladkow Boris bei einer Aufführung des *Faust* anlässlich eines Gastspiels des Hamburger Schauspielhauses in Moskau. »In der Pause fiel eine Meute ausländischer Zeitungsfritzen über ihn her«, erinnerte sich Gladkow.

Einer von ihnen drückte ihm gewaltsam ein Exemplar des *Faust* in die Hand, und alle begannen zu fotografieren. Der frühere Pasternak hätte dies für eine ungebührliche Posse gehalten, doch dieser neue Pasternak stand mit dem Buch brav im Foyer des Theaters und posierte im Blitzlichtgewitter der Journalisten. Er glaubte ganz offensichtlich, dass er das aus irgendwelchen unerfindlichen Gründen tun *müsse*, denn ich kann mir nicht vorstellen, dass es ihm Spaß machte. Er war vom Weltruhm überrollt worden, was ihn aber vermutlich auch nicht glücklicher gemacht hatte – man erkannte seine Anspannung an seiner seltsamen Körperhaltung und seinem Gesichtsausdruck. Er wirkte eher wie ein Märtyrer, nicht wie ein siegreicher Held.[465]

Im Sommer 1958 verdichteten sich die Gerüchte, Pasternak solle den Nobelpreis für Literatur erhalten. Lars Gyllensten, der Vorsitzende des Nobelkomitees gab an, dass Pasternak alljährlich zwischen 1946 bis 1950 und in den Jahren 1953 und 1957 nominiert worden war. Albert Camus machte 1957 in seiner Dankesrede auf Pasternak aufmerksam und schlug ihn im folgenden Jahr für den Preis vor.[466] Dies sollte Boris' achte Nominierung sein.

Im Mai schrieb Pasternak an Kurt Wolff, seinen amerikanischen Lektor bei Pantheon Books, mit dem er einen Briefwechsel begonnen hatte: »Was Sie von Stockholm schreiben, wird niemals geschehen, da meine Regierung nie eine Einwilligung zu einer beliebigen Auszeichnung meiner geben wird. Dies und vieles andere ist schwer und traurig. Aber Sie werden kaum erraten, wie nichtig die Stelle ist, die diese Zeitbesonderheiten in meiner Existenz einnehmen. Und andererseits sind es eben diese unüberwindlichen Fatalitäten, die dem Leben Wucht und Tiefe und Ernst verleihen und es ganz außerordentlich machen – überglücklich, zauberhaft und reell.«[467]

Am 6. Oktober schrieb Boris an Josephine, abermals in gestelztem Englisch: »Wenn der N[obelpreis] dieses Jahr (wie es manchmal gerüchteweise heißt) an mich verliehen wird und sich für mich die Notwendigkeit ergibt, ins Ausland zu reisen (die ganze Geschichte ist mir immer noch völlig undurchsichtig), kann ich keineswegs erkennen, weshalb ich nicht versuchen und wünschen sollte, O[lga] auf die Reise mitzunehmen, falls, abgesehen von der Wahrscheinlichkeit meiner eigenen Reise, lediglich die Genehmigung beschafft werden muss. Aber angesichts der Schwierigkeiten in Zusammenhang mit dem N.pr. hoffe ich, dass er dem anderen Wettbewerber, A. Moravia[468] zuerkannt wird, glaube ich.«[469]

Am 23. Oktober verkündete die Schwedische Akademie die Verleihung des Nobelpreises für Literatur an Boris Pasternak »für seinen wichtigen Beitrag zur zeitgenössischen lyrischen Dichtkunst sowie zur großen Tradition der russischen Prosaschriftsteller«. Ausländische Nachrichtenkorrespondenten versammelten sich trotz strömenden Regens mit surrenden Kameras vor Boris' Datscha. Als die Zeitungsreporter eine Stellungnahme von ihm einforderten, gab er zur Antwort: »Diesen Preis zu erhalten, erfüllt mich mit großer Freude und gibt mir auch große moralische Unterstützung. Aber meine Freude ist heute eine einsame Freude.«

Olga erzählt: »Die Fotos zeigen einen lächelnden Pasternak, der das Verleihungstelegramm liest, den leicht verlegenen Pasternak, der mit dem Weinglas in der Hand Glückwünsche entgegennimmt: von Kornei Tschukowski[470], von dessen Enkelin und Nina Tabidze. Ein anderes Foto, kaum zwanzig Minuten später gemacht, zeigt Pasternak am Tisch zwischen seinen Gratulanten. Doch wie bedrückt sieht er aus! Die Augen sind traurig, die Mundwinkel herabgebogen.«[471]

Was war in den dazwischen liegenden zwanzig Minuten passiert? Sinaida, die sich an jenem Morgen, als Boris von der Verleihung des Nobelpreises erfuhr, geweigert hatte, aufzustehen, und verkündete, dass »daraus nichts Gutes werden kann«, backte gerade Kuchen im Erdgeschoss, weil sie an diesem Tag ihren russischen Namenstag hatte. Sie versuchte gerade, den Trubel mit den Auslandskorrespondenten vor der Tür zu ignorieren, da tauchte plötzlich Fedin auf, der neue Sekretär des sowjetischen Schriftstellerverbands. Ohne Sinaida eines Blickes zu würdigen, stürmte er brüsk an ihr vorbei und hinauf in Pasternaks Heiligtum. Als er nach einer Viertelstunde wieder verschwand, war alles still. Sinaida lief die Treppe hoch und fand Boris in seinem Atelier ohnmächtig auf dem schmiedeeisernen Bett liegen.

Fedin war gekommen, um Pasternak mitzuteilen, dass man, falls er den Preis nicht ablehnte, unverzüglich eine öffentliche Kampagne gegen ihn lancieren werde. Offensichtlich wartete Polikarpow nebenan in Fedins Haus. Da Fedin über einen gewissen Einfluss auf Boris verfügte, hatte das Zentralkomitee ihn auserkoren, Boris von der Entscheidung der Partei zu informieren. »Ich werde dir nicht gratulieren, denn Polikarpow ist bei mir, und er verlangt, dass du den Preis zurückweist«, hatte Fedin gesagt.[472]

»Unter gar keinen Umständen«, hatte Boris geantwortet. Er bat Fedin, ihm etwas Zeit zu geben. Und dann fiel er in Ohnmacht.

Als Boris das Bewusstsein wiedererlangte, eilte er über die Straße zu einem anderen Nachbarn, Wsewolod Iwanow, einen Schriftsteller populärer Abenteuergeschichten, um dessen Rat einzuholen. »Tu das, was dir richtig erscheint, und richte dich nach niemandem sonst«, empfahl ihm Iwanow. »Ich habe es dir gestern schon gesagt und sage es dir heute noch einmal: Du bist der beste Poet unserer Zeit. Du hast den Preis verdient.«[473]

Ein aufgebrachter Polikarpow kehrte inzwischen nach Moskau zurück.

Boris beschloss, ein Dankestelegramm an die Akademie zu schicken. »Er war glücklich, außer sich vor Freude über seine Eroberung«, erinnerte sich Kornei Tschukowski, der, kaum hatte er gehört, dass Pasternak den Preis verliehen bekommen hatte, mit seiner Enkelin nach Peredelkino gereist war, um dem Schriftsteller persönlich zu gratulieren.[474] »Ich habe ihn in meine Arme geschlossen und ihn mit Küssen erstickt.« Tschukowski brachte einen Toast aus, der von westlichen Fotografen eingefangen wurde. Aus Angst, diese bezeugte Umarmung könne ihm später schaden, bereitete Tschukowski, der als Opfer einer Verleumdungskampagne traumatisiert war, eine Erklärung für die Behörden vor, in der er erklärte, es sei ihm »nicht bewusst gewesen, dass *Doktor Schiwago* Attacken auf das Sowjetsystem enthält«.[475]

Boris entschuldigte sich bei seinen Besuchern und ging nach oben, um das Telegramm an die Akademie zu schicken. Darin stand: »Unendlich dankbar, berührt, stolz, erstaunt, beschämt. Pasternak.« Als er es fertiggeschrieben hatte, begleiteten Tschukowski und seine Enkelin ihn ein Stück weit zum Kleinen Haus zu Olga. Da Sinaida sich zu dem Preis ausschließlich kritisch geäußert hatte, erzählte Boris Tschukowski auf dem Weg dorthin, dass er sie nicht zur offiziellen Verleihung nach Stockholm mitnehmen werde.

Boris war vollkommen »aufgewühlt«, als er das Kleine Haus betrat, erinnerte sich Olga. Er berichtete von Fedins unerwartetem Besuch und legte ihr dar, dass höchste Stellen forderten, er müsse den Preis und den Roman zurückweisen. Er sagte zu Olga, dass er bereits ein Dankestelegramm nach Stockholm geschickt habe und nicht wüsste, weshalb er bereit sein sollte, sich von seinem Roman zu distanzieren. Dann rief er Irina in Moskau an und erzählte ihr von den Geschehnissen an diesem Tag.

»Ach, du weißt es schon«, sagte Boris mit enttäuschter Stimme zu Irina. »Ich habe gerade deine Großmutter und ihren [neuen] Ehemann angerufen. Sergej Stepanowitsch war dran, also habe ich es ihm erzählt, aber er hat mir nicht einmal gratuliert. Jetzt fängt es an. Jetzt haben wir den Salat. Fedin hat mich besucht und gesagt, dass ich ihn ablehnen muss. Er hat mich angesehen, als hätte ich ein Verbrechen begangen, und hat mich nicht beglückwünscht… Nur die Iwanows haben gratuliert. Wunderbare Leute sind das! Tamara Wladimirowna hat mir einen dicken Kuss gegeben – was für eine nette Frau. Aber alle anderen… Mit Fedin rede ich nicht mehr. War das richtig?«

Später schrieb Irina: »Ich war wahrscheinlich eine der Ersten, denen er erzählt hat, dass er den Preis annehmen und die daraus folgenden Konsequenzen tragen wird. Mutter muss außer sich gewesen sein. Die Panik, die seine Gefolgsleute ergriffen hat, muss ihm enorm zugesetzt haben. Das ist mir sehr schnell klar geworden. Ich habe ihm mit übertriebener Heiterkeit geantwortet, ohne von meinen Sorgen zu sprechen. ›Aber ja doch, ja doch! Sag denen allen, dass sie abhauen sollen, diese elenden, armseligen Speichellecker.‹ ›Ja? Also habe ich Recht?‹, wiederholte Boris erfreut.«[476]

Nachdem Tschukowski sich an jenem Tag von Boris verabschiedet hatte, besuchte er Fedin, der ihn warnte: »Pasternak wird uns damit allen sehr schaden. Sie werden eine scharfe Kampagne gegen die Intelligenzija starten.«[477] Tschukowski erhielt eine Nachricht mit der Aufforderung, am nächsten Tag an einer Krisensitzung des Schriftstellerverbands teilzunehmen. Ein Kurier war in Peredelkino mit Vorladungen für die Schriftsteller von Haus zu Haus gegangen. Nachdem Wsewolod Iwanow seine Vorladung bekommen hatte, brach er zusammen. Als seine Haushälterin ihn fand, lag er auf dem Fußboden. Man vermutete einen Schlaganfall, und er war einen Monat lang ans Bett gefesselt.

Als der Kurier an Boris' Datscha klopfte, wurde das Gesicht des Dichters »dunkel; er griff sich ans Herz und hatte Mühe, die Treppe zu seinem Zimmer hinaufzukommen«. Er spürte Schmerzen im Arm, die sich anfühlten, als sei er »amputiert« worden. Tschukowski schrieb: »Es würde keine Gnade geben, das war klar. Sie werden ihn an den Pranger stellen. Sie werden ihn zu Tode trampeln wie zuvor schon Soschtschenko, Mandelstam, Sabolozki, Mirski und Benedikt Liwschiz.«[478]

Als Kurt Wolff in Amerika von der Verleihung des Nobelpreises hörte, schrieb er sofort an Boris: »Aber diesmal ist es [das Genie] wirklich hier als solches erkannt worden. Ihr Buch wird für seine herrlichen lyrisch-episch-ethischen Qualitäten gelesen und geliebt. (In sechs Wochen 70.000 Exemplare, das ist phantastisch, und es werden sicher vor Jahresende 100.000 oder mehr sein.)«[479] Wolff setzte noch hinzu, dass er für die im Dezember anberaumten Nobelpreis-Feierlichkeiten für ihn in Stockholm Zimmer buchen wollte.

»Die Treibjagd begann am Sonnabend, dem 25. Oktober«, schrieb Olga.[480] Radio Moskau verurteilte »die Verleihung des Nobelpreises für ein eher mittelmäßiges Werk wie *Doktor Schiwago*« als »einen feindlichen, politischen Akt gegen den sowjetischen Staat«. Mehr als zwei Seiten der Samstagsausgabe der *Literaturnaja Gazeta* waren der Beschimpfung Pasternaks gewidmet.[481] Die Zeitung druckte das von den Herausgebern der *Nowy Mir* verfasste, vernichtende Ablehnungsschreiben von 1956 ungekürzt ab sowie einen Leitartikel und offenen Brief der Herausgeber der Zeitung. Die Anschuldigungen beinhalteten unter anderem: »die Lebensgeschichte eines bösartigen, unbedeutenden Bourgeois ... sein offener Hass auf das russische Volk ... ein belangloses, wertloses und widerwärtiges Machwerk ... ein tollwütiger Literatursnob ...« Viele Moskowiter erfuhren zum ersten Mal von *Doktor Schiwago* und vom Nobelpreis. Die erste Auflage der Zeitung, 880.000 Exemplare, war innerhalb weniger Stunden verkauft. Die Auswirkungen des Preises auf die öffentliche Meinung in Moskau, besonders unter der Intelligenzija, waren enorm. Die Auszeichnung war »das einzige Gesprächsthema« in der Hauptstadt. Die Wahl von Kardinal Angelo Roncalli zum Papst, der Tod des berühmten Physiologen Leon Orbeli in Leningrad und sogar die Verleihung des Nobelpreises für Physik an drei sowjetische Wissenschaftler fanden kaum Beachtung.

»Spontane« Proteste gegen Pasternak gab es im Gorki-Literaturinstitut gegenüber dem Schriftstellerverband in der Worowskowo-Straße. Sorgfältig orchestriert, war vom Leiter des Instituts großer Druck auf die Studenten ausgeübt worden, an der Demonstration teilzunehmen. Die Haltung, die sie gegen Pasternak einzunehmen gedächten, sagte er, sei eine Art »Lackmustest« für sie. Die Studenten wurden angewiesen, an der Demonstration teilzunehmen und einen Brief zu unterzeichnen, mit dem der Schriftsteller in der *Literaturnaja Gazeta* verunglimpft werden sollte. Irina zufolge, die an diesem Institut studierte: »Die Leute, die die Unterschriften einsammelten, kamen in die Schlafsäle, und es war schwierig, ihnen aus dem Weg zu gehen. Trotzdem unterzeichnete nur knapp ein Drittel der dreihundert Studenten diesen Brief. Einige von unseren Mädchen schlossen sich im Klo oder in der Küche ein. Meine Freundin Alka schmiß sie ganz einfach aus ihrem Zimmer raus. Aber so was können sich nicht alle erlauben.«[482] Währenddessen schmierten drei tapfere Studenten in Leningrad *Lang lebe Pasternak!* quer über die Uferböschung der Newa.

Die Demonstration selbst war eine »erbärmliche Vorstellung«. Nur ein paar Dutzend Menschen erschienen. Sie nahmen Plakate und lehnten sie am Sitz des Schriftstellerverbands gegen die Mauer. Eines davon war eine an antisemitische Symbolik erinnernde Karikatur, die Pasternak zeigte, der mit klauenhaften, gierigen Fingern nach einem Sack voller Dollars greift. Auf einem anderen stand: »Werft den Judas aus der Sowjetunion hinaus!«

Am Sonntag, dem 26. Oktober druckten alle Zeitungen das komplette Material ab, das am Vortag in der *Literaturnaja Gazeta* erschienen war. Die *Prawda*, das offizielle Organ der Kommunistischen Partei, brachte eine bösartige, persönliche Attacke auf Pasternak, verfasst von ihrem bewährten Mann fürs Grobe, David Saslawski. Saslawski, 78 Jahre alt, war aus dem Vorruhestand geholt worden, um über Boris herzufallen. Die Schlagzeile lautete: »Reaktionärer Propaganda-Tumult um ein literarisches Unkraut«. Saslawski geiferte: »Es ist lächerlich, aber Doktor Schiwago, diese moralisch erboste Kreatur, wird von Pasternak als ›edelster‹ Repräsentant der alten russischen Intelligenzija dargestellt. Diese Verunglimpfung der führenden Intelligenzija ist, so absurd sie auch sein mag, zudem noch völlig ohne Talent geschrieben. Pasternaks Roman ist minderwertiges, reaktionäres Geschmiere.«

»Der Roman«, fuhr er fort, »wurde von den meisten hasserfüllten Feinden der Sowjetunion triumphierend aufgenommen – von Dunkelmännern aller Schattierungen, Brandstiftern eines neuen Weltkrieges, Provokateuren. Aus einer vorgeblich literarischen Veranstaltung wollen sie einen politischen Skandal anzetteln mit dem klaren Ziel, internationale Beziehungen zu hintertreiben, Benzin ins Feuer des ›Kalten Krieges‹ zu gießen, Feindschaft gegen die Sowjetunion zu säen und die sowjetische Öffentlichkeit zu verunglimpfen. Mit kaum verhohlener Freude hat die antisowjetische Presse den Roman zum ›besten‹ Werk des laufenden Jahres proklamiert, während die dienstfertigen Speichellecker der großen Bourgeoisie Pasternak mit dem Nobelpreis gekrönt haben.« Saslawski schloss: »Dieses aufgeblasene Selbstbewusstsein eines beleidigten und gehässigen Philisters hat keine Spur von Würde und Patriotismus in Pasternaks Seele zurückgelassen. Mit allen seinen Handlungen bestätigt Pasternak, dass er in unserem sozialistischen Land, das erfüllt ist von Enthusiasmus für den Aufbau der strahlenden kommunistischen Gesellschaft, nur Unkraut ist.«[483]

An jenem Nachmittag saß Alexander Gladkow gerade beim Friseur am Moskauer Arbat-Platz, als er hörte, wie Saslawskis Artikel im Radio verlesen wurde. »Alle hörten schweigend zu – es herrschte eine düstere Stille. Nur ein redseliger Arbeiter begann über das Geld zu schwadronieren, das Pasternak nun einstreichen würde, doch niemand ermunterte ihn, fortzufahren. Ich wusste, dass diese Art billiger Klatsch für Pasternak viel schwerer zu ertragen war als all die offiziellen Drohungen. Ich war den ganzen Tag sehr niedergeschlagen gewesen, aber diese Stille beim Friseur heiterte mich auf.«[484]

Als Irina die ätzenden Angriffe mitbekam, war sie froh, dass Boris nur selten Zeitung las:

Diese ungeheuerliche Banalität der Anschuldigungen hätte ihn ernstlich verletzt, er konnte sich nicht wie wir mit kalter Verachtung abwenden. Er hätte sich diesen jämmerlichen Schmutz zu Herzen genommen und sich in selbstquälerischer und zugleich komischer Weise vor sich und allen anderen verteidigt. Besonders in diesen Tagen fiel mir auf, daß er sich nicht wie wir gegenüber nahezu idiotischen Dingen ironisch verhalten konnte.

Einmal erzählte ihm jemand, um ihn zu erheitern, einen Wortwechsel zwischen zwei Frauen, den er in der Metro gehört hatte: ›Was schreist du mich an?‹, erboste sich die eine, ›glaub ja nicht, du hättest irgendso einen Schiwago vor dir!‹ Als Pasternak uns dies später wiedererzählte, gab er sich den Anschein, als habe ihn die Geschichte köstlich amüsiert, aber ich spürte – mein Einfühlungsvermögen war in diesen Tagen sehr geschärft –, daß er litt.[485]

Irina fuhr unverzüglich mit Juri und Wanja, zwei jungen Schriftstellerfreunden vom Literaturinstitut, nach Peredelkino. Nun wurde eine Hexenjagd gegen Pasternak losgetreten, und es war unmöglich zu sagen, wo das alles enden konnte. Irinas Freunde waren zwar ziemlich eingeschüchtert und verschreckt, aber doch entschlossen, ihm ihre Hilfe anzubieten.

Olga begrüßte sie an der Tür des Kleinen Hauses. Sie hatte ihre Tochter nicht erwartet. Boris freute sich zwar, Irina zu sehen, ihre Freunde allerdings weniger. Er wollte in Ruhe gelassen werden. Er erklärte den Gästen, dass er bereit sei, »den Kelch bis zur Neige zu leeren«, und trotz des furchtbaren Wetters – es hatte fünf Tage lang ununterbrochen geregnet – versuchte er, gute Laune zu verbreiten. Irina berichtete, dass die Mitglieder des Schriftstellerverbands sich am folgenden Montag, dem 27. Oktober, treffen wollten, um über Boris' Schicksal zu entscheiden. »Er war am Boden zerstört«, erinnerte sich Irina. »Ich konnte ihm ansehen, wie sehr er sich gewünscht hätte, dass ihm diese Auszeichnung erspart geblieben wäre, dass sich all das nur als ein böser Traum entpuppen würde und sich sein Leben einfach wieder normalisieren könnte: seine Arbeit, seine Spaziergänge, sein Briefwechsel und seine Besuche bei meiner Mutter.«[486]

Irina und ihre Freunde begleiteten Boris zu seiner Datscha zurück. Seine Einsamkeit war greifbar. Als er sich verabschiedete und den beiden jungen Studenten für ihr Kommen dankte, zog er ein kariertes Taschentuch heraus, um seine Tränen zu trocknen. »Es war eine Einsamkeit, geboren aus einem enormen Mut«, erinnerte sich Irina. »Er trug noch immer seine übliche Kleidung: Kappe, Regenmantel und Gummistiefel, die Mama und ich so mochten. Er trug diese Kappe und den Regenmantel, als er, die Hand vor seiner Brust, auf der Brücke von einem schwedischen Fotografen abgelichtet wurde. Die Bildunterschrift in unserem Dorfblättchen lautete: ›Hand aufs Herz, ich kann sagen, dass ich etwas für die Sowjetliteratur getan habe.‹«[487]

Später an jenem Abend vertraute Boris Olga an, dass Irinas zwei Freunde Juri und Wanja ihm erzählt hatten, dass man sie vom Literaturinstitut verweisen würde, falls sie sich weigern sollten, einen Brief zu unterschreiben, der seine Ausweisung aus dem Land forderte. Sie wollten wissen, was sie tun sollten. Er hatte ihnen zugeraten; schließlich sei es eine leere Formalität. Nachdem sie sich an der Datscha von ihm verabschiedet hatten, erzählte er, dass er ihnen nachgesehen hatte, als sie davongingen. Vor Erleichterung darüber, dass Pasternak ihnen seine persönliche Erlaubnis zur Unterschrift erteilt hatte, waren sie die Straße Hand in Hand »übermütig hinuntergehüpft«. Olga sah ihm an, wie verletzt er war. »Eine seltsame Jugend ist das, eine seltsame Generation. Zu unserer Zeit war das anders«, sagte er zu ihr und beklagte sich über den Mangel an Loyalität und Rückgrat.[488]

Mark Twain schrieb einmal, dass ein Mann für das, was er glaubt, in die Kirche aufgenommen, und für das, was er weiß, aus ihr ausgestoßen wird. »Für Boris Leonidowitsch war die Zeit gekommen, aus der ›Kirche‹ ausgestoßen zu werden«, schrieb Olga. »Er wußte, er hatte die Grundregel der Epoche verletzt: Blindheit gegenüber der Wirklichkeit. Er hatte das nur den Herrschenden zustehende Recht auf das Wort, den Gedanken, das Urteil usurpiert.«[489]

10

Die Affäre Pasternak

Am Montagmittag, dem 27. Oktober 1958, versammelten sich die Mitglieder des Schriftstellerverbands, um die »Affäre Pasternak« zu besprechen. Früh an jenem Morgen fuhr Pasternak nach Moskau. Er trug den Dreiteiler, den er von seinem Vater geerbt hatte und den er stets in Ehren hielt. Er ging mit Wjatscheslaw »Koma« Iwanow direkt zu Olgas Wohnung. Wjatscheslaw war der Sohn von Wsewolod Iwanow, dem Nachbarn von Boris, der nach der Aufregung um die Vorladung des Schriftstellerverbands noch immer ans Bett gefesselt war.

Olga, Irina und Mitja hießen Boris und Koma willkommen. Bei starkem, schwarzem Kaffee diskutierten sie, ob Boris zu seiner eigenen »Hinrichtung« gehen solle oder nicht. Koma plädierte eindringlich dafür, es sein zu lassen. Sie einigten sich darauf, dass Boris dem Komitee stattdessen einen Brief schicken sollte. Boris ging in Irinas Schlafzimmer und verfasste den Brief mit Bleistift. »Es war ein sehr origineller Thesenbrief, undiplomatisch, ohne Ausflüchte oder Zugeständnisse – in einem Atemzug geschrieben«, erinnerte sich Olga.[490] Er enthielt zweiundzwanzig Punkte.

Boris stellte sich vor die Anwesenden. Mit seiner bedächtigen, dröhnenden Stimme las er ihnen den Brief vor und machte nach jedem Punkt eine feierliche Pause. Unter anderem stand dort:

1. Ich erhielt Ihre Einladung und beabsichtigte zunächst, ihr Folge zu leisten. Doch als mir bewußt wurde, welch monströses Spektakel dort stattfinden wird, gab ich diese Absicht auf.

2. Ich glaube auch jetzt noch, daß man einen Roman wie *Doktor Schiwago* schreiben kann, ohne deshalb aufzuhören, ein sowjetischer Schriftsteller zu sein, um so mehr, als dieser Roman zu einem Zeitpunkt vollendet wurde, an dem Dudinzews Buch *Der Mensch lebt nicht von Brot allein* veröffentlicht wurde. Diese Veröffentlichung ließ den Eindruck eines Tauwetters, einer neuen Situation entstehen ...

3. Ich übergab den Roman *Doktor Schiwago* einem italienischen kommunistischen Verlag und erwartete eine zensurierte Übersetzung ... Ich war bereit, alle unannehmbaren Passagen zu streichen ...

4. Ich halte mich nicht für einen Parasiten ...

5. Ich habe keinen Dünkel. Ich habe Stalin gebeten, mir zu erlauben, so zu schreiben, wie ich kann ...

6. Ich glaubte, *Doktor Schiwago* würde Gegenstand kameradschaftlicher Kritik werden ...

7. Nichts kann mich zwingen, den Nobelpreis abzulehnen. Den Geldbetrag möchte ich dem Fonds des Weltfriedensrates überweisen ...

8. Ich erwarte von Ihnen keine Gerechtigkeit. Sie können mich erschießen, aus dem Lande jagen, es steht in Ihrer Macht. Aber ich bitte Sie, nichts zu überstürzen. Das würde Ihnen weder Glück noch Ruhm eintragen.[491]

Sein Brief schloss mit den Worten: »Ich vergebe Ihnen im Voraus.«[492]

Sein Publikum lauschte staunend, schweigsam. Nachdem er geendet hatte, gab es eine angespannte Pause. Dann sagte Koma, der Boris bewunderte, ermutigend: »Na also, es ist sehr gut!« Olga schlug vor, auf die Nennung von Dudinzew zu verzichten. Dudinzews Roman hatte 1956 wegen des unverblümten Portraits eines stalinistischen Bürokraten erhitzte Debatten hervorgerufen. Aber typischerweise weigerte sich Boris, seinen Brief in irgendeiner Weise abzuändern. Koma und Mitja nahmen ein Taxi und brachten dieses aufrührerische Pamphlet zum Schriftstellerverband, damit es auf jeden Fall noch vor Beginn der Versammlung dort eintraf.

Ein nervöses Publikum füllte die Weiße Halle an der Worowskowo-Straße, um über das Schicksal Boris Pasternaks zu befinden. Als alle Plätze besetzt waren, drängten sich weitere Schriftsteller in den Saal und stellten sich entlang der Wände auf. Pasternaks Brief wurde verlesen und mit »Wut und Empörung« aufgenommen. In Polikarpows Bericht für das Zentralkomitee wurde er wörtlich als »skandalös in seiner Unverfrorenheit und seinem Zynismus« beschrieben.[493]

Die Versammlung dauerte vier Stunden, und am Ende wurde einstimmig entschieden, Boris aus dem Schriftstellerverband auszuschließen. Tags darauf brachte die *Literaturnaja Gazeta* eine Balkenüberschrift: »Über die Aktivitäten des Schriftstellerverbandsmitgliedes Boris Leonidowitsch Pasternak, die nicht vereinbar sind mit dem Ehrentitel ›sowjetischer Schriftsteller‹«.[494] Der Text des Beschlusses, in dem Boris schonungslos attackiert wurde, wiederholte den Vorwurf des Verrats am sowjetischen Volk. Er enthielt ätzende Zeilen, etwa, dass »*Doktor Schiwago* das Geheul eines verängstigten Spießbürgers ist, der beleidigt und bestürzt reagiert, weil die Geschichte nicht den verschlungenen Wegen gefolgt ist, die er gern vorgeschrieben hätte …« und kam zu dem Schluss, dass der Vorstand »Boris Pasternak den Ehrentitel ›sowjetischer Schriftsteller‹ entzieht und ihn aus dem Schriftstellerverband der UdSSR ausschließt«.

Der KGB zog bei Boris und Olga augenblicklich die Daumenschrauben an. Die beiden wurden überallhin verfolgt. »Bei jedem Schritt hefteten sich verdächtige Gestalten wie Bluthunde an unsere Fersen«, sagte Olga. »Ihre Methoden waren unglaublich plump. Manchmal trugen sie sogar Frauenkleidung, und manchmal spielten sie betrunken (und tanzten!) auf dem Treppenabsatz direkt vor unserer Wohnung in der Potapow-Gasse.« Eine Wanze wurde im Kleinen Haus installiert. »Einen schönen Tag, Mikrofönchen«, wünschte Boris immer, wenn er seine Kappe auf einen Nagel neben die Stelle hängte, wo sie die versteckte Wanze entdeckt hatten.

Olga sagte, dass allein die Vorstellung davon »ihm das Gefühl [gab], von allen Seiten umstellt zu sein. Wir sprachen fast nur noch flüsternd, sahen überall Gefahren, schielten argwöhnisch auf die Wände, auch sie schienen uns feindlich gesinnt. Damals wandten sich viele Menschen von uns ab, kannten uns nicht mehr.«[495]

Als Olga am 27. Oktober spät in ihre Wohnung zurückkehrte, sah sie KGB-Agenten am Eingang herumlungern. Einige von ihnen waren ihr schon vertraut. Wegen ihrer früheren Erfahrungen, als der KGB ihre Wohnung durchsucht und sie anschließend verhaftet hatte, hielt sie es nun für angebracht, einige Briefe und Manuskripte zu retten und andere Papiere zu verbrennen. Und so schafften sie und Mitja am folgenden Tag so viele Unterlagen, wie sie tragen konnten, zum Kleinen Haus. Kurz nach ihnen traf auch Boris ein und begann mit bebender Stimme zu sprechen.

»Oljuscha, ich muß dir etwas ganz Wichtiges sagen. Verzeih mir, Mitja. Es ist nun genug. Ich kann nicht mehr. Es ist

Zeit, dieses Leben aufzugeben. Auch für dich, Lolja, gibt es keinen Ausweg aus all dem. Wenn du willst, daß wir zusammenbleiben, schreibe ich einen Brief. Wir werden hier den Abend über sitzen, beieinander sein, und so werden sie uns finden. Du hast einmal gesagt, elf Nembutal sind eine tödliche Dosis. Ich habe zweiundzwanzig. Wir wollen sie nehmen. ›Ihnen‹ wird es ein Schlag ins Gesicht sein.«[496]

Mitja, den das Gespräch verständlicherweise bestürzt hatte, rannte hinaus. Boris kam ihm nach. »Mitja, verzeih mir, denk nicht schlecht von mir, lieber Junge. Wir können so nicht mehr leben. Und wenn ich deine Mutter mit mir nehme, wird es nach unserem Tod auch für euch leichter sein. Ihr werdet sehen, was für einen Skandal es geben wird. Für uns ist das Bisherige genug und übergenug. Sie kann ohne mich nicht leben, ich nicht ohne sie. Verzeih mir. Sag, ob ich Recht habe.«[497]

Alle drei standen nun auf der Türschwelle, ohne den Schnee und den Regen zu spüren. Mitja wurde verständlicherweise blass vor Angst. Doch er respektierte Pasternak und liebte seine Mutter so sehr, dass er stoisch antwortete: »Sie haben Recht, Boris Leonidowitsch, Mutter muss das tun, was Sie tun.«

Olga schickte Mitja los, um einen Korb Feuerholz zu sammeln, damit sie bestimmte Papiere verbrennen konnten. Sie führte Boris ins Haus, ließ ihn sich setzen und bat ihn mit sanfter Stimme, noch ein wenig zu warten, bevor er irgendwelche drastischen Schritte unternahm. »Unser Selbstmord aber würde ihnen genau ins Konzept passen«, sagte sie und schloss den weinenden Boris in die Arme. »Sie werden uns der Schwäche und Kleinmütigkeit bezichtigen, werden unsere Tat als Eingeständnis unseres Unrechts ausgeben und schadenfroh sein!«[498] Schließlich gelang es ihr, Boris zu überreden, nach Hause in sein Atelier zu gehen und ein wenig zu schreiben, um sich zu beruhigen. Sie versprach ihm herauszufinden, was genau die Behörde von ihm wollte. Vorerst wollte Olga Fedin befragen, »und wenn es etwas ist, worüber wir lachen können, dann lachen wir einfach darüber und warten in aller Ruhe ab. Und wenn nicht, und wenn ich sehe, dass es tatsächlich keinen Ausweg gibt, dann werde ich es dir ehrlich sagen, und wir machen Schluss. Warte nur bis morgen, und unternimm nichts ohne mich.«

»Dann machen wir es so«, sagte Boris. »Geh heute, wohin du willst, tu, was du für richtig hältst. Bleib über Nacht in Moskau, morgen früh komme ich zu dir mit dem Nembutal. Dann entscheiden wir. Ich halte diese Treibjagd nicht mehr aus.«

Olga und Mitja begleiteten Boris über die lange Brücke bis in Sichtweite seiner Datscha nach Peredelkino zurück. Es gab einen heftigen Graupelschauer, aber Boris konnte sich nicht überwinden, das Haus zu betreten. Er stand auf der Straße und hielt Olga fest. Auch sie wollte ihn nicht gehen lassen. Irgendwann ließ er sich dann doch dazu bewegen.

Olga und Mitja stapften durch den tiefen Schneematsch weiter zum Haus von Konstantin Fedin. Sie kamen völlig durchnässt und mit schlammigen Schuhen an. Fedins Tochter Nina wollte sie nicht weiter als bis in den Hausflur lassen. Sie behauptete, ihr Vater sei krank und dürfe nicht gestört werden. Als Olga ihr Vorhaltungen machte und sagte, dass es ihrem Vater noch leidtun würde, wenn er sie nicht sofort empfinge, erschien Fedin am oberen Treppenabsatz und rief sie in sein Arbeitszimmer.

Olga erzählte Fedin, dass Boris kurz davor war, sich umzubringen »Sagen Sie mir bitte«, fragte sie Fedin, »was will man von ihm jetzt noch? Verlangt man tatsächlich, daß er sich umbringt?«[499] Als Fedin ans Fenster ging, meinte Olga, Tränen in seinen Augen zu sehen. Doch dann drehte er sich zu ihr um, und verkündete ihr im Ton eines halsstarrigen Parteibonzen: »Boris Leonidowitsch hat zwischen sich und uns eine große Kluft aufgerissen, die nicht überbrückt werden kann«, sagte er. Im Beisein von Olga rief Fedin Polikarpow an und vereinbarte für den folgenden Nachmittag ein Treffen. Als er die beiden die Treppe hinunterbegleitete, drehte er sich zu Olga um und sagte: »Ihnen ist doch ganz bestimmt bewusst, dass Sie ihn unter allen Umständen zur Vernunft bringen müssen. Er darf keinen weiteren Schlag gegen sein Vaterland führen.« Als Olga und ihr Sohn das Haus verließen, um nach Moskau zurückzukehren, blieben schmutzige Fußspuren auf Fedins makellosem Parkettboden zurück.

»An diesem Tag kam Mama vollkommen verzweifelt aus Peredelkino zurück«, erinnerte sich Irina. »Sie sah so alt aus, sie sah schrecklich aus, sie war tränenüberströmt. Sie kam in die Wohnung, musste sich an den Wänden abstützen und klagte, dass sie den Leuten, die den ›Klassjúscha‹ zum Weinen gebracht hatten, niemals verzeihen würde. Es sei einfach nur entsetzlich gewesen, sagte sie; offenbar hatte er es nicht über sich gebracht, nach Hause zu gehen, und so waren sie draußen auf der Straße stehengeblieben, unfähig, sich voneinander zu trennen. Sie sagte, sie hätten davon gesprochen, sich das Leben zu nehmen, und er sei entschlossen zu sterben. Mitja und ich umarmten sie; sie war über und über mit Schlamm bespritzt und ließ sich so wie sie war, mit Mantel und allem, heulend auf die Couch fallen.«[500]

Früh am folgenden Morgen hatten Olga und Boris am Telefon eine Auseinandersetzung. Sie warf ihm vor, nur an sich zu denken. Sie hielt es für eher wahrscheinlich, dass die Behörden dem berühmten Schriftsteller kein Haar krümmen würden, sie aber »schlechter dabei wegkäme«. Später an jenem Tag erschien Boris in ihrer Moskauer Wohnung, »noch immer in seinem besten Anzug«, um »etwas Verblüffendes zu verkünden«. Er rief alle zusammen – Olga, Irina, Mitja und Ariadna Efron, die gerade zu Besuch war – und sagte zu ihnen, dass er am Morgen ein Telegramm an den ständigen Sekretär der schwedischen Akademie in Stockholm, Anders Österling, geschickt hätte, in welchem er auf den Preis verzichtete. Sein Bruder Alexander hatte ihn zum Zentralen Telegraphenamt in der Nähe des Kremls chauffiert. Das Telegramm war auf Französisch verfasst. Darin hieß es: »Angesichts der Bedeutung, die diese Auszeichnung in jener Gesellschaft, der ich angehöre, bekommen hat, muss ich diesen Preis, der mir unverdient zuerkannt wurde, ablehnen. Bitte nehmen Sie meine freiwillige Ablehnung nicht mit Missgunst auf – Pasternak.«[501]

»Wir waren von der Ablehnung ebenso konsterniert wie wenige Tage vorher vom Annahme-Telegramm«, schrieb Olga später. »Es war echt Pasternak – erst handeln, hinterher mitteilen und dann beratschlagen. Nur Ariadna behielt einen klaren Kopf. Sie ging zu ihm hinüber, küßte ihn und sagte: ›Du bist wundervoll, Borja, einfach wundervoll.‹ Natürlich meinte sie das in diesem Augenblick nicht, aber sie spürte, daß jetzt, nachdem es geschehen war, man ihn unterstützen und bestärken mußte.«[502]

Pasternak hatte aber noch mehr für sie in petto. Er verkündete, dass er ein zweites Telegramm an das Zentralkomitee geschickt hatte, in dem er dem Kreml mitteilte, dass er den Nobelpreis nicht angenommen habe, und darum bat, Olga Iwinskaja wieder die Erlaubnis zum Arbeiten zu geben. Er wollte eine Lockerung der Restriktionen, damit sie für ihre Übersetzungen Geld verdienen konnte, selbst wenn er nun keine Mittel mehr hatte, um seinen Lebensunterhalt zu bestreiten.

Am selben Nachmittag nahmen Boris und Olga ein Taxi zum Treffen mit Polikarpow im Schriftstellerverband. Boris ließ sie aussteigen und fuhr allein nach Peredelkino zurück, wo er auf ihre Nachricht warten und die nächsten Schritte des Verbands erfahren wollte.

»Wenn Sie Pasternaks Selbstmord zulassen, machen Sie sich mitschuldig am zweiten Dolchstoß in den Rücken des Vaterlandes«, sagte Polikarpow zu Olga und wiederholte hier Fedins Worte. »… Der ganze Skandal muß beigelegt werden, und wir werden ihn mit Ihrer Hilfe beilegen. Sie können ihm helfen, sich dem Volk wieder zuzuwenden… Wenn ihm irgendetwas zustößt, fällt die moralische Verantwortung auf Sie.«[503]

Pasternaks Verzicht auf den Nobelpreis reichte ihnen eindeutig nicht. Sie wollten mehr. An jenem Abend im Zug nach Ismalkowo hinaus zermarterte Olga sich den Kopf, worauf genau die Machthaber aus waren. Was sie wirklich wollten, verstand sie erst später: Sie wollten Boris »demütigen«, ihn zwingen, »in der Öffentlichkeit zu Kreuze zu kriechen und seine ›Fehler‹ zuzugeben – mit anderen Worten, einen Sieg der brachialen Gewalt und Intoleranz erringen. Aber damit, dass er den ersten Schachzug gemacht hatte, erwischte er sie kalt.«

Die Schwedische Akademie beantwortete Pasternaks Telegramm und erklärte, dass sie seine »Ablehnung mit tiefem Bedauern, Mitgefühl und Respekt aufgenommen« habe. Erst zum vierten Mal wurde ein Nobelpreis zurückgewiesen.[504] 1935 war Hitler erzürnt, als Carl von Ossietzky, ein prominenter Anti-Nazi, den die Gestapo inhaftiert hatte, den Friedenspreis erhielt. Daraufhin erließ Hitler ein Gesetz, wonach deutschen Bürgern die Annahme des Nobelpreises verboten wurde; damit verhinderte er, dass drei weitere Deutsche, allesamt Wissenschaftler, ihre Preise bekommen konnten.

Olga traf sich mit Boris im Kleinen Haus. Als sie von ihrem Treffen mit Polikarpow berichtete, registrierte sie, dass Boris einen relativ gut gelaunten Eindruck machte. Wenigstens akzeptierte er anscheinend, dass sein Selbstmord kein brauchbarer Ausweg für ihn war – darin läge nichts Ehrenwertes. Anschließend fuhr sie sofort nach Moskau, um ihre Kinder zu beruhigen. »Ich hatte unseren Tod schon so nahe gespürt, und als ich erkannte, daß ›sie‹ [die sowjetischen Offiziellen] das nicht wollten, fühlte ich ungeheure Erleichterung.«[505]

Olga ging früh zu Bett und bat ihre Kinder, sie nicht zu stören. Sie sehnte sich nach Schlaf. Die Anspannung forderte nun ihren Tribut, sie war physisch und emotional ausgelaugt. Aber leider wurde sie bald darauf von Mitja aus dem Tiefschlaf gerissen. Ariadna sei am Telefon, sagte er zu ihr. Offenbar sollte sie unbedingt sofort den Fernseher einschalten.

Wladimir Semitschastny, ein hochrangiger Parteibonze (der ein paar Jahre später den KGB leitete), hielt im Moskauer Sportpalast vor zwölftausend Menschen eine vom Fernsehen und Radio übertragene Rede. Diese Rede wurde am folgenden Tag in verschiedenen Zeitungen abgedruckt. Am Abend zuvor war Semitschastny zu einem Treffen mit Chruschtschow in den Kreml zitiert worden, der ihn anwies, in seiner bevorstehenden Rede ein Statement zu Pasternak abzugeben. Chruschtschow diktierte mehrseitige mit Beleidigungen gespickte Bemerkungen. Er versicherte Semitschastny, dass er deutlich erkennbar applaudieren werde, wenn er zu dem Abschnitt über Pasternak käme. »Jeder wird das verstehen«, sagte Chruschtschow zu ihm.[506]

Semitschastny hielt genüsslich seine Hetztirade, in der er Pasternak ein »räudiges Schaf« nannte, nur um ihn gleich darauf mit einem Schwein zu vergleichen: »Ein Schwein – und alle Menschen, die mit diesem Tier umgehen, kennen seine Eigenschaften – verunreinigt nie den Platz, an dem es frißt, besudelt nie seinen Schlafplatz. Vergleicht man also Pasternak mit einem Schwein, ergibt sich: Nicht einmal ein Schwein tut, was Pasternak getan hat. Er hat das Land besudelt, dessen Brot er ißt. Er hat das Volk beschmutzt, von dessen Arbeit er lebt ...«[507] Semitschastny wurde wiederholt von donnerndem Applaus unterbrochen, und ein freudestrahlender Chruschtschow lauschte.

Pasternak las die ätzende Attacke am folgenden Morgen in der *Prawda*. Es war klargeworden, was der Kreml nun noch wollte. »Warum sollte dieser interne Emigrant eigentlich nicht die kapitalistische Luft atmen, nach der er sich so gesehnt hat und worüber er in seinem Buch gesprochen hat?«, hatte Semitschastny sich ereifert. »Ich bin sicher, dass unsere Gesellschaft das begrüßen würde. Soll er doch ein wirklicher Emigrant werden und in sein kapitalistisches Paradies gehen.« Die Behörden wollten ihn aus Russland hinausjagen.

Boris besprach mit Sinaida die Möglichkeit einer Emigration der Familie. Sie schlug vor, dass *er* gehen sollte, um in Frieden zu leben. »Mit dir und Ljonja?«, fragte er sie überrascht. Mit Ljonja meinte er ihren Sohn Leonid. Sinaida antwortete, sie selbst würde niemals gehen, aber sie wünschte ihm Ehre und Frieden für den Rest seines Lebens. »Ljonja und ich werden dich verleugnen müssen, aber wie du weißt, ist das nur eine Formalität.«[508]

Boris ging zum Kleinen Haus hinüber, um seine Situation mit Olga und ihrer Tochter Irina zu besprechen. Irina war entsetzt, wie grau und dünn er aussah. »Es war eine schreckliche Atmosphäre«, erinnerte sich Irina. Peredelkino erschien nicht mehr sicher. »An einem Abend [nach der Rede von Semitschastny] warfen Leute Steine gegen die Datscha und skandierten antisemitische Parolen.« Pasternak sprach dann mit ihnen darüber, Russland zu verlassen. »Du solltest gehen!«, verkündete Irina. »Es gibt keinen Grund, weshalb du es nicht tun solltest.«[509]

»Vielleicht, vielleicht sollte ich das«, nickte Boris. »Und dann hole ich euch mit Hilfe von Nehru nach.« (Es gab Gerüchte, wonach der Premierminister Indiens Pasternak politisches Asyl angeboten hatte.) Boris setzte sich hin und schrieb einen Brief an den Kreml, in dem er erklärte, dass er, da er nun als Emigrant betrachtet werde, die Genehmigung bekommen sollte auszuwandern, aber er wollte keine Geiseln zurücklassen. Er bat deshalb um die Erlaubnis, dass Olga und deren Kinder ihn begleiten durften. Als er den Brief beendet hatte, riss er ihn sofort wieder in Fetzen.

»Nein, Oljuscha, ich kann nicht, auch nicht, wenn wir alle zusammen gehen dürfen. Ich weiß, der Westen taugt für mich nur als Ferienaufenthalt. Mir ist jetzt nicht nach Ferien zumute. Ich muß mit meinen Birken leben, muß meinen Alltag leben. Schmerz und Kummer hier aushalten.«[510]

In dieser Zeit weinte Boris viel«, sagte Irina. »Er tat uns allen so leid, auch weil er immer dünnhäutiger wurde.« Aber nur widerwillig räumte sie ein: »Ich machte ihm Vorwürfe wegen seiner Verletzlichkeit, wegen seiner mangelnden Charakterstärke; ich sah in ihm nicht mehr die ganz und gar unbeugsame Stärke, die ich an ihm festgestellt hatte, als er noch jünger war. Er wurde zunehmend abhängiger von der öffentlichen Meinung. Er hängte sich an den kleinsten Kleinigkeiten auf, angefangen damit, ob die Postbotin ihn grüßte, bis hin zu der Bemerkung, dass der Fahrer des Holzgasers ihn immer noch genauso grüßte ›wie früher‹. Er war glücklich an dem Tag, als er einem Polizisten über den Weg lief, den er schon viele Jahre kannte und der ihn von sich aus grüßte, als ob nichts geschehen wäre.«[511]

Auf dem Höhepunkt der heftigsten Attacken seitens der sowjetischen Behörden bezog Pasternak enormen Trost aus den überwältigenden Respektsbezeugungen und Hilfsangeboten der ganzen Welt. Nachdem ihm der Nobelpreis verliehen worden war, hatte man seine ankommende Post mit einem Bann belegt, und nun fungierte Irina als seine verdeckte »Briefträgerin«. Sie brachte ihm Briefe ohne Briefmarken und manchmal auch ohne Umschläge. »Die Leute schoben sie einfach unter meiner Tür durch, aus Angst, man könnte sie als Absender identifizieren, oder sie rechneten damit, dass ihre Briefe auf dem Postweg verlorengehen könnten.«[512] Und so schaffte Irina einen Karton nach dem anderen von Moskau nach Peredelkino hinaus.

Die Nachrichten in der Westpresse trugen dazu bei, dass Pasternaks Stimmung sich aufhellte.[513] Am 30. Oktober schickten sowohl der internationale PEN-Club und eine Gruppe berühmter britischer Autoren Protesttelegramme an den sowjetischen Schriftstellerverband. »International PEN sehr besorgt über Gerüchte Pasternak betreffend, bittet Sie, den Dichter zu schützen, das Recht auf kreative Freiheit zu wahren. Schriftsteller der ganzen Welt denken brüderlich an ihn«, hieß es in dem Telegramm des PEN-Clubs. Im Telegramm der britischen Autoren – deren Unterzeichner unter anderem T. S. Eliot, Stephen Spender, Bertrand Russell, Aldous Huxley, Somerset Maugham, C. P. Snow und Maurice Bowra waren – hieß es: »Wir sind zutiefst besorgt über den Zustand Boris Pasternaks, einer der weltweit größten Dichter und Schriftsteller. Wir betrachten seinen Roman *Doktor Schiwago* als ein bewegendes, persönliches Zeugnis und nicht als politisches Dokument. Wir appellieren an Sie im Namen der großen russischen literarischen Tradition, für die Sie stehen, diese nicht zu entehren, indem Sie einen Dichter entehren, der in der ganzen zivilisierten Welt verehrt wird.« Die britische Society of Authors schickte ebenfalls ein Protesttelegramm: »Die Society of Authors missbilligt zutiefst Ausschluss von Boris Pasternak aus dem sowjetischen Schriftstellerverband und mahnt dringend seine Wiedereinsetzung an.«

An jenem Tag besuchte Olga Grigorij Chessin, den Leiter der Abteilung für Autorenrechte im Schriftstellerverband, um nach der Rede von Semitschastny seinen Rat einzuholen. In der Vergangenheit war er Pasternak wohlgesinnt gewesen und hatte Olga immer freundlich und höflich gegrüßt. Nun war er kalt, formell und distanziert. Er verbeugte sich steif und starrte sie an. Als sie ihn fragte, was *wir* tun sollten, antwortete er laut und betonte dabei jedes Wort. Angesichts seiner seltsamen Wortwahl stand für Olga zweifelsfrei fest, dass ihr Gespräch aufgezeichnet wurde. »Olga Wsewolodowna, wir können Ihnen keinerlei Rat mehr geben. Ich betrachte Pasternak als Verräter, als Helfershelfer der Brandstifter des Kalten Krieges, als inneren Emigranten. Es gibt einige Dinge, die man ihm um des Vaterlandes willen nicht verzeihen kann. Nein, hier kann ich Ihnen überhaupt nicht raten.«[514]

Olga erhob sich und knallte die Tür hinter sich zu. Im Korridor kam ein gutaussehender junger Mann auf sie zu. Es war Isidor Gringolts, ein Copyright-Anwalt, der mit einem von Irinas Dozenten befreundet war. Er sagte zu einer erstaunten Olga, dass er unbedingt helfen wollte, und fügte hinzu: »Boris Leonidowitsch ist für mich ein Heiliger!«[515] Glücklich, nach der Abfuhr von Chessin endlich ein Hilfsangebot zu bekommen, lud Olga ihn leichtsinnigerweise ein, ein paar Stunden später ihre Wohnung in der Potapow-Gasse aufzusuchen.

Dort waren bereits Koma Iwanow, Ariadna Efron, Irina und Mitja versammelt, die begierig darauf warteten, die nächsten Schritte zu besprechen. Gringolts' Eröffnungsworte waren: »Sie müssen verstehen, dass ich Boris Leonidowitsch liebe und dass sein Name heilig für mich ist.« Sie alle waren sich einig, dass die Kampagne gegen Boris gefährliche Formen annahm. Er bekam Drohbriefe, Gerüchte machten die Runde, dass das Haus in Peredelkino von weiteren Mobs angegriffen werden sollte, und nach Semitschastnys Rede musste Polizeiverstärkung nach Peredelkino geschickt werden, da eine Demonstration junger Kommunisten offenbar aus dem Ruder zu laufen drohte. Die Gruppe, die loyalsten Unterstützer von Boris, diskutierte stundenlang darüber, welches Vorgehen das beste sei, bis Olga »die Ohren dröhnten«. Gringolts versteifte sich darauf, dass das Einzige, was Pasternak unternehmen sollte, ein Brief an Chruschtschow sei mit der inständigen Bitte, ihn nicht auszuweisen. Irina rechnete fest damit, dass Boris sich dagegen sperren würde. Sie fand, er sollte keine wie immer geartete Reue zeigen. Doch irgendwann wusste Olga, die ernsthaft um Boris' Leben fürchtete, dass Gringolts Recht hatte: Nun war es an der Zeit, »einzulenken«. Es gab keine andere Lösung.

Gringolts entwarf einen Brief, den Olga und Irina dem Stil Pasternaks anglichen. Dann nahmen Irina und Koma das Schreiben direkt nach Peredelkino mit, um es von Boris unterzeichnen zu lassen.

Später schrieb Olga: »Nachträglich erscheint es mir ungeheuerlich, daß wir einen derartigen Brief zusammenschusterten, während Pasternak noch nicht einmal von der Idee dieses Briefes wußte. Doch damals, in dem Tohuwabohu rings um uns und in der Zeitbedrängnis, fand ich es ganz normal.«[516]

Boris traf sich mit Irina und Koma am Gartentor seiner Datscha, und die drei gingen zum Postamt, von wo aus Boris Olga anrief. Er war mit dem Wortlaut einverstanden und fügte am Ende eine Zeile hinzu. Er unterschrieb ihn und unterschrieb auch ein paar Blankoblätter, falls sie etwas korrigieren mussten. Dann klemmte er noch eine Notiz mit rotem Bleistift an den Brief, die ihm offenbar wichtig war: »Oljuscha, alles kann so bleiben, nur, wenn es möglich ist, schreib nicht, ich wäre in der Sowjetunion geboren, schreib Rußland.«[517]

Am folgenden Tag lieferten Irina und ein Freund den Brief im Gebäude des Zentralkomitees auf dem Staraja-Platz Nr. 4 ab. Sie schoben ihn durch eine Öffnung, aus der ein Offizier und ein Soldat sich herauslehnten und sie interessiert beäugten. Im Brief stand Folgendes:

Verehrter Nikita Sergejewitsch!
Ich wende mich an Sie persönlich, an das Zentralkomitee der Kommunistischen Partei und an die sowjetische Regierung. Ich habe aus einer Rede des Genossen Semitschastny erfahren, daß die »Regierung meiner Ausreise aus der Sowjetunion keinerlei Hindernisse in den Weg legen« würde. Für mich ist das unmöglich. Ich bin durch meine Geburt, mein Leben und meine Arbeit mit Rußland verbunden. Ich kann mir mein Schicksal nicht getrennt und außerhalb von Rußland vorstellen. Wie immer meine Fehler und Irrungen gewesen sein mögen, so habe ich mir doch nicht vorstellen können, daß ich in den Mittelpunkt einer politischen Kampagne geraten würde, die man im Westen um meinen Namen zu entfalten begonnen hat. Nachdem mir das klargeworden ist, habe ich die Schwedische Akademie von meinem freiwilligen Verzicht auf den Nobelpreis in Kenntnis gesetzt. Das Verlassen meines Landes ist für mich gleichbedeutend mit dem Tod, und deshalb bitte ich Sie, diese äußerste Maßnahme gegen mich nicht zu ergreifen.«

Der Brief endete mit dem Satz, den Pasternak eigenhändig hinzugefügt hatte:

> Ich kann sagen – mit der Hand auf dem Herzen –, daß ich etwas für die sowjetische Literatur getan habe, und ich kann ihr noch weiterhin nützlich sein.
> 31. Oktober 1958
> B. Pasternak[518]

Später machte Olga sich Vorwürfe, sagte, dass der Brief ein schrecklicher Fehler gewesen sei und dass sie die volle Verantwortung dafür übernehme. Allerdings ist es ganz klar, dass das Trauma, Russland zu verlassen, Boris eindeutig überfordert hätte. Er war ja in vielerlei Hinsicht schon ein gebrochener Mann, eingesperrt in Peredelkino, dessen einzige Freiheit darin bestand, dass er seinen normalen Tagesablauf fortsetzen durfte. Ohne das und ohne die Vertrautheit des Ortes, an dem er sich so aufgehoben wusste, ohne sein geliebtes Mütterchen Russland, hatte er nichts. Das Exil wäre schlimmer für ihn gewesen als Selbstmord.

Irina wusste, dass er in jenen Tagen an seiner üblichen Routine festhielt, obwohl ein »Damoklesschwert über seinem Leben schwebte. So hoffte er zu verhindern, dass sich Chaos in seinem Leben breitmachte.«[519] Pasternak arbeitete noch immer: Er hatte beschlossen, *Maria Stuart* zu übersetzen – nicht das Theaterstück von Schiller, das er ja schon aus dem Deutschen übersetzt hatte, sondern ein gleichnamiges Drama des polnischen Dichters der Romantik, Juliusz Slowacki. »Wann immer es möglich war, legte er sich nach dem Essen kurz aufs Ohr, ging dann spazieren und las, aber er wurde bereits als Geächteter angesehen, als Beschuldigter, als Angeklagter, der stündlich sein Urteil erwartete, ohne zu wissen, welches.« Jeden Abend um neun suchte Boris den Schriftstellerclub in Peredelkino auf, wo er in der dortigen Telefonzelle einige Anrufe tätigte. Er bereitete dazu eine genaue Liste der Leute vor, die er anrufen wollte, und den Zweck seiner Anrufe. Das konnten etwa ein Gespräch über eine Antwort auf einen Brief sein, Anweisungen im Zusammenhang mit dem Roman oder ein Anruf bei Irina. »Ein solches Gespräch lief ungefähr so ab: ›Ich komme am Montag nach Moskau. Bitte besorg mir hundert unbedruckte Kuverts und pass auf, dass der Klebstoff von guter Qualität ist. Dann brauche ich auch noch Briefmarken. Vielleicht kriegst du ja welche mit einem Eichhörnchen drauf‹«, erinnerte sich Irina.

Manchmal ließen ihn die Angerufenen abblitzen, manchmal überwältigte ihn aber auch deren Freundlichkeit. »Deshalb waren diese Anrufe für ihn wie Folter. Er hatte Angst davor, die Stimmen zu hören, die zurückhaltend oder frostig waren; manchmal beleidigten ihn Leute, die er als Freunde betrachtet hatte, aber selbst wenn es ihn noch so verletzte, konnte er nicht widerstehen, dennoch anzurufen.«[520]

Irina erinnerte sich an ein Telefonat von Boris bei seiner Freundin Lilja Brik, der Witwe des Literaturkritikers Ossip Brik, das zeitlich etwa mit dem Brief an Chruschtschow zusammenfiel. Es war ein ungemütlicher, feuchter Abend im Herbst, und der Wind fegte durch die Kiefern. »Mama und ich unterhielten uns leise vor der Telefonzelle, während wir auf ihn warteten, als wir plötzlich lautes Schluchzen hörten. Wir rannten zu ihm hinüber und sahen, dass das Gespräch unterbrochen war und er hemmungslos weinte.« Sobald Lilja Brik Pasternak am Telefon erkannt hatte, redete sie »in einem Ton voller Mitgefühl auf ihn ein, da sie seinen Anruf schon erwartet hatte. ›Boris, mein armer Boris, was machen sie nur mit dir?‹ Und er, der mit unbeschreiblichen Beleidigungen umzugehen gelernt hatte, war nicht in der Lage, mit einer so liebevollen Zuwendung zurechtzukommen«, schlussfolgerte Irina.[521]

Am folgenden Tag, Freitag, 31. Oktober, kehrte Olga nach Moskau zurück und ging erschöpft in die Wohnung in der Potapow-Gasse, um etwas Schlaf zu finden. Sie war gerade eingenickt, als ihre Mutter sie weckte. »Du wirst am Telefon verlangt. Aus dem ZK. Sie sagen, in einer sehr wichtigen Sache.«[522] Es lag auf der Hand, dass Olga bis zu ihrer Wohnung verfolgt worden war. Die Regierungsbonzen wussten über jeden ihrer Schritte Bescheid. Olga nahm das Gespräch entgegen. Grigorij Chessin hätte sie nicht erwartet. Er war nun wieder ungewöhnlich freundlich, als hätte ihre letzte Unterhaltung, als Olga die Tür hinter sich zugeworfen hatte, nie stattgefunden.

»Olga Wsewolodowna, meine Liebe. Sie sind wirklich eine kluge Frau: Der Brief von Boris Leonidowitsch ist eingetroffen, nun ist alles in Ordnung. Sie müssen nur noch ein bißchen Geduld haben. Für den Augenblick habe ich Ihnen mitzuteilen, daß wir Sie unverzüglich sprechen müssen, wir kommen zu Ihnen.«[523]

Olga, die sich über seinen veränderten Tonfall ärgerte, sagte ihm, dass sie nichts mehr mit ihm zu tun haben wolle, seit er sich geweigert hatte, ihr zu helfen. Einen Augenblick lang war es still in der Leitung, und dann informierte Chessin Olga davon, dass Polikarpow ebenfalls mithörte. Sie wollten sie abholen, sagte Polikarpow, und anschließend auch Pasternak in Peredelkino, damit sie so schnell wie möglich vor dem Zentralkomitee der Kommunistischen Partei aussagen konnten.

Olga rief Irina an und bat sie, sofort nach Peredelkino zu fahren, um Boris zu warnen. Für Olga war es offensichtlich: Wenn Polikarpow Boris persönlich abholte, hieß das, Chruschtschow wollte mit ihm sprechen.

Gerade als Olga aufgelegt hatte, fuhr eine schwarze ZIL-Regierungslimousine vor, wartete unten und hupte. Darin saßen Chessin und der furchterregende Polikarpow. Olga versuchte, sie hinzuhalten, um es Irina zu ermöglichen, zuerst nach Peredelkino zu gelangen, aber am Ende wurde sie gezwungen einzusteigen. Es war hoffnungslos anzunehmen, dass Irina vor ihnen bei Boris eintreffen konnte, denn die Limousine raste auf einer für Regierungsfahrzeuge reservierten Spur und hielt kein einziges Mal an einer Verkehrsampel.

Auf dem Rücksitz flüsterte Chessin Olga zu, dass er es gewesen war, der Isidor Gringolts zu ihr geschickt hatte. Olga blieb die Luft weg, als sie erkannte, dass sie manipuliert worden war, Boris zu überreden, den Brief an Chruschtschow zu schreiben. »Sie kannten seine Geradlinigkeit und seine Unfähigkeit, Befehlen zu gehorchen. Und da hatte sich ihnen ein Weg geöffnet. Er führte über mich, über meine Angst um ihn, über meine Gedankenlosigkeit. Sie wußten genau: Mit einer ›offiziellen Persönlichkeit‹ konnten sie bei mir nichts erreichen, also schickten sie mir einen ›reizenden Jungen‹, einen ›Verehrer Pasternaks‹ (den Provokateur Gringolts), und die Intrige klappte.«[524]

Während Olga sich mit Selbstvorwürfen plagte, dass sie sich hatte übertölpeln lassen, drehte Polikarpow sich zu ihr um und sagte: »Wir verlassen uns jetzt ganz auf Sie. Sie müssen ihn beruhigen.« Polikarpow schien ungewöhnlich besorgt, dass Pasternak sich nicht bereit erklären könnte, nach Moskau mitzufahren.

Als sie Peredelkino erreichten, war die Datscha Nr. 3 schon von anderen Dienstfahrzeugen umstellt, darunter einige des Schriftstellerverbands. Olga wurde in einen anderen Wagen gesetzt, während alle auf Irinas Eintreffen warteten. Für Olga hätte Sinaida die Tür nicht geöffnet, aber deren Tochter gegenüber war sie eher freundlich gesinnt. Olga wurde angewiesen, Boris anschließend in ihre Wohnung in der Potapow-Gasse mitzunehmen und dort auf offizielle Pässe zu warten, die erst noch organisiert werden mussten.

Als Irina in Peredelkino eintraf, war die Abenddämmerung schon angebrochen, und die Dienstkarossen bildeten eine bedrohliche Kulisse auf der Gasse vor Pasternaks Haus. Eine verängstigt aussehende Sinaida kam heraus, um Irina zu begrüßen. Sie sagte zu ihr, dass Boris sich sofort umziehen werde. Boris erschien in seinem grauen Mantel und der grauen Kappe, die er oft trug, wenn er verreiste. Mit einem Blick erkannte er die Situation vor seinem Haus und war einverstanden, ins Auto einzusteigen. Er schien bester Laune zu sein und beklagte sich nur darüber, dass Irina ihm zu wenig Zeit gelassen hatte, sich eine andere Hose anzuziehen. Auch er erwartete, Chruschtschow wolle ihn treffen. »Mama und ich saßen neben ihm im Fond des schwarzen Autos, und dann ging es mit unserer Eskorte nach Moskau«, sagte Irina.

Mit Freude erinnere ich mich an all die Gefahren auf dieser Reise. BL war bester Stimmung. Und obwohl meine Mutter ihm immer wieder zuflüsterte, die Lautstärke zu drosseln, und auf den Chauffeur deutete: ›Boris, nicht so laut, er hört zu‹, sprachen wir ungeniert über alles Mögliche.

Sein wunderbarer Sinn für Humor bot ihm wahrscheinlich eine Art Schutz. Und gerade in dieser Zeit, als eine so wichtige Entscheidung mit potenziell gefährlichen Konsequenzen anstand, ähnelte er einem Schauspieler, der ganz in seiner Rolle aufging. Die Diskussion, die bald beim Zentralkomitee stattfinden sollte, lief wie in einem Spielfilm auf ihren Höhepunkt zu, und er probte seine Rolle im Auto. ›Zunächst werde ich ihnen sagen, dass sie meinen Spaziergang unterbrochen haben, also musste ich die Hose anbehalten, die nicht gebügelt ist. Ich werde ihnen sagen, dass ich keine Zeit hatte, mich umzuziehen.‹ Als wir ihm versicherten, dass das niemanden interessieren würde, fuhr er fort: ›Ach, von wegen! Ich muss ihnen das sagen, weil sie sonst am Ende noch denken: Also das ist die Vogelscheuche, für die die Welt sich begeistert.‹ Und wir, überzeugt, dass er genau das sagen würde, brachen in schallendes Gelächter aus.[525]

Hinter ihnen folgte ein ganzer Autokonvoi nach Moskau, und in einem der Fahrzeuge saß auch Polikarpow.

Oben in der Wohnung lief Boris unruhig auf und ab und trank starken schwarzen Tee, während Olga sich umzog. Er rief zu ihr hinüber, sie solle sich weder schminken noch Schmuck anlegen. Das war oft ein Streitthema zwischen ihnen: Boris fand, dass Olga eine natürliche Schönheit war und es weder nötig hatte, Schmuck zu tragen, noch sich aufzuhübschen. Irina hatte als Notfallreserve eine »kleine Phiole mit Baldriantabletten, Herztabletten und eine Flasche Wasser« dabei, falls die Unterhaltung aus dem Ruder laufen sollte. Die ganze Szene war so surreal, wie Irina sich erinnerte, dass die drei eine »fast hysterische Fröhlichkeit« verströmten.

Als sie vor dem Eingang Nr. 5 des Zentralkomitees am Staraja-Platz vorfuhren, ging Boris zu dem Wachhabenden und begann ihm zu erklären, dass er außer seiner Mitgliedskarte des Schriftstellerverbands keine Ausweispapiere präsentieren könne: »Wissen Sie, der Schriftstellerverband, Sie und Ihre Kollegen, haben mich gerade hinausgeworfen.« Dann sprach er genau so über seine Hose, wie er es angekündigt hatte. Der verblüffte Wachmann murmelte nur etwas von »das wird schon in Ordnung sein« und winkte Boris und Olga durch. Irina ließen sie mit Boris' Medizinfläschchen in der Eingangshalle warten, für den Fall, dass er sich unwohl fühlen sollte.

Während sie die Treppe hinaufgingen, zwinkerte Boris Olga zu: »Siehst du, jetzt wird's interessant.«[526] Er war überzeugt davon, dass er gleich darauf ein Zimmer betreten und Chruschtschow begegnen würde. Aber als sich die Tür zum Allerheiligsten öffnete, waren sie überrascht, Polikarpow wiederzusehen. Seltsamerweise war er frisch rasiert und hatte sich umgezogen. Die ganze Szene kam ihnen inszeniert vor; es sollte wohl so aussehen, als hätte der Ausflug nach Peredelkino nie stattgefunden und als hätte er den ganzen Tag an seinem Schreibtisch gesessen.

Polikarpow räusperte sich, erhob sich mit ernstem Gesicht von seinem Stuhl und verkündete mit einer Stimme wie ein Marktschreier, dass, um Pasternaks Brief zu beantworten, Chruschtschow ihm erlaube, in der Heimat zu bleiben. Aber, fuhr er fort, der Schriftsteller würde einen Weg finden müssen, seinen Frieden mit dem sowjetischen Volk zu schließen. »Wir können nichts tun, um den Zorn des Volkes zu besänftigen«, sagte er und fügte hinzu, dass die *Literaturnaja Gazeta* am folgenden Tag auf allen Seiten Kostproben dieses Zorns liefern werde.[527]

Das war nicht das Treffen, das Boris erwartet hatte. Seine Reaktion war ein Wutausbruch: »Schämen Sie sich nicht, Dmitrii Alexandro? Was meinen Sie mit ›Zorn‹? Ich sehe ja, Sie haben auch noch eine menschliche Seite, warum kommen Sie mit solchen Phrasen? ›Volk‹, ›Volk‹!, als sei das etwas, das

Sie aus der Hosentasche zaubern könnten! Sie wissen sehr gut, daß Sie dieses Wort überhaupt nicht benutzen dürften.«[528]

Polikarpow war fassungslos, doch er brauchte Boris' Einverständnis. Er holte tief Luft, schluckte, kratzte alles zusammen, was er an Geduld aufbringen konnte, und versuchte es noch einmal: »Hören Sie zu, Boris Leonidowitsch, die ganze Geschichte ist vorüber, schließen wir also Frieden, und alles wird sich bald wieder einrenken.« Dann klopfte er ihm kumpelhaft auf die Schulter: »Du liebe Zeit, alter Knabe, in was hast du uns da hineingezogen?«

Dass Boris in Olgas Gegenwart als »alter Knabe« angesprochen wurde, erboste ihn. Olga zufolge hielt er sich noch immer für »jung und gesund und darüber hinaus noch für den Helden des Tages«. Ungeduldig stieß er Polikarpows Hand weg: »Unterlassen Sie gefälligst diesen Ton! Sie können nicht in diesem Ton mit mir reden!«

Doch Polikarpow fuhr in diesem falsch-vertraulichen Ton fort: »Na, was denn – erst das Messer dem Land in den Rücken, und nun müssen wir das Pflaster draufkleben …«

Boris sprang auf: »Ich muss Sie bitten, diese Worte zu widerrufen! Ich wünsche nicht mehr, mit Ihnen zu sprechen!«, polterte er und steuerte auf die Tür zu.

Polikarpow warf Olga einen verzweifelten Blick zu: »Halten Sie ihn zurück, halten Sie ihn zurück, Olga Wsewolodowna.«

»Sie hacken auf ihm herum, und ich soll ihn jetzt zurückhalten?«, antwortete Olga. »Sie müssen Ihre Worte widerrufen.«

Sichtlich verstört und aus Angst, Pasternak noch mehr aufzuregen, murmelte Polikarpow: »Tu ich ja, tu ich ja.«[529]

Boris zögerte an der Tür. Olga bat ihn zurückzukommen, und das Gespräch wurde in einem zivilisierteren Ton fortgesetzt. Er teilte Boris mit, dass die Funktionäre jetzt nur darauf beharrten, dass Boris keinen Kontakt mit der ausländischen

Presse pflegen sollte. Als sie gingen, bereitete Polikarpow Olga darauf vor, dass Pasternak vielleicht noch einen weiteren, offenen Brief werde unterschreiben müssen.

Während sie durch den Korridor zu Irina zurückgingen, sagte Boris zu Olga: »Sie hätten mir die Hand hinstrecken müssen, dann wäre alles anders. Aber sie können nicht über ihren Schatten springen, fürchten in ihrer Armseligkeit, sich etwas zu vergeben. Das ist ihr Hauptfehler. Sie hätten zu mir als zu einem Menschen sprechen müssen. Dafür haben sie kein Gespür. Sie sind selbst keine Menschen, sondern Maschinen. Sieh dir diese gräßlichen Wände an, und alle, die sich innerhalb dieser Wände bewegen, handeln wie Automaten.«[530]

Irina, Olga und Boris wurden in einer Regierungskarosse nach Peredelkino zurückgefahren. Boris war wieder bester Laune. Er spielte Irina das gesamte Gespräch bühnenreif vor und ignorierte Olga, die ihn ständig am Ärmel zupfte, damit er die Lautstärke vor dem Chauffeurspitzel herunterdrehte. In einer Gesprächspause zitierte Irina ein paar Zeilen aus Pasternaks Epos *Leutnant Schmidt*. Das Gedicht, 1926 erstmals veröffentlicht, geht zurück auf die Worte des Leutnants Schmidt, einer berühmten Gestalt der Revolution von 1905, die er am Vorabend seiner Hinrichtung wegen Meuterei gesprochen hatte. Die Zeilen des Gedichts wurden in Moskau während der Hetzkampagne gegen Pasternak so oft zitiert, dass einige Leute es fälschlicherweise für ein neues Gedicht von ihm hielten, das er 1958 geschrieben hatte. Als Irina es rezitierte, verflog Pasternaks Hochstimmung. »Das ist doch gut, ist wahr!«[531], sagte er traurig.

Olga verzieh sich nie, dass sie den Brief an Chruschtschow aufgesetzt hatte. Und sie ärgerte sich über ihre und Boris' »mangelnde Standfestigkeit, vielleicht auch Dummheit, jedenfalls die Unfähigkeit, den ›entscheidenden Augenblick‹

wahrzunehmen, der nun zu einem Augenblick der Schande geworden war.«[532] Sie fragte sich ständig, ob die Ablehnung des Nobelpreises eine Trotzhandlung von Boris gewesen war oder eher ihr gemeinsamer Kleinmut. Doch sie begriff, dass es nur ihre erbärmliche Angst gewesen war, die es ihr verwehrt hatte, Gringolts zu durchschauen und auf seine Provokation zu reagieren. »Der Brief hätte nicht geschrieben werden dürfen, niemals! Daß er geschrieben und abgeschickt wurde, ist meine Schuld«, schrieb sie später.[533]

11

Bin umstellt, verloren, Beute

Bei seinem Treffen mit Polikarpow hatte Pasternak darum gebeten, das Briefverbot, das abermals für drei Tage angeordnet worden war, wieder aufzuheben. An der gesamten Hetzkampagne deprimierte ihn nichts so sehr wie die Tatsache, dass er keinen Zugang zu seiner Korrespondenz hatte. (Boris erhielt nach der Verleihung des Nobelpreises etwa insgesamt fünfundzwanzigtausend Briefe.) Als die Briefträgerin nun zwei riesige Postsäcke zustellte, die sich in den vergangenen Tagen angesammelt hatten, wusste er, dass das Verbot aufgehoben worden war.

Wie Polikarpow vorausgesagt hatte, beschimpfte die *Literaturnaja Gazeta* in ihrer nächsten Ausgabe den Schriftsteller aufs Übelste und spiegelte damit den »Volkszorn« wider. Doch waren es die Briefe seiner Unterstützer, die diese Nackenschläge milderten. Eine anonyme, doch besonders denkwürdige Mitteilung war diese: »Hochverehrter Boris Leonidowitsch! Millionen Russen sind glücklich, daß unsere Literatur ein derartiges Meisterwerk hervorgebracht hat. Die Geschichte wird es Ihnen danken.

29.10.1958 Das russische Volk.«[534]

Auch ausländische Zeitungen und Zeitschriften trafen ein mit den ersten Reaktionen auf die Pasternak-Hetze.[535] »Ich werde ihm ein Haus schenken, um ihm das Leben im Westen zu erleichtern«, schrieb Ernest Hemingway. »Ich werde ihm die erforderlichen Bedingungen verschaffen, daß er weiter arbeiten kann. Ich kann gut verstehen, wie innerlich zerrissen Boris jetzt ist. Ich weiß, wie tief und mit ganzem Herzen er in Rußland verwurzelt ist. Für ein Genie wie Pasternak ist die Trennung von der Heimat eine Tragödie. Doch wenn er zu uns kommen will – wir werden ihn nicht enttäuschen. Ich werde alles tun, was in meinen bescheidenen Kräften steht, um diesem schöpferischen Genie Ruhe und Frieden zu verschaffen. Ich denke tagaus, tagein an Pasternak.« Jawaharlal Nehru schrieb: »Wenn ein bekannter Schriftsteller seine Meinung vertritt, die den in seinem Land vorherrschenden Anschauungen widerspricht, dann glauben wir, dass diese Meinung respektiert werden muss, statt ihn Restriktionen zu unterwerfen.« Der französische Journalist Georges Altman fasste zusammen: »Ich sage mit Nachdruck, daß Pasternak ein viel besserer Repräsentant des großen Russland von gestern und heute ist als Mr. Chruschtschow«

»Die ganze Welt weiß, daß der Sowjetische Schriftstellerverband es lieber gesehen hätte, wenn Scholochow[536] der Nobelpreis verliehen worden wäre«, schrieb Albert Camus. »Doch das konnte die Schwedische Akademie nicht beeinflussen. Sie hatte lediglich die literarischen Verdienste beider Autoren zu beurteilen. Daher bedeutet ihre Wahl, die nicht von politischen Gesichtspunkten bestimmt wurde, schlicht und einfach die Anerkennung der literarischen Verdienste Pasternaks. Scholochow hat seit langem nichts Neues veröffentlicht, inzwischen ist ›Doktor Schiwago‹ in der ganzen Welt, diesseits und jenseits des Eisernen Vorhangs erschienen, als ein unvergleichliches Buch, das die Masse der literarischen Weltproduktion um ein Vielfaches überragt. Dieser große Liebesroman ist nicht antisowjetisch, wie einige behaupten, er hat nichts mit irgendeiner Partei zu tun. Er ist allumfassend.«[537]

Pasternak zufolge gewann er mit Albert Camus einen »aufrichtigen Freund«. Boris begann auch mit T. S. Eliot, John Steinbeck, Thomas Merton, Aldous Huxley, Hemingway und Nehru zu korrespondieren.[538] Lydia Pasternak schrieb, dass »dieser Triumph der Glücksgefühle in jener Zeit, in der er so sehr gelitten hatte, zum überwiegenden Teil den unglaublichen, nicht angestrebten und vollkommen unerwarteten spontanen Liebes- und Dankbarkeitsbezeugungen zuzuschreiben war, die tausende von Menschen aus der ganzen Welt nach Jahrzehnten der Fehlschläge und Enttäuschungen nun brieflich über ihn ausschütteten.«[539]

Am 4. November 1958 saß Boris gerade mit Irina und Mitja in Olgas Moskauer Wohnung und sah den letzten großen Packen Post durch, als das Telefon klingelte. Olga bat Mitja, sie zu verleugnen. Sie erlebten gerade einen der seltenen Augenblicke sorglosen Zusammenseins, eine kurze Verschnaufpause von den Anfeindungen, und das wollte sie bewahren. Mitja deckte mit einer Hand den Hörer ab und sagte entschuldigend: »Mutter, einer der Bonzen ist am Apparat.«

Es war Polikarpow. Er eröffnete Olga, dass es nun für Pasternak an der Zeit sei, einen offenen Brief an »das Volk« zu richten. Sein Brief an Chruschtschow habe nicht gereicht.

Gehorsam schrieb Boris einen Briefentwurf, den Olga am folgenden Tag zum Zentralkomitee brachte. Erwartungsgemäß sagte Polikarpow, dass er und Olga noch »ein wenig Arbeit« in den Brief stecken müssten. Olga zufolge veränderten sie den Brief »wie professionelle Fälscher, nahmen einzelne Sätze Pasternaks, die er zu verschiedener Zeit und bei verschiedenen Gelegenheiten gesagt hatte, fügten sie zusammen, und aus weiß wurde schwarz.«

Die Belohnung folgte auf dem Fuß. Polikarpow versprach, dass Pasternaks Übersetzung des *Faust* in einer zweiten Auflage veröffentlicht werde und dass er sowohl seines wie auch Olgas Arbeitsverbot bei Goslitizdat aufheben werde. Sie dürften ihre Übersetzungsarbeit wieder aufnehmen.

Olga zeigte Boris den Brief, »in dem praktisch alle Wörter, aber keiner der Gedanken von ihm stammten.« Er winkte nur ab, war zu müde, um weiterzukämpfen, wollte einfach alles hinter sich bringen. Er brauchte auch dringend Geld zur Finanzierung der beiden Haushalte, des Großen und des Kleinen Hauses, und der vielen Menschen, denen er finanziell unter die Arme griff. Olga beobachtete Boris, der »sich mit äußerster Mühe« überwand und den zweiten Brief unterschrieb. Am 6. November wurde das Schreiben in der *Prawda* abgedruckt.

Für jeden aufmerksamen Leser war es klar, dass man Pasternak den Wortlaut aufgezwungen hatte. Im Brief erläuterte er, weshalb er den Literatur-Nobelpreis abgelehnt hatte; und seine ständigen Beteuerungen, dass alles, was er getan hatte, freiwillig gewesen war, deuteten das genaue Gegenteil an. Unter anderem stand darin: »Als ich sah, welches Ausmaß die politischen Kampagnen um meinen Roman erreichten, und erkannte, daß die Verleihung ein politischer Schritt gewesen war, der zu monströsen Folgen führen würde, verzichtete ich freiwillig auf den Preis.«[540] Pasternak schloss: »In dieser turbulenten Woche bin ich keinerlei Verfolgung ausgesetzt gewesen, noch waren mein Leben oder meine Freiheit gefährdet. Ich betone noch einmal, alles, was ich tat, tat ich freiwillig. Die mir nahestehenden Menschen wissen gut, daß nichts auf der Welt mich zwingen kann, zu heucheln oder gegen mein Gewissen zu handeln. So war es auch diesmal. Überflüssig zu versichern, daß niemand mich zu irgend etwas genötigt hat und daß ich diese Erklärung freiwillig abgebe, im festen Glauben an die Zukunft aller und an meine eigene, stolz auf die Zeit, in der ich lebe, und auf die Menschen, die mich umgeben.«[541]

Als der Furor allmählich abebbte, telegraphierte Boris seinen Schwestern, die, wie er wusste, von der Kampagne des Kremls gegen ihn außer sich waren: »TEMPEST NOT YET OVER DO NOT GRIEVE BE FIRM AND QUIET. TIRED LOVING BELIEVING IN THE FUTURE – BORIS.«[542] Im folgenden Monat schrieb Boris am 11. Dezember an Lydia eine nur lose kodierte Botschaft auf Englisch über die noch immer bestehende Überwachung. »Alle Briefe, die ich erhalte, wurden natürlich genauestens geprüft. Aber wenn es bis zu zwanzig am Tag aus dem Ausland sind (an einem Tag kamen vierundfünfzig ausländische Briefe auf einmal), dann wird deine frei und offen geschriebene Botschaft diesen Stapel nicht wesentlich höher oder niedriger machen. Ich sagte zu einem Schweizer Briefeschreiber, dass ich mein gerettetes Leben meinen Freunden aus aller Welt verdanke, die interveniert haben. Du verdankst es Lara [Olga], gab er mir zurück, ihrem couragierten Einsatz.«[543]

Als sich das dramatische Jahr 1958 dem Ende zuneigte, trudelten die zum Jahresschluss üblichen Ehrungen für *Doktor Schiwago* ein. Die Rezension der *Sunday Times* in London nannte *Doktor Schiwago* unmissverständlich den »Roman des Jahres«. In Italien gewann *Schiwago* den Premio Bancarella 1958 – eine Auszeichnung für Bestseller und zugleich einer der zwei bedeutendsten Literaturpreise Italiens.

Nach Pasternaks zweitem »Bußbrief« verbrachten er und Olga weniger Zeit in Moskau. Der Druck auf die beiden ließ nach, und das Kleine Haus wurde abermals zu ihrer Zuflucht.

»Das Schlimmste hatten wir nun wohl überstanden, jetzt mußten wir dafür sorgen, daß unser Leben wieder in sein normales Gleis kam«, sagte Olga. »Noch nie zuvor hatten wir uns so eins miteinander gefühlt.«[544] Als Irina erfuhr, dass Olga und Boris nach Ismalkowo zurückkehrten, folgerte sie daraus, »dass nun alles gut werde und der Sturm weitergezogen ist... Wir spazierten durch Peredelkino, das wir bis zum letzten Baum in- und auswendig kannten, und wussten, dass das unser wahres Zuhause war. Wir konnten wieder frei atmen.«

Olga liebte es, Boris zuzusehen, wenn er zusammen mit Sergej Kusmitsch, ihrem Vermieter, Samogon trank, einen selbstgebrannten Wodka. Boris war von der »bodenständigen Unterhaltung mit dem listigen, alten Halunken« fasziniert. Durch die Wand konnten Olga und Boris den Gesprächen zwischen Kusmitsch und seiner körperbehinderten Frau lauschen. Ein ständig beschwipster Kusmitsch neckte seine arme Frau gern mit seinen Erfolgen bei Frauen als junger Mann und brüstete sich sogar damit, dass Olga, wenn er nur wollte, Boris sofort verlassen würde. Ihr herzhaftes Lachen verschaffte ihnen dann die so dringend benötigte Erleichterung von ihren Sorgen. Die beiden waren Kusmitsch unendlich dankbar dafür, dass sie in seinem Haus Zuflucht gefunden hatten.

Olga und Boris nahmen ihr normales Leben wieder auf. »Wie ein Fisch, der ins Wasser zurückgeworfen wurde, entdeckte Boris die Welt und seinen üblichen Tagesablauf neu«, schrieb Irina. »Er ließ sich glücklich in die ausgebreiteten Arme des Rests der Welt fallen, und was er fand, würde ich fast Glücklichsein nennen. Vor dieser Zeit hatte jedes Gespräch immer zu *Doktor Schiwago* zurückgeführt. Von da an gab es nichts Wichtigeres als seine Korrespondenz. Er sprach darüber, was er antworten wollte, er zeigte uns die rührenden Geschenke, die mit der Post kamen – Kerzen, Postkarten, aller möglicher Schickschnack.«[545]

Boris hatte Polikarpow versprochen, keine Anfragen ausländischer Korrespondenten nach persönlichen Interviews anzunehmen: Er hatte einen Aushang in drei Sprachen – Englisch, Deutsch, Französisch – an der Haustür befestigt: »Pasternak empfängt nicht, es ist ihm verboten worden, ausländische Besucher zu empfangen.«[546] Obwohl Irina es ironischerweise so kommentierte: »Dieses Abkommen wurde einigermaßen lax gehandhabt. Die Zeitungskorrespondenten kamen nicht mehr zu ihm nach Hause, aber nichts hielt sie davon ab, ihn zu treffen, wenn er auf einem seiner vielen Spaziergänge war, nach denen man die Uhr hätte stellen können.«

Die Abende, die Boris wieder im Kleinen Haus verbrachte, lösten seine Unruhe und Anspannung; das galt besonders dann, wenn Irina zusammen mit ihren jungen Freunden aus Moskau zu Besuch kam. »Für Boris war es sehr wichtig zu fühlen, daß die jungen Leute ihn liebten und verehrten, von ihm begeistert waren und stolz auf ihn, trotz allem, was geschehen war«, sagte Olga.[547] Sie setzten sich auf die Veranda, plauderten und lachten. Wenn er dann wieder zurück in seine Datscha ging, begleiteten Irina und ihre Freunde ihn über den Pfad und über die lange Brücke, die den Ismalkowo-See überspannte. »Boris Leonidowitsch war dann in bester Stimmung, sprach viel und freute sich kindlich darüber, daß man ihn liebte.«[548]

Olga zufolge stand Irina ihm in dieser Zeit besonders nahe. »Sie ist ein sehr schlaues Mädchen«, pflegte er über sie zu sagen. »Sie ist einfach genau das, wovon ich mein Leben lang geträumt habe. So viele Kinder sind in meiner Umgebung großgeworden, aber ich liebe nur Irotschka …« Als Olga ihn tadelte, antwortete er: »Oljuscha, schimpf nicht! Aus ihrem

Mund hörst du einzig und allein die Wahrheit. Du hast selbst gemeint, dass sie eher mein Kind ist als deines, also hör auf das, was sie sagt.«

Das neue Jahr 1959 erlebte Olga und Boris in noch größerer Innigkeit. Erleichtert darüber, dass sie »ihre Prüfung« überstanden hatten, versuchten sie, ihr vertrautes Liebesleben wieder aufzunehmen. Aber die Missstimmung zwischen dem Großen und dem Kleinen Haus eskalierte. Sinaida schirmte Boris zunehmend ab; sie machte den Stress angesichts des Tumults um den Nobelpreis für seine gesundheitlichen Probleme verantwortlich – schlimme Schmerzen in der Schulter und eine allgemeine Schwächung des Nervensystems. Die Schuld schob sie unmissverständlich Olga in die Schuhe.

Sinaidas Schwiegertochter Natascha, die zwei Jahre nach Boris' Tod dessen Sohn Leonid heiratete, sagte, dass alle im Großen Haus Olga als Ursache für Boris' »Niedergang« sahen. Aus ihrer Perspektive war es keineswegs so, dass Olga ihn vor den Machthabern rettete; vielmehr bereitete sie ihm seelische Qualen, weil sie ihn ständig unter Druck setzte, mit ihr zusammen zu sein.

Andererseits war Olga überzeugt davon, dass es die Machthaber und der Zorn der Regierung waren, die Boris schwächten. Sie schrieb: »Wahrscheinlich gibt es in jedem Menschen eine Grenze, die er nicht überschreiten kann, ohne das Minimum dessen zu verlieren, was ein Mensch zu seiner Existenz als Mensch braucht. Dieses Minimum wurde damals, als Boris Leonidowitsch gezwungen wurde, allem für seine Existenz Notwendigen zuwiderzuhandeln, zerstört. Die ihm angetane Gewalt war überwältigend, sie zerbrach und tötete ihn. Langsam aber unerbittlich. Seine Kräfte waren zerschlissen. Nerven und Herz geschwächt.«[549]

Im Januar jenes Jahres eröffnete Boris Olga, dass er nun zu einem Entschluss gekommen sei: Er wolle sich von Sinaida trennen und sie heiraten. Er hatte mit seinem Freund Konstantin Paustowski, einem Romanschriftsteller und Stückeschreiber, der in Tarusa lebte, vereinbart, dort mit Olga den Winter zu verbringen. In der Sowjetzeit ließen sich viele Dissidenten in Tarusa nieder. Diese kleine Stadt in landschaftlich reizvoller Umgebung lag hundertvierzig Kilometer südwestlich von Moskau.

Sosehr Olga glauben wollte, dass Boris sich öffentlich zu ihr bekennen und sie nach Tarussa mitnehmen werde, so sehr war ihr intuitiv klar, dass er mit neunundsechzig Jahren zu alt und zu schwach war, um »sich dem Sturm zu stellen, den seine Abreise heraufbeschwören würde«. Am 20. Januar, dem Tag, an dem sie abreisen wollten, kam Boris dann auch frühmorgens mitten in einem Schneesturm zum Kleinen Haus. »Aschfahl im Gesicht«, verkündete er, er könne das nicht durchziehen.

»Was willst du noch«, fragte er, »wenn du weißt, dass du meine rechte Hand bist und dass ich ganz und gar dir gehöre?« Es sei unmöglich, fuhr er fort, Menschen zu verletzen, die nichts dafür könnten – Sinaida, seinen Sohn Leonid und andere – und die nur den Schein des Lebens bewahren wollten, das sie gewohnt seien. Er könne nicht anders, sagte er, als weiterhin an zwei Orten zu Hause zu sein.

Olga rastete aus. Ob er denn nicht verstehe, rief sie, dass sie unbedingt den Schutz seines Familiennamens brauchte? Schließlich habe sie ganz bestimmt alles getan, um dessen würdig zu sein. Allein sein Name war es gewesen, der sie in den Arbeitslagern am Leben erhalten habe; ohne ihn wäre sie mit Sicherheit ermordet worden. Warum könne er nicht einsehen, dass es entscheidend sei, den Familiennamen Pasternak jetzt sofort anzunehmen, falls ihm etwas zustoßen sollte?

Sie schrie ihn an, dass er nur seinen Seelenfrieden auf ihre Kosten aufrechterhalten wolle. Dass alles, was ihn interessierte, die Beibehaltung des Status quo sei. Sie fühlte sich verraten und kündigte an, sofort nach Moskau abzureisen. Mit gebrochener, vor Selbstmitleid triefender Stimme jammerte Boris, dass es nun, da er ein gesellschaftlich Geächteter sei, ein Leichtes für sie wäre, ihn fallenzulassen.

Erbost darüber, dass er nicht begreifen wollte, worum es ihr ging, beschimpfte sie ihn als selbstsüchtigen Wichtigmacher.

Er wurde noch bleicher und ging. Und Olga, die vor Wut kochte, hauptsächlich aber tief getroffen war, reiste nach Moskau ab.

Wenn Boris sie abends mit seinem üblichen »Oljuscha, ich liebe dich«, anrief, legte sie einfach auf.

Drei Wochen später bekam Olga einen Anruf vom Zentralkomitee. Es war Polikarpow. »Was Boris Leonidowitsch jetzt gemacht hat, ist sogar noch schlimmer als diese Sache mit dem Roman«, klagte er empört.

»Davon weiß ich nichts«, gab Olga zur Antwort. »Ich habe ihn nicht gesehen.«

»Haben Sie sich gezankt?«, fragte Polikarpow, obwohl er Bescheid wusste. »Genau die richtige Zeit für so was! Und jetzt verbreiten alle ausländischen Rundfunkstationen ein Gedicht von ihm, das er einem Schweden übergeben hat. Der ganze Krawall war doch schon vorbei, und nun fängt das Spektakel von vorne an. Fahren Sie sofort hin, beruhigen Sie ihn, halten Sie ihn mit allen Mitteln von neuen Dummheiten zurück.«[550]

Boris zufolge, der Olga am gleichen Tag aus dem Schriftstellerclub in Peredelkino anrief und sie anflehte, den Hörer nicht aufzulegen, schrieb zu Hause ein Gedicht über die Verleihung des Nobelpreises. Da er nicht glauben konnte, dass Olga ihn tatsächlich verlassen hatte und nach Moskau zurückgekehrt war, ging er zum Kleinen Haus, um nachzusehen, ob sie nicht doch da war. Auf dem Weg dorthin fing ihn Anthony Brown ab, ein Journalist, der für die englische *Daily Mail* arbeitete. Am Ende gab er Brown in den Wäldern ein Interview. »Ich bin ein weißer Kormoran«, sagte er zu dem Journalisten. »Wie Sie wissen, Mr Brown, gibt es nur schwarze Kormorane. Ich bin eine Kuriosität, ein Individuum in einer Gesellschaft, die nicht für den Einzelnen, sondern für die Masse gedacht ist.«[551]

Die *Daily Mail* veröffentlichte das Gedicht am 12. Februar 1959 unter dem Titel »Pasternak-Überraschung: Seine Qualen enthüllt in ›Der Nobelpreis‹«.

Bin umstellt, verloren, Beute.
Weit – wo Freiheit, Menschen, Licht.
Hinter mir der Jagdlärm, Meute.
Einen Ausweg hab ich nicht.

Dunkler Wald, gestürzte Tanne.
Ufer, eingedämmter Teich.
Rings verstellte Wege bannen
Sie was wolle – alles gleich.

Was durft ich zusammenreimen,
Bösewicht mit viel Rabatz?
Alle Welt bracht ich zum Weinen.
Meines Landes Schönheit tat's.

Hatz wird stärker, engt mich ein hier.
Ich hab andre Schuld gemeint –
Rechte Hand, sie ist nicht bei mir –
Nicht bei mir der Herzensfreund.

Möchte in der Todesnähe,
Von der Schlinge schon umspannt,
Tränen trocknen: es geschähe
Doch mit meiner rechten Hand.

Als Olga das Gedicht hörte, in dem er das ganze Ausmaß seiner Verzweiflung und seiner Seelenqualen offenlegte, kehrte sie augenblicklich zu ihm nach Peredelkino zurück. »Hast du wirklich geglaubt, ich könnte dich verlassen, auch wenn du noch so viel angestellt hast?«, sagte sie zu ihm. Obwohl es sie verletzt hatte, dass er sein Wort, sie zu heiraten, doch nicht gehalten hatte, würde sie ihn nie verlassen. »Frieden«, sagte sie, »war nun wieder in unser Kleines Haus am Ismalkowo-See eingekehrt.«

Die private Harmonie mochte instand gesetzt sein, doch auf der politischen Ebene eskalierten die Dinge erneut. Obwohl Boris mehrfach beteuerte, dass »Der Nobelpreis« niemals zur Veröffentlichung vorgesehen gewesen sei und er den Journalisten von der *Daily Mail* eigentlich nur gebeten habe, das Gedicht an Jacqueline de Proyart, seine französische Übersetzerin, weiterzuleiten, wusste er genau, dass es eine klare Trotzhandlung war, derart umstrittenes Material einem ausländischen Korrespondenten zu zeigen. »Manchmal verursacht ein winziger, belangloser Kiesel einen ganzen Steinschlag«, schrieb Olga später. »So ein Kiesel war unser Streit, der die Veröffentlichung des Gedichtes ›Nobelpreis‹ veranlaßte. Die wirkliche, innere Ursache war die vorausgegangene Hetzkampagne gegen ihn, die Tatsache, daß man ihn wie ein Wild gehetzt hatte.«[552]

Nach der Veröffentlichung des Gedichts kam es unter den Millionen Lesern der Weltpresse zu einem tosenden Strom von Sympathiekundgebungen für Pasternak. Seine ungebrochene Unverfrorenheit erboste den Kreml. Der Kommentar in der *Daily Mail*, der das Gedicht begleitete, meinte, dass »Teile der Regierung und des sowjetischen Schriftstellerverbands Druck ausübten, Pasternak aus seinem Haus zu entfernen, die Honorare für seine Gedichte und Übersetzungen in der Sowjetunion zu beschlagnahmen – womit er de facto mittellos wäre – und ihn als literarischen Abweichler ins Gefängnis zu werfen.« Der Artikel endete damit, dass »Pasternak nun ein Ausgestoßener ist«.[553]

Polikarpow baute abermals eine seiner üblichen Drohkulissen auf: Er rief Olga zu sich, weil der britische Premierminister Harold Macmillan in den letzten zwei Februarwochen Moskau besuchen werde und es daher ratsam sei, dass Pasternak sich während dieser Zeit aus Moskau fernhalte. Die Machthaber wollten verhindern, dass ausländische Journalisten Pasternak ausfindig machten, und sie wussten, dass sie nicht garantieren konnten, dass er sich kontroversen und potenziell schädlichen Interviews enthalten würde. Pasternak, sagte Polikarpow, werde ausschließlich als Gefahr für sich selbst betrachtet. Polikarpow verlangte auch, dass Olga jeden Kontakt mit der ausländischen Presse ablehnte.

Anfangs war Boris wütend und sagte, er habe nicht die Absicht, irgendwohin zu gehen. Dann bekamen er und Sinaida von Nina Tabidze eine Einladung nach Tiflis. Diese Gelegenheit ergriff Sinaida sofort beim Schopf: Sie wollte ihren Ehemann von Olga, von der ausländischen Presse, vom Stress und dem Skandal fernhalten. Olga war empört und kam sich abermals abgeschoben vor. Sie hatte den dringenden Verdacht, dass Nina, eine Freundin Sinaidas, sie nicht nur nicht mochte, sondern auch ihre Beziehung mit Pasternak missbilligte. Als Boris anrief, um sich von Olga zu verabschieden, entspann sich ein fürchterlicher Streit. Sie erging sich in Flüchen. Er wiederholte ständig: »Oljuscha, das bist doch nicht du, die so etwas sagt. Das ist doch aus einem schlechten Roman. Du und ich, wir sind das doch nicht.«

In »eiskaltem Zorn« fuhr Olga nach Leningrad und weigerte sich, seine Anrufe entgegenzunehmen. Boris bat Irina, seine Briefe an ihre Mutter weiterzuleiten – Briefe, die er, wie Irina sagte, in »wohlüberlegtem und aufrichtigem Stil geschrieben hatte. Er wollte nicht noch zusätzlich Öl ins Feuer gießen und die Situation durch unnötige Turbulenzen verschärfen.« Da ihre Mutter nicht vorhatte, lange in Leningrad zu bleiben, beschloss Irina, die Briefe nicht an sie weiterzuleiten, sondern ihr alle zusammen bei ihrer Rückkehr zum Lesen zu geben. »Ich erzählte ihr am Telefon von seinen täglichen Briefen, die ins Haus flatterten, doch ihre Reaktion blieb eisig. Sie war wirklich gekränkt.«

Später schrieb Olga: »Der Kummer über diesen unseren letzten Streit peinigt mich bis zum heutigen Tag. Bei jedem anderen Mal, wenn er sich in dieser Weise mit zitternder Stimme und zitternden Händen vor mir rechtfertigte, war ich zu ihm hingestürzt, hatte seine Hände, seine Augen, seine Wangen geküßt. Wie schutzlos war er doch, wie lieb.«[554]

In den Tagen, die Boris in Tiflis blieb, vom 20. Februar bis Anfang März, schrieb er Olga elf Briefe, unter anderem diesen:

Oljuscha, unser Leben wird weitergehen wie bisher. Anders kann ich nicht leben, ich wüßte nicht, wie. Niemand verhält sich unfair dir gegenüber. Nina Alexandrownas Tochter schalt mich sogar, daß ich ein solches Risiko eingegangen bin, mich dann der Verantwortung entzogen und alles auf Deine Schultern abgewälzt habe. Das sei unter meinem Niveau, nicht nobel.

Ich nehme Dich fest in die Arme. Wie wunderbar ist das Leben doch! Wie notwendig ist es, zu lieben und zu denken. Nichts anderes brauchen wir.

Dein B.[555]

Heute (Sonntag, 22.) versuche ich von der Post aus, Dich anzurufen. Mir scheint allmählich, daß, ganz abgesehen vom Roman, dem Nobelpreis, den Artikeln, Spektakeln und Skandalen, noch etwas anderes existiert, das durch meine Schuld unser Leben in letzter Zeit verdorben hat. Das hätte nicht sein dürfen. Wahrscheinlich sollte ich wirklich – wie D. A. [Dmitrii Alexandrowitsch Polikarpow] Dir geraten hat – auf Sparflamme kochen, ganz ruhig werden und für die Zukunft schreiben. Gestern, als Tanit mich dafür schalt, daß ich Dich in all diese scheußlichen Geschichten verwickelt habe, begriff ich zum erstenmal klar, daß ich ein schlechtes Licht auf Dich geworfen und Dich in Gefahr gebracht habe. Das ist unmännlich und unverzeihlich. Ich muß dafür sorgen, daß so etwas nie wieder geschieht und daß Dir in Zukunft noch angenehme, fröhliche und gute Dinge begegnen. Ich liebe Dich und küsse Dich zärtlich. Solltest Du in Leningrad sein (was ich nicht hoffe), grüße bitte Sinaida Iwanowna und Fjodor Petrowitsch [Verwandte von Olgas Stiefvater]. Ich umarme Dich. Verzeih mir.

Dein B.[556]

In Tiflis verbrachte Boris seine Zeit damit, Proust zu lesen und durch die reizvolle Stadt zu streifen, um die Schmerzen in seinem Bein zu lindern. Seine Briefe an Olga zeugen von seiner Zerknirschung über die verwickelte Situation, die er heraufbeschworen hatte. Ihr Schweigen und ihr Aufenthalt in

Leningrad wurmten ihn. Dass er nicht wusste, was sie machte, beunruhigte ihn. Seine Sorge, sie könne nicht mehr zu ihm zurückkehren, dieses hohle Gefühl des Verlassenseins, seine überbordende Angst, sie zu verlieren, eskalierten:

[28. Februar] Oljuscha, mein goldenes Mädchen, ich gebe Dir einen dicken Kuß. Ich bin mit Dir verbunden durch das Leben, durch die Sonne, die ins Zimmer scheint, durch Reue und Trauer, durch das Bewußtsein meiner Schuld (oh, nicht Dir gegenüber, natürlich, allen Menschen gegenüber), durch das Bewußtsein meiner Schwäche, das Ungenügende all dessen, was ich bisher getan habe, durch die Überzeugung, daß ich Berge versetzen muß, um die Freunde nicht zu enttäuschen, mich nicht als Scharlatan zu entpuppen. Je besser wir beide und alle um uns sind, je aufmerksamer ich ihnen gegenüber bin, je teurer sie mir sind, desto mehr und tiefer liebe ich Dich, desto schuldbewußter und trauriger fühle ich mich. Ich ziehe Dich ganz, ganz dicht an mich, überschwemmt von Zärtlichkeit, und möchte weinen.[557]

In seinem Brief vom 2. März beschreibt Boris seine tief empfundene Überzeugung, dass das, was ihn und Olga verbindet, eine Art mythischer Liebe sei, die »alle Hindernisse und Unzuträglichkeiten« besiege. Zu ihrem Krach schreibt er, dass er sich »schlecht auf ihn auswirkt«, und er widerspricht ihrer Ansicht, sie wäre durch eine Heirat mit ihm geschützt. Es wird sich herausstellen, dass er völlig falschliegt:

Wenn Deine Furcht vor Dir drohenden Gefahren begründet wäre – das wäre furchtbar, aber sie ist nicht begründet –, dann könnten auch meine wie immer komplizierenden Lebensumstände und meine ständige Anwesenheit sie nicht abwenden. Wir sind mit feineren Fäden verbunden, mit höheren, stärkeren als denen der Zweisamkeit vor aller Augen. Das ist gut und allen offenkundig.[558]

Es ist fast unvorstellbar, dass jemand, der so strategisch und so bewusst aufsässig wie Pasternak war, gleichzeitig so unrealistisch und idealistisch romantisch sein konnte. Es mag sich nobel anhören, leidenschaftlich eine höhere Liebe zu proklamieren, doch wenn es sich nicht gerade um einen Roman handelt, erfordert wahre Liebe im wirklichen Leben tägliche, kleine Opfer. Niemand wusste das besser als Olga, und während sie immer wieder unermüdlich danach handelte, war ihr Ärger nur allzu verständlich, dass Boris sich weigerte, es ihr gleichzutun. Während sie ihm immer den Rücken freihielt, kann man nicht behaupten, dass er das auch für sie tat.

Wieder zu Hause in Peredelkino am 4. März, schrieb er ihr:

Eines Tages werden die Dinge vielleicht so sein, wie Du – vielleicht irrtümlich – sie wünschst. Aber einstweilen, gerade weil Du mich mit Glück verwöhnst und weil ich verklärt bin von Deiner Engelspracht, laß uns im Namen der Sanftheit, die Du mich, ohne es zu wissen, ständig lehrst, laß uns großmütig zu anderen sein. Wir werden, wenn es nötig ist, noch großzügiger und aufmerksamer ihnen gegenüber sein als bisher – im Namen all des Strahlenden, das uns unzertrennlich verbindet.

Ich umarme Dich, mein schimmerndes Juwel, meine Zärtliche; meine Dankbarkeit bringt mich um den Verstand.[559]

Er hatte allen Grund, dankbar zu sein. Nach seiner Rückkehr aus Tiflis schloss Olga ihn abermals fest in ihre ausgebreiteten, liebenden Arme.

In jenem Sommer schenkte Boris Olga zum Geburtstag ein Exemplar der amerikanischen Ausgabe von *Doktor Schiwago* mit der Widmung: »Für Oljuscha zum Geburtstag am 27. Juni 1959 mit meinem ganzen armen Leben. B. P. «[560]

Obwohl Pasternak im Westen Millionen für Feltrinelli verdiente, hatte er selbst immer noch das Problem, an Geld zu kommen. Seine Übersetzung der *Maria Stuart*, die kurz vor der Veröffentlichung stand, war aufgeschoben worden, während die Produktion der Shakespeare- und Schiller-Stücke, die er übersetzt hatte, ganz eingestellt wurde. Ein neuer Auftrag war nicht in Sicht. Pasternak schrieb sogar an Chruschtschow, um darauf hinzuweisen, dass er nicht einmal die »harmlose Tätigkeit« einer Übersetzung ausüben konnte. Ironischerweise häuften sich auf einem Schweizer Bankkonto Gelder an, die Feltrinelli aus Tantiemen von Verlegern weltweit dort eingezahlt hatte. Obwohl einige Russen Pasternak für einen Millionär hielten, war ihm klar, dass man ihn, sollte er um die Überweisung nach Moskau nachsuchen, »fortdauernd anklagen würde, auf verräterische Weise von ausländischem Kapital zu leben«.[561]

Er war gezwungen, sich Geld zu leihen – von Freunden und sogar von seiner Haushälterin. Feltrinellis Kontakte, wie Sergio d'Angelo und der deutsche Korrespondent Gerd Ruge, schmuggelten Rubel nach Moskau und leiteten das Geld an Pasternak weiter, doch diese Transaktionen waren allesamt hochriskant. Ruge sammelte Rubel im Wert von etwa achttausend Dollar von Russen deutscher ethnischer Abstammung in der westdeutschen Botschaft, denen es zwar gestattet war zu emigrieren, die aber das Geld nicht mitnehmen durften. Ruge nahm ihr Bargeld, das sie nach ihrer Einreise in Deutschland gegen Deutsche Mark eingetauscht bekamen. Boris bat Irina sogar einmal, die Rolle eines »Mittelsmannes« zu spielen. Dazu rempelte Ruge sie an der Metrostation Oktjabrskaja vorsätzlich amateurhaft an und übergab ihr dabei einen in braunem Packpapier eingewickelten Geldstapel. Boris wusste sehr gut um die Gefahren, die Olga und auch Irina bei ihrem Versuch eingingen, ihm heimlich Geld zu beschaffen. Doch diese an gefährliche, slapstickmäßige Spionageparodien erinnernden Abenteuer setzten sich fort. Ein Beispiel: »Er [Boris] ließ seine französische Übersetzerin, Jacqueline de Proyart, wissen, dass, sollte er ihr schreiben, er sei an Scharlach erkrankt, damit gemeint sei, man habe Iwinskaja verhaftet und sie solle im Westen darauf aufmerksam machen.«[562]

Feltrinelli lieferte sieben oder acht Pakete oder »Rollen«, wie sie es nannten, im Wert von etwa hunderttausend Rubel über Heinz Schewe, einen anderen deutschen Journalisten. Schewe, der für *Die Welt* arbeitete, hatte sich mit Boris und Olga angefreundet. Ende 1959 bat Boris auch Feltrinelli, einhunderttausend Dollar an d'Angelo zu überweisen, der ihm versichert hatte, im Westen Rubel zu kaufen und diese sicher nach Moskau zu schmuggeln. Dieser Geldschmuggel erfolgte nicht aus Gier, sondern schlicht aus Notwendigkeit. Aber typisch Boris war es waghalsig. Doch der KGB überwachte die unterschiedlichen Bargeldströme und wartete den richtigen Augenblick ab.[563]

Im Herbst 1959, als Pasternak die Beantwortung seiner dringenden Korrespondenz schleifen ließ, begann er mit der Arbeit an seinem ersten eigenen Werk seit *Doktor Schiwago*. »Natürlich behinderte genau diese Korrespondenz ihn beim

Schreiben an seiner zweiten Quelle der Freude«, schrieb seine Schwester Lydia, »seinem neuen Werk, das er mit nicht weniger Feuereifer und Enthusiasmus begonnen hatte, nachdem er *Doktor Schiwago* aus den Händen gegeben hatte.«[564] Es war ein Theaterstück mit dem Titel *Die blinde Schönheit* – eine Trilogie, die im 19. Jahrhundert in einem Herrschaftshaus spielt.

Olga zufolge »wollte [Boris Leonidowitsch] in dem Stück seinen Begriff von Freiheit und seine Vorstellung von kultureller Kontinuität darlegen. Zu Beginn des Stückes – es ist die Zeit unmittelbar vor den Reformen von 1861, vor der Aufhebung der Leibeigenschaft – wird viel über Freiheit, vor allem über soziale Freiheit vom historischen und vom nationalen Gesichtspunkt her gesprochen. Nach der Reform wird sehr rasch klar, daß die Idee der sozialen Freiheit eine Illusion ist und daß, genau wie vorher, der Mensch nur im Schöpferischen frei ist.«[565]

Im Winter jenes Jahres nahm Boris Irina und Olga ins Theater mit – eine Leidenschaft von ihm; es sollte das letzte Mal sein. »Boris liebte es, Theaterbesuche zu organisieren. Zweifellos erinnerte ihn das an seine Jugend, als allein der Anblick eines Bühnenvorhangs ihn vor Liebe und Begeisterung erzittern ließ«, erinnerte sich Irina. »Üblicherweise kaufte er einen Stapel Eintrittskarten an der Kasse, um sich dann selbst in eine Art ›Ticketschalter‹ zu verwandeln, wie meine Mutter erzählte.«[566]

Das Hamburger Schauspielhaus war auf Tournee in Moskau. Irina beschrieb, wie Boris »seine Theaterbesuche gleichmäßig aufteilte. Mit seiner Frau Sinaida und deren Sohn Leonid sah er sich *Faust* an und mit Mama und mir ging er in den *Zerbrochenen Krug*.« Für Irina war die schwarze Komödie von Heinrich von Kleist ziemlich schwere Kost. Das Stück verspottet augenzwinkernd die Schwächen der menschlichen Natur und des Gerichtssystems. Da Irina nicht wirklich Deutsch verstand, langweilte sie sich schnell. Vielen anderen im Auditorium ging es offenbar ähnlich, da kaum gelacht wurde. Boris, der »perfekt Deutsch« sprach, war verzaubert. (Wegen seiner linguistischen Fähigkeiten und seines flüssigen Französisch hatte er die Marotte, sich gern mit allen ausländischen Korrespondenten zu unterhalten, wenn möglich, auf Deutsch.) »Er lachte so laut und oft, dass er noch hinten im Saal zu hören war«, sagte Irina. »Als dann die Pause kam, strahlte er übers ganze Gesicht vor Bewunderung für den Geist des Schauspiels und die hohe Kunst der Darstellung.« Nach Ende der Aufführung ging das Trio hinter die Bühne. Pasternak, »der mittlerweile weltberühmt war, wurde von Schauspielern umringt, die immer noch geschminkt waren und ihm Bücher und Programme hinhielten, damit er sie signierte. Er sprach Deutsch, und sie hingen an seinen Lippen.«

Nach der Vorstellung hielt Boris ein Taxi an. »Wir sahen wie eine ehrbare Familie aus«, sagte Irina, »die Mutter trug den neuen Kunstpelzmantel, den sie von ›drüben‹ bekommen hatte, die Tochter, umringt von einer Gruppe Pressekorrespondenten, machte sich wichtig, und der Vater strahlte und verteilte Autogramme an glückselige Deutsche. Es war kaum ein Jahr her, dass er sich ins Abseits gedrängt gefühlt und man ihm so übel mitgespielt hatte. Plötzlich kam mir das, was sich um mich herum abspielte, so irreal vor, diese Kurzlebigkeit und die Ahnung, dass uns dieses Glück nur aus Versehen beschieden war und alles sich irgendwann wieder in Luft auflösen könnte.«

Irina konnte ihre auf die Zukunft gerichtete Unruhe nicht abschütteln. Mittlerweile studierte sie in ihrem vierten Jahr am Literaturinstitut in Moskau und hatte eine Beziehung mit

Georges Nivat, einem französischen Studenten. Er studierte im Rahmen eines Austauschprogramms an der Moskauer Universität. Boris akzeptierte Georges voll und ganz und freute sich, dass die beiden planten zu heiraten. Irina wollte nach ihren Studienabschlüssen mit Georges nach Frankreich gehen, und Boris wünschte ihr, dort finanzielle und emotionale Sicherheit zu finden.

In jenem Winter verbrachten Irina und Georges viel Zeit im Kleinen Haus, wo sie sich auf ihre Examina vorbereiteten. »BL kam immer kurz nach sieben … auch dann, wenn es im Winter früher dunkel wurde«, sagte Irina. »Der Gedanke daran, dass inmitten der Schneeverwehungen eine flackernde Kerze (wie in *Doktor Schiwago*) ein Fenster erleuchtete, hinter dem jemand auf ihn wartete, machte ihm Freude. Wir liefen ihm immer entgegen, halfen ihm aus seinem schweren, pelzbesetzten Mantel und klopften ihm den Schnee ab. Dann schilderte er, wie er den Hügel heraufgekeucht war: ›Auf dem Weg hierher musste ich ziemlich schnaufen, aber dann dachte ich, dass das für einen Achtzigjährigen ganz normal ist, bis mir einfiel: Moment mal, ich bin ja erst siebzig.‹ Da mussten wir alle lachen.«[567]

Olga schrieb später: »In jenen Tagen gab es eine stillschweigende Vereinbarung zwischen uns, dass wir uns unseren Sinn für Humor bewahren mussten, dass wir, wo immer möglich, die lustige Seite des Lebens sahen, und offenbar gelang es uns, BL mit unserer ›unbeschwerten‹ Sicht auf die Dinge anzustecken.« Boris erzählte gern witzige Geschichten über eher unwesentliche Begebenheiten – von seltsamen Käuzen aus dem Dorf, die sich Zutritt zur Datscha verschafften oder sich bereit erklärten, den Roman für ihn in einer Geheimschrift zu chiffrieren. Es waren kindliche, lustige Vorfälle, doch Olga wusste, was sich hinter dieser Fassade abspielte. Meistens übertrieb

Boris seine Leutseligkeit – in Wahrheit litt er in dieser Zeit Höllenqualen. Olga wusste es, versuchte aber, ihn bei Laune zu halten: »Wir lachten viel, und ein Außenstehender konnte meinen, wir seien guter Dinge und nichts könne uns etwas anhaben.«[568]

Irinas zärtlichste und kostbarste Erinnerungen an Boris stammen ebenfalls vom letzten gemeinsam verbrachten Silvesterabend, wo es in der verglasten Veranda im Kleinen Haus »geschützt vor dem Schnee, warm und behaglich war«: »Es gab einen Weihnachtsbaum mit richtigen Kerzen, deren flackerndes und flirrendes Licht einen in Gedanken versunkenen Pasternak beleuchteten: das Gesicht voller Schönheit, auch wenn dessen Zauber allmählich verblasste, ein Gesicht, das sich ähnlich wie diese wankelmütigen Flammen von der Welt zurückzog.« Olga wuselte um den Tisch herum und erheiterte alle mit ihren Extravaganzen (jedem Gast wurden drei Stubenküken serviert). »Wir stießen mit echtem französischem Champagner auf ein vielversprechendes neues Jahr an«, erinnerte sich Irina. »Wir tranken auf BL, seine Arbeit, seine Stellung, seinen Erfolg und auf mich, Frankreich, ein neues Leben, eine glückliche Beziehung. Als dann die Pralinen serviert wurden, waren wir alle ziemlich gut aufgelegt, aber in erster Linie wegen unserer Begeisterung und nicht wegen des Alkohols. Wir sangen ›O Tannenbaum‹ auf Deutsch und russische Lieder. Es war sehr spaßig und lustig.«

Doch sie setzte nüchtern hinzu: »Wie immer trennte unser Pasternak mit den zwei Gesichtern den Abend in zwei Teile. Er blieb bis elf bei uns und ging dann ins Große Haus, wo seine Familie und Gäste auf ihn warteten. Wir begleiteten ihn bis zum Gatter seiner Datscha. Wir kannten unsere Grenzen.«

Während sie durch den Schneefall zum Kleinen Haus zurückstapften, ließ Irina den Abend noch einmal Revue passieren. »BL war bei guter Gesundheit, doch ich fühlte, dass irgendetwas nicht so bleiben würde. Oft starrte er über unsere Köpfe hinweg, als blickte er in die Unendlichkeit. An diesem Abend war er brillant: Er erzählte geniale, fesselnde Geschichten, und nichts wies darauf hin, dass etwas nicht stimmen könnte. Aber ich hatte eine Vorahnung, dass er in die Zukunft schaute – eine Zukunft, an der er nicht teilhaben würde.«[569]

12

Die Wahrheit ihrer Agonie

In den ersten Monaten des Jahres 1960 hatte es den Anschein, als ginge das Leben für Olga und Boris »im Wesentlichen unverändert« weiter. Olga fuhr häufig nach Moskau, um Literaturangelegenheiten für Boris zu regeln, und wenn sie nach Ismalkowo zurückkehrte, lief er vor dem Kleinen Haus schon unruhig hin und her und konnte erst entspannen, wenn seine »rechte Hand« an seiner Seite war. Sonntags war Olga oft mit Freunden auf Skiern unterwegs, und anschließend verbrachten sie angeregte Stunden beim Mittagessen im Kleinen Haus. »Manchmal aß BL im Großen Haus zu Mittag, manchmal bei mir – da gab es keine festen Regeln«, sagte Olga.[570]

Am 10. Februar feierte Boris seinen 70. Geburtstag. »Es war erstaunlich, wie straff und jung er für sein Alter war«, erinnerte sich Olga. »Wie immer leuchteten seine Augen, wie immer war er enthusiastisch und kindlich unüberlegt.«[571]

Am Morgen seines Geburtstags kam Boris ins Kleine Haus, er und Olga tranken Cognac und küssten einander vor dem knisternden Ofen. Boris wandte sich an seine Geliebte und seufzte: »So spät ist alles zu mir gekommen … Aber sämtliche Schwierigkeiten haben wir gemeinsam gemeistert, Oljuscha. Und nun ist alles gut! Wenn wir nur immer so weiterleben könnten.« Sie saßen zusammen und lasen »mit großem Vergnügen« die vielen Geburtstagsglückwünsche und Geschenke, die aus aller Welt eingetroffen waren. Nehru hatte einen Wecker mit Lederetui geschickt. Unter den anderen Geschenken gab es eine kleine Statuette, die Lara darstellen sollte, Schmuckkerzen und schöne Heiligenbilder aus Deutschland.

Als der Winter in den Frühling überging, arbeitete Boris mit Hochdruck an der *Blinden Schönheit*. Er hielt Feltrinelli regelmäßig brieflich über den Fortschritt seiner Arbeit auf dem Laufenden – der geschäftstüchtige italienische Verleger hatte sich die weltweiten Exklusivrechte für sein Gesamtwerk gesichert, für die vergangenen, die aktuellen und die zukünftigen Arbeiten. Zu Boris' täglichem Ritual gehörte es, allabendlich ins Kleine Haus zu kommen und aus seinem aktuellen Werk vorzulesen. »An den Abenden war Borja in besserer Verfassung und täuschte damit sich und mich«, sagte Olga. »Dreimal las er lange Abschnitte seines Stückes vor. Er sprach die Texte mit großer Ausdruckskraft, imitierte genussvoll populären Jargon und verweilte über den Passagen, die er lustig fand. Während er weiterlas, machte er Verbesserungen und Ergänzungen mit Bleistift.«[572]

Doch Olga registrierte die ersten, beunruhigenden Anzeichen, dass es Boris nicht gut ging. »Wenn er sich hinsetzte, um eine Übersetzung oder etwas anderes durchzusehen, wurde er sehr schnell müde, und ich musste fast die ganze Arbeit selbst zu Ende führen. Er begann über Schmerzen in der Brust zu klagen, und sein Bein machte ihm wieder Probleme.«

Im März rutschte Olga auf der Treppe zu ihrer Moskauer Wohnung aus und zog sich eine starke Muskelzerrung im Bein zu. Das Bein wurde eingegipst, und sie musste den Rest des Monats in der Stadt bleiben, was Boris bekümmerte. »Für ihn bedeutete dies, dass sein normaler Tagesablauf durcheinandergeriet – was ihn mehr als alles andere ärgerte.« Eines

Morgens, Boris fühlte sich wieder einigermaßen wohl, stieg er die Treppe zu Olgas Wohnung hinauf, um sie zu besuchen. Während er bei ihr war, klingelte das Telefon. Es war Mirella Garritano, die Ehefrau des Korrespondenten, der die Stelle von Sergio d'Angelo in Moskau übernommen hatte. Mirella bat Olga, sie am Postamt zu treffen und ein paar Bücher in Empfang zu nehmen, die an Pasternak adressiert waren. Da Boris nicht selbst hingehen konnte und Olgas Bein eingegipst war, bat er Irina und Mitja, die Sendung abzuholen, was sie auch taten. Olga zufolge konnten sie ihm nichts abschlagen.

Mirella übergab ihnen einen kleinen Koffer, den Mitja in die Wohnung brachte. Als Olga ihn öffnete, verschlug es allen die Sprache. Statt Büchern enthielt er säuberlich gestapelte, mit Banderolen versehene sowjetische Banknoten. Sie kamen indirekt von Feltrinelli, der sie »Sandwiches« nannte.[573] Boris gab Olga ein Banknotenbündel für ihre Ausgaben und nahm das restliche Geld nach Peredelkino mit.

Irina, die inzwischen mit Georges verlobt war, bekam Boris in diesen Wochen kaum zu Gesicht. Zum letzten Mal hatte sie ihn an einem schönen, sonnigen Märztag in Peredelkino gesehen. »Ich traf BL rein zufällig, als er meine Großmutter besuchte, die mit ihrem dritten Mann in eine Datscha in der Nähe gezogen war«, erinnerte sich Irina. »BL war glücklich, sie und ihren Ehemann so wohlauf zu sehen. Sie waren voller Energie und Lebensfreude. Er mochte nichts, was ihn irgendwie an Tod erinnerte – er weigerte sich, die *Paris Match* aufzuschlagen, die über den Tod von Camus berichtete. Nichts freute ihn mehr als ältere Leute bei guter Gesundheit. An diesem sonnigen Frühlingstag war es richtig warm, und es war unmöglich, in den Schnee zu schauen. BL kniff die Augen zu und wischte ständig darüber, denn er setzte niemals eine Sonnenbrille auf. Er wirkte gebräunt, gesund und glücklich.«[574]

Olga glaubte ebenfalls, dass der April nur Gutes verhieß. »Der April war fröhlich – wie jeder April. Besonders schön war unser kleiner Garten mit den Kiefern, den aufblühenden Büschen, den hellgrünen Birken. Gesprenkelt mit Sonnenflecken, war er uns wie ein friedlicher Hafen. Boris schien gesund und guter Dinge zu sein, die Tage flossen wieder gleichmäßig dahin ...«[575]

Am 4. April schrieb Boris an Feltrinelli in Mailand und fügte ein Dokument bei, das Heinz Schewe ihm übergeben sollte. Es trug den Titel *Handlungsvollmacht*.

Ich bevollmächtige OLGA WSEWOLODOWNA IWINSKAJA, ihre Unterschrift unter alle Anweisungen betreffend die Publikation meiner Arbeiten in jenen europäischen Ländern zu setzen, in denen sie gedruckt wurden oder noch gedruckt werden sollen und auch auf alle Zahlungsbelege und Zahlungsdokumente.

Ich möchte, dass die Unterschrift von OLGA WSEWOLODOWNA IWINSKAJA so behandelt wird, als wäre sie meine eigene, und dass alle von Olga Wsewolodowna gegebenen Anweisungen wie meine eigenen betrachtet werden.

Die Handlungsvollmacht, die OLGA WSEWOLODOWNA IWINSKAJA erteilt wird, gilt auf unbegrenzte Zeit. Ich bevollmächtige sie für den Fall meines Ablebens mit der potenziellen Kontrolle aller Publikationen wie Finanztransaktionen. Ich möchte, dass alle Anfragen zu Informationen und Belegen über mein literarisches Werk an sie gerichtet werden.

B. Pasternak[576]

In der dritten Aprilwoche bemerkte Olga »etwas Beunruhigendes an seiner Erscheinung. Gewöhnlich war sein Gesicht morgens gut durchblutet und frisch, jetzt war es anders – irgendwie gelblich.«[577] Am 20. April ging es ihm schlechter. Der herbeigerufene Arzt tippte auf Angina. An jenem Abend kam Boris wie üblich zu Olga und sagte zu ihr, er müsse eine Weile das Bett hüten. Und er sagte, dass er ihr sein Theaterstück bringen wolle und sie es ihm erst zurückgeben solle, wenn er sich wieder wohl fühle. Die erste Hälfte des Stücks hatte er bereits ins Reine geschrieben und arbeitete aus reiner Willenskraft trotz Herzrhythmusstörungen und akuter Schmerzen unter den Schulterblättern weiter. Mehrmals am Tag musste er die Arbeit unterbrechen, sich hinlegen und warten, bis die Schmerzen nachließen und er weiterschreiben konnte.

Olga die sich schon damit abgefunden hatte, Boris etwa zehn Tage lang nicht zu sehen, war erstaunt, als er mit einer abgewetzten Aktenmappe in der Hand am 23. April plötzlich den Weg herunter zum Kleinen Haus kam. Überglücklich rannte sie hinaus, um ihn zu empfangen. »Meine Freude, ihn so unerwartet zu sehen, war verfrüht. Er war ein kranker Mann, blass und abgespannt. Wir gingen ins Haus, wo es kühl und schattig war.« Zunächst ereiferte sich Boris über seine finanzielle Situation. Er rechnete mit einer Zahlung, die jedoch auf sich warten ließ. Heinz Schewe hatte seine Hilfe zugesagt, war aber verreist. Vielleicht würde Sergio d'Angelo auftauchen, mutmaßte er, oder ein anderer italienischer Kurier. Olga, die seine Besorgnis teilte, begann Fragen zu stellen.

Statt einer Antwort »küsste mich Boris – als könnte er damit seine Gesundheit wiedererlangen, als gäbe ihm das seine Kraft, seinen Mut und seinen Lebenswillen wieder«.

Olga musste unwillkürlich an den April 1947 zurückdenken, an das erste Mal, als Boris sie geküsst hatte – frühmorgens in der Wohnung in der Potapow-Gasse –, ebenso stürmisch und ebenso leidenschaftlich.

Olga begleitete ihn ein Stück zurück zum Großen Haus. Sie blieben am Bach in der Nähe der Datscha stehen, den sie normalerweise nie überquerte. Als er schon weitergehen wollte, drehte Boris sich noch einmal um:

»Oljuscha, ich habe dir doch das Manuskript mitgebracht.« Er zog einen zusammengerollten Packen Papier aus seiner Aktentasche – er verschnürte sein Werk immer auf dieselbe, ordentliche Weise – und reichte ihn ihr. Es war das Manuskript von *Die blinde Schönheit*. »Heb es auf«, sagte er, »und gib es mir erst wieder, wenn ich gesund bin. Und jetzt werde ich mich nur noch mit meiner Krankheit befassen. Ich weiß, dass du mich liebst, darauf vertraue ich, darin liegt unsere Stärke. Ändere nichts an unserem Leben. Ich bitte dich.«[578]

Das war das letzte Mal, dass Olga und Boris miteinander sprachen.

Um diese Zeit herum telefonierte auch Irina zum letzten Mal mit ihm. »Er meldete sich mit einer sehr schwachen, abwesenden Stimme. Danach hatte er nicht mehr die Kraft, in die Telefonzelle zu gehen.« Als es keine weiteren Nachrichten mehr gab, fuhr Irina sofort nach Peredelkino, »um in seiner Nähe zu sein«. »Wir glaubten, dass es so einfacher wäre, irgendetwas zu erfahren. In den ersten drei Maitagen regnete es unaufhörlich, und Mama und ich blieben allein zu Hause, unfähig, ein Gespräch zu führen.«

Am 25. April diagnostizierte der Arzt eine Angina, und Boris bekam strenge Bettruhe verordnet. Sie verlegten ihn von seinem Arbeitszimmer im ersten Stock in das kleine rechteckige Musikzimmer im Erdgeschoss, das auf die Veranda und den Garten hinausging. Am 27. schrieb er an Olga und berichtete, dass er unter schrecklichen Schmerzen litt und entgegen den Anweisungen des Arztes im Liegen arbeitete. Und schrieb, typisch Boris, dass er schon neugierig auf ihre Reaktion auf das Theaterstück sei, das noch einige Arbeit erfordere: »Es ist noch so viel überflüssiger Schnickschnack drin, der teils rausgeworfen, teils umgearbeitet werden muß.« Er erzählte von seinen unerträglichen Schmerzen und dass »uns diese Krankheit mindestens zwei Wochen unseres Lebens [kostet]«. Er rechnete fest damit, wieder gesund zu werden. Er mahnte sie: »Unternimm keine eigenen Schritte, mich zu sehen.« Da er Olga kannte, rechnete er damit, dass sie versuchen könnte, zur Datscha zu kommen, riet ihr aber strikt davon ab. »Das würde einen Aufruhr geben, den ich bei dem schlechten Zustand meines Herzens nicht aushalten könnte. Es würde mich umbringen. Sina, in ihrer Torheit, würde mir nichts ersparen.«[579]

Schließlich teilte er ihr mit: »Wenn Du durch die neuen Komplikationen betrübt und unglücklich bist, richte Dich daran auf und denk daran, daß alles, alles Wichtige, alles, was im Leben Bedeutung hat, allein in Deinen Händen liegt, Bleib tapfer und geduldig. … Ich umarme und küsse dich endlos. Sei nicht traurig. Wir haben schon Schlimmeres überstanden. Dein B.«[580]

Irina registrierte die Verzweiflung ihrer Mutter: »Meine Mutter hatte eine düstere Vorahnung, noch verstärkt durch die Tatsache, dass BL ihr das Manuskript von *Die Blinde Schönheit* als Abschiedsgeschenk gegeben hatte. Gleichzeitig klammerte sie sich an den kleinsten Funken Hoffnung – die Träume, die sie hatte, die Meinung der Krankenschwestern, die Gespräche mit den Ärzten. Einmal rief sie aus: ›Ach, Irina, wie können wir danach nur weitermachen? Wie können wir ohne Pasternak leben?‹«

Am 5. Mai kam Koma Iwanow einigermaßen aufgewühlt in den Garten des Kleinen Hauses. Er brachte Olga ein Päckchen von Boris, in dem mehrere mit Bleistift geschriebene Notizen lagen. Boris hatte Olga auch sein liebevoll gehütetes »Diplom der American Academy of Arts and Letters« geschickt. Er war unendlich stolz auf diese Ehrenmitgliedschaft in Anerkennung kreativer Errungenschaften in den Künsten, die er drei Monate zuvor bekommen hatte. Er wollte, dass Olga es für ihn verwahrte. Erschüttert berichtete Koma, dass Pasternak im günstigsten Fall einen leichten Herzanfall erlitten habe, dass die Behandlung sich allerdings als schwierig erwies wegen seiner asthmatischen Atmung aufgrund anderer Begleitumstände.

»Es kamen schwere Tage«, schrieb Olga später. »Ich wartete auf Nachrichten von Borja, sie kamen täglich: Kostja Bogatyrjow[581], Koma Iwanow und alle, die Borja besuchen durften, brachten mir seine Briefchen.«

Am 6. Mai ging es Boris etwas besser, er stand auf und wusch sich. Dann beschloss er, sich die Haare zu waschen, was katastrophale Folgen hatte. Ihm wurde sofort übel. Mit zitternden Händen gelang es ihm, Olga eine letzte Nachricht zu schreiben. In der Nacht zum 7. Mai erlitt er einen weiteren Herzanfall.[582]

Der Literaturfonds der UdSSR entsandte Dr. Anna Golodets und zwei Krankenschwestern vom Kreml-Krankenhaus, die Pasternak rund um die Uhr versorgten. Dr. Golodets stellte bei Boris hohes Fieber und eine schwere Lungenstauung fest, die ihm die Atmung erschwerte. Doch er klagte fast nie, war entschlossen, das volle Ausmaß seiner Krankheit vor seinen Lieben zu verbergen. Er bat darum, das Fenster zum Garten geöffnet zu lassen. Der Flieder, eine seiner Lieblingsblumen, stand draußen in voller Blüte.

Boris' Intuition hinsichtlich Olgas Entschlossenheit, ihn zu besuchen, hatte sich als richtig erwiesen. Zu Beginn seiner letzten Krankheit hatte sie »einen Sturmangriff auf die Festung beabsichtigt«[583]; sie wollte zum Großen Haus gehen, ihren Geliebten besuchen und dort natürlich auch als die Frau anerkannt werden, die sie für ihn war. Eines Abends sprach sie mit Irina, Mitja und mit dem Dichter Konstantin Bogatyrjow darüber. Sie war »außer sich«, warf ihrem Freund Konstantin Feigheit vor, weil er sich weigerte, Nina Tabidze einen Brief von Olga zu übergeben, die zu jener Zeit auf Besuch bei Sinaida weilte. In diesem Brief flehte Olga Nina an, ihr Informationen über Boris' Gesundheitszustand zu geben und als Mittlerin zu fungieren. Da Konstantin sich weigerte, den Brief zu übergeben, tat es Mitja. Er kam gleich darauf wieder zurück und berichtete, dass Nina den Brief gelesen und gesagt habe, sie werde ihn nicht beantworten.

Irina litt mit ihrer Mutter: »Meine arme Mama hatte das Pech erleben zu müssen, wie es ist, eine ›Außenstehende‹ zu sein. Sie sah sich den unüberwindlichen Barrieren gegenüber, die jene mit Rechten, die Rechtmäßigen, von denen ohne Rechte trennen. BL versuchte, sie in seinen letzten Botschaften zu beruhigen, doch sie war am Ende ihrer Kräfte.«[584]

Sogar als ein Arzt, den Olga aus Moskau hatte kommen lassen, seine Diagnose stellte, wurde sie ausgeschlossen. »Ich sehe noch ihre dunkle Silhouette vor dem Zaun des Großen Hauses«, erinnerte Irina sich traurig. »Sie blieb bis zum letzten Tag dort, stand zusammengesunken auf den Stufen zum Haus, dessen Tür vor ihr fest verschlossen blieb.«

Boris' ältester Sohn Evgenij, aufgeschreckt, dass Olga sich entschieden hatte, einen berühmten Kardiologen ins Haus zu bestellen, fürchtete um das Aufsehen, das Olgas Initiative hervorrufen könnte, und informierte das Kleine Haus nun täglich. Olga und Irina waren tief berührt. »Wir waren ihm so dankbar«, sagte Irina. Vielleicht hatte er mehr Verständnis für Olgas Situation, weil Sinaida seine Stiefmutter war und seine eigene Mutter Evgenija Jahre zuvor in ähnlicher Weise aufs Abstellgleis geschoben worden war.

Natascha Pasternak hielt ebensowenig wie Sinaida mit ihrer Abneigung gegen Olga hinter dem Berg. Natascha erlebte den Riss zwischen den beiden Haushalten hautnah, da sie in Boris' letzten Wochen im Großen Haus wohnte. Es ist unschwer zu erkennen, wie seine zweite Familie sich gegen die Bedrohung durch eine »Außenseiterin« zusammenschloss. »Olga war eine Verführerin, der jedes Mittel gerade recht kam«, sagte Natascha.[585] »Keiner der engen Freunde von Sinaida und Boris mochte sie. Ihr gab man nicht die Hand. Das brachte Boris in eine sehr schwierige Situation. Aber am Ende seines Lebens war er ein kranker Mann, und er hatte eine Schwäche: sie.«

Boris war sich der Spannungen und Eifersüchteleien zwischen seiner Familie und seiner Geliebten natürlich voll bewusst. Bevor er realisierte, wie krank er war, hatte er darauf gehofft, dass seine Schwester Lydia aus England kommen und als Mittlerin fungieren werde. »Die Krankenschwestern, die ihn pflegten, erzählten, er habe gesagt: ›Wenn Lydia erst da ist, wird sie alles in Ordnung bringen‹«, schrieb Olga später. »Der Sinn dieser Worte war eindeutig: Er glaubte, Lydia sei uns, seiner zweiten Familie, wohlgesonnen, und sie würde es nach und nach fertigbringen, Sinaida Nikolajewna und mich zu versöhnen. Das war sein sehnlicher Wunsch.«[586]

Am 15. Mai, als Boris erkannte, dass Olga der Zugang zum Großen Haus tatsächlich verwehrt wurde und die Spannungen um ihre Person eskalierten, richtete er ein »Kommunikationsnetzwerk« ein, wie Irina es nannte. Olga wurde in Begleitung von Irina zum Moskauer Kreml-Krankenhaus bestellt, wo sie mit Marina Rassokhina, einer der Krankenschwestern, die Boris rund um die Uhr betreuten, sprechen sollte. Marina, erst sechzehn Jahre alt, kam heraus und unterhielt sich mit ihnen. Diese freundliche junge Krankenschwester berichtete Olga, was Boris ihr erzählt hatte, sobald er nach seinem letzten Herzanfall wieder hatte sprechen können. Er erwähnte die »unglückseligen Umstände«, die sich aus ihrer beider Liebe zueinander ergeben hatten, und von seinem »Doppelleben«. Er hatte ihr erklärt, wie unendlich es ihn schmerzte, dass seine große Liebe von seinem Krankenbett ferngehalten wurde. Daher hatte er Marina gebeten, Olga täglich aufzusuchen und zu informieren. Die Schwester »lächelte ständig«, erinnerte sich Irina. »Sie sagte uns mit ihrem breiten Lächeln, dass BL im Sterben liege; dass alle Schwestern ihn liebten und dass er eine besondere Schwäche für sie habe, weshalb er sie gebeten hatte, mit uns Kontakt aufzunehmen.«

Nach ihrer Schicht ging Marina immer direkt zum Kleinen Haus und blieb oft über Nacht. Olga erinnerte sich, dass »sie zu mir sagte, BL habe sie hin und wieder gebeten, einen Besuch von mir bei ihm zu ermöglichen – obwohl inzwischen niemand mehr an seinem Krankenbett geduldet werde«. Sinaida sorgte dafür, dass im Haus ein Zustand tödlicher Stille herrschte.

Einmal war geplant, dass Marina Olga ans Fenster im Erdgeschoss bringen sollte, wo Boris' Bett stand, doch dieses Vorhaben scheiterte an seiner Eitelkeit. Man hatte ihm nach seiner Herzattacke die Zahnprothese herausgenommen, und nun litt er schrecklich unter seinem veränderten Äußeren. Für ihn war es undenkbar, dass sie ihn in einem wie immer gearteten, hinfälligen Zustand zu Gesicht bekam. »Oljuscha würde mich nicht mehr lieben«, hatte er zu Marina gesagt. »Ich sehe zu schrecklich aus.«[587] Boris war ein außerordentlich eitler Mann. Er wollte nicht einmal, dass der Arzt ihn unrasiert sah, und wenn er es selbst nicht mehr schaffte, bat er seinen Sohn Leonid oder dessen Bruder Alexander, ihn zu rasieren. Es ist sehr gut möglich, dass Boris den Gedanken nicht ertragen konnte, Olga als körperliches Wrack gegenüberzutreten; vielmehr sollte sie ihn als den robusten und strahlenden Gott in Erinnerung behalten, den sie 1946 kennen gelernt hatte.

Sinaida behauptete später, sie habe Olga die Möglichkeit geben wollen, Boris ein letztes Mal zu sehen, dass Boris diesen Vorschlag aber zurückgewiesen habe. Falls Sinaida Olga tatsächlich eingeladen und Boris sie überstimmt haben sollte, dann hätte sie damit vor allem ihrer Familie Stress ersparen und eine »Szene« vermeiden wollen. Wahrscheinlich ist, dass er, als seine irdische Uhr ablief, zu müde war, um noch zu kämpfen. Er hatte keine Kraft mehr.

Bald beherrschten Nachrichten über Boris' schwere Krankheit die Schlagzeilen in der internationalen Presse. Ausländische Zeitungsleute hielten Wache am Gartenzaun seiner Datscha. Am 17. Mai telegraphierten Josephine und Lydia aus Oxford nach Peredelkino. Ihr Telegramm an Sinaida lautetet: VERY WORRIED BORIS ILLNESS WIRE DETAILS ALSO ABOUT YOU. LOVING PRAYING. SISTERS FREDERICK.[588]

Boris' Schwägerin Irina, die mit Alexander verheiratet war, antwortete: »19. Mai 1960. Moskau. BORIS INFARKT[589] HEUTE ELFTER TAG KRANKHEIT ALLES GEREGELT SHURA [ALEXANDER] STÄNDIG BEI IHM HOFFNUNG NICHT VERLOREN GUTER AUSGANG HALTEN EUCH AUF LAUFENDEM DETAILS BRIEFLICH UMARMUNG – INA.[590]

Leider traf die Prognose der Ärzte nicht zu. Boris' Zustand verschlechterte sich, und Lungenkrebs wurde diagnostiziert.

Olga bekam keine neuen Nachrichten mehr von ihm –

man hatte ihm den Bleistift verboten. »Ich flehte Marina an, ihm den kleinen Bleistiftstummel zu geben, der doch auf dem Tisch lag. Aber sie brachte es nicht über sich. Und sonst gab es niemanden, den ich darum hätte bitten können«, erinnerte Olga sich traurig. »Ich lebte nur noch im Warten auf Marinas Besuche. Ich wußte, wenn sie von mir zu ihm ging, brachte sie ihm meinen Zuspruch, meine Zärtlichkeit, meine Liebe – sie brauchte er jetzt so nötig.«[591]

»Wir wussten, dass das Ende nahte«, sagte Irina. »Die Schwester, die von der letzten Schicht kam, wartete, wenn es nicht Marina war, bis sie sich weit genug von der Datscha entfernt hatte, bevor sie uns berichtete, was nachts passiert war. Wir wussten, dass BL Blut spuckte, er verlor immer wieder das Bewusstsein, und in der Datscha hatte man ein Sauerstoffzelt aufgestellt. Sogar ein Röntgengerät war installiert worden, das zeigte, dass sein Lungenkrebs in andere Organe gestreut hatte, in Herz, Leber und Darm.«[592]

Am 25. Mai schickten Sinaida und ihr Sohn Leonid das folgende Telegramm an Boris' Schwestern nach Oxford:

ZUSTAND UNVERÄNDERT BEHANDELN BESTE ÄRZTE MOSKAUS GEBEN ALLE NÖTIGEN MEDIKAMENTE BITTEN DRINGEND FALSCHE NACHRICHTEN BBC ÜBER BORIS UNGENÜGENDE BEHANDLUNG DEMENTIEREN EINZELHEITEN BRIEF SINAIDA LYONIA.

Die Antwort wurde am folgenden Tag telegraphiert: 26. Mai 1960 OXFORD PASTERNAK PEREDELKINO MOSKAU VERBLÜFFT ÜBER TELEGRAMM BBC MELDETE NICHTS DERGLEICHEN TATSÄCHLICH UNTERSTREICHEN ZEITUNGEN UND RADIO ERSTKLASSIGE BEHANDLUNG TELEGRAMM JEDOCH AN PRESSE ÜBERGEBEN GOTT SCHÜTZE EUCH.«[593]

Neben Marina, der jungen Krankenschwester, wurde Boris

auch von Marfa Kusminitschna, einer erfahreneren, älteren Frau, versorgt, die im Zweiten Weltkrieg als Krankenschwester an der Front gearbeitet hatte. Nach ihrer Schicht machte auch sie es sich zur Gewohnheit, Olga zu besuchen, um über Boris' Zustand zu berichten. »Marfa Kusminitschna, die im Krieg alle nur vorstellbaren Gräuel miterlebt hatte, sprach mit Verwunderung von dem bemerkenswerten Mut, dem Durchhaltevermögen und der Würde, die er bei seinem Kampf gegen den Tod zeigte«, sagte Olga.

Am folgenden Tag hörte eine der Krankenschwestern, wie Boris unfreiwillig ausrief: »Schonia [Josephine], meine geliebte Schwester, ich werde dich nie mehr wiedersehen!« Als er abermals nach seiner anderen Schwester Lydia verlangte, schickte Alexander ihr ein Telegramm: Moskau, 27. Mai 1960 SITUATION HOFFNUNGSLOS KOMM WENN DU KANNST SHURA.[594]

Lydia bemühte sich verzweifelt um ein Visum, wandte sich sogar direkt an Chruschtschow. In London wartete sie eine Woche auf die Entscheidung der sowjetischen Behörden.

Am 29. Mai sackte Boris' Puls gefährlich ab, aber die Ärzte schafften es, ihn zu stabilisieren. In jener Nacht schlief er gut. Am folgenden Morgen verlangte er nach seinem Sohn. Evgenij saß bei ihm, als den Vater die Kräfte verließen. »Er klagte, wie schwer es für ihn sei, die Bedeutungslosigkeit all dessen, was er gemacht hatte, und die Ambivalenz seines Weltruhms zu realisieren, der in seinem Vaterland gleichzeitig mit absolutem Totschweigen verbunden war. Ihn quälte auch, dass seine Verbindung zu früheren Freunden abgeschnitten war. Er charakterisierte sein Leben als Kampf um ein frei agierendes, menschliches Talent gegen eine herrschende und triumphierende Plattheit. ›Mein ganzes Leben wurde damit zugebracht‹, resümierte er voller Gram.«[595]

»An seinem Todestag, als der Arzt sagte, dass er nur noch Stunden zu leben hatte, saß Olga den ganzen Tag auf der Veranda der Datscha«, erinnerte sich Natascha Pasternak. »Sie bat die Familie um Erlaubnis, sich von ihm zu verabschieden, doch Sinaida, Alexander und Leonid reagierten nicht. Den ganzen Tag weinte sie da draußen, woraufhin Sinaida Boris fragte, ob Olga ihn besuchen könne, doch Boris wollte nicht, dass sie ins Haus kam.«[596]

Solche Anekdoten wurden als Beweis dafür in die Welt gesetzt, dass Olga im Gefühlsleben des Schriftstellers nicht allzu wichtig war; dass sie nicht seine große Liebe war. Doch in Boris' letztem Brief an Olga, geschrieben am Donnerstag, dem 5. Mai, bevor er wusste, dass er im Sterben lag, erklärte er ihr: »Alles, was mir wertvoll und wichtig ist, schicke ich Dir: Das Manuskript des Stückes hast Du schon, jetzt bekommst Du das Diplom [die Ehrenmitgliedschaftsurkunde der Amerikanischen Akademie für Kunst und Literatur].... Ist es denn wirklich so unmöglich, diese kurze Trennung auszuhalten? Und selbst wenn sie uns einige Opfer abverlangt, sollen wir sie etwa nicht bringen? ... Wenn ich wirklich todkrank wäre, bestünde ich darauf, daß man Dich zu mir ruft. Aber welches Glück, daß es nicht notwendig ist. Daß alles wahrscheinlich weitergehen wird wie bisher, erscheint mir unverdient, märchenhaft, unglaublich!!«[597]

Am Abend des 30. Mai bekam Boris seine letzte Bluttransfusion. Die Ärzte wussten, dass der Tod unmittelbar bevorstand, und Sinaida ging hinein, um bei ihm zu sein. Sein Bruder Alexander, der einen Monat an seiner Seite verbracht hatte, sagte zu Boris, dass Lydia jeden Moment erwartet werde. »Lydia, das ist gut«, gab Boris zur Antwort.[598] Dann fragte er nach Josephine.

Boris verlangte, seine zwei Söhne allein zu sehen. Um elf

Uhr nachts standen sie am Bett des Vaters. Er erklärte, dass sie keinen Anspruch auf den verwickelten Teil seines Vermächtnisses im Ausland anmelden sollten: auf den Roman, das Geld und die damit zusammenhängenden Komplikationen. Er bat sie auch darum, sich um Olga zu kümmern. Als sie sich von ihm verabschiedeten, atmete er zunehmend schwerer.

Während seine Krankenschwester Marfa Kusminitschna ihn versorgte, flüsterte Boris: »Vergessen Sie nicht, morgen das Fenster zu öffnen.« Als das Ende nahte, nahm Marfa Boris' Kopf in die Arme.

Um zwanzig nach elf starb Boris Pasternak.

Am folgenden Morgen um sechs ging Olga Marfa entgegen, die von ihrer Schicht kam. Die Krankenschwester ging schnellen Schrittes auf eine Kreuzung zu. Als Marfa Olga erblickte, ließ sie den Kopf hängen. Und noch bevor Marfa es sagen konnte, wusste sie schon: Er ist tot. Weinend umarmten sich die beiden Frauen.[599]

Marfa erzählte Olga, dass Boris an seinem Todestag zu ihr gesagt hatte: »Wer wird am meisten unter meinem Tod leiden? Wer wird am meisten leiden? Es wird nur Oljuscha sein, und ich hatte keine Zeit, etwas für sie zu tun. Das Schlimmste ist, dass sie leiden wird.«

Plötzlich wurde Olga von einem unsagbaren, verzweifelten Schmerz ergriffen, und sie lief zum Großen Haus hinüber, die Treppe zur Veranda hoch, stieß die Tür auf und verschaffte sich Zutritt. Ihre Handlungen waren rein vom Gefühl gesteuert. »Ich weiß nicht mehr, wie es passiert ist, aber plötzlich war ich im Großen Haus. Niemand verwehrte es mir.« Das Zimmermädchen führte Olga in das Musikzimmer, in dem Boris lag.

»Boris lag da... und seine Hände waren weich. Er lag in einem kleinen Zimmer, und das Morgenlicht beleuchtete ihn.

Da waren Schatten quer über dem Fußboden, und sein Gesicht war noch immer lebendig – ganz und gar nicht wächsern.«

Als Olga am Bett ihres Geliebten kniete, hörte sie seine Stimme in ihrem Kopf. Die Zeilen seines Gedichts »August« aus dem *Schiwago*-Gedichtzyklus brandeten über sie hinweg. Olga konnte nicht wissen, dass die letzte Strophe, die so klar ertönte, später auf Russisch in den Grabstein der Familie von Boris in Oxford eingraviert werden würde: am Grab seiner Mutter Rosalia, seines Vaters Leonid und der Schwestern Josephine und Lydia, deren Aschen dort gemeinsam beerdigt waren.

Leb wohl, du Wucht gespreizter Schwingen,
Des Fluges freie Willensmacht,
Und Bild der Welt, im Wort erschienen,
Und Schöpfertum und Wunderkraft.[600]

Eine halbe Stunde lang wurde Olga nicht gestört. Während sie neben ihm weinte, dachte sie, wie prophetisch *Doktor Schiwago* doch war: »Genauso war es gekommen. Das Schlimmste hatte sich verwirklicht. Alles hatte sich nach den Richtpunkten des Romans ereignet, der eine tragische Rolle in unserem Leben gespielt und es zugleich verkörpert hatte.«[601] Laras Abschied von Juri Schiwago nach seinem Tod wiederholte sich bei Olgas letztem Adieu von Boris, als Lara hemmungslos schluchzte:

Nun sind wir wieder beisammen, Jurotschka. Gott hat uns eine neue Begegnung geschenkt. Wie schrecklich, denk doch nur! Oh, ich kann nicht mehr! Herrgott! Ich heule und heule! Denk doch nur! Wieder etwas in

unserer Art, aus unserm Arsenal. Dein Weggang, mein
Ende. Wieder etwas Großes, Unabwendbares… Leb
wohl, mein Großer, mein Lieber, leb wohl, mein Stolz,
leb wohl, mein tiefer, reißender Fluß, wie liebte ich dein
tagelanges Plätschern, wie gern warf ich mich in deine
kalten Wellen![602]

Und als Antwort darauf sein Abschied von Lara:

Leb wohl, Lara, auf Wiedersehen in der anderen Welt,
leb wohl, meine Schöne, leb wohl, mein Glück, du warst
so unendlich tief, unerschöpflich, ewig! Ich sehe dich
nie wieder, niemals, nie im Leben, niemals sehe ich dich
wieder![603]

Die Trauer verengt den Gesichtskreis, verwischt die Grenzen
des Bewusstseins. Olga, die vage mitbekam, dass die übrige
Familie sich vor dem Zimmer zusammenfand, wankte aus der
Datscha, wo Mitja und Marina am Gatter auf sie warteten.
Gemeinsam halfen sie Olga zurück ins Kleine Haus.
   Da Olga ihre nächsten Schritte einfach nicht planen konnte,
fuhren sie und Mitja mit dem Taxi nach Moskau zu Irinas
Wohnung. »[Mama] war viel ruhiger, als ich erwartet hatte. Sie
weinte, blieb aber gefasst«, sagte Irina. »Immer wieder sagte
sie: ›Ständig wird behauptet, dass er sich verändert hat, aber
das stimmt nicht. Überhaupt nicht. Er ist so jung wie immer,
immer noch zugewandt, immer noch gutaussehend.‹«[604]
   Obwohl Pasternaks Tod die Schlagzeilen in allen größeren
ausländischen Zeitungen beherrschte, erwähnte ihn die sowjetische Presse nicht. Aus aller Welt trafen Kondolenzschrei-
ben ein. Doch in Moskau herrschte Schweigen. Feltrinelli
sagte in einer Stellungnahme aus Mailand: »Der Tod Paster-

naks ist ein derart harter Schlag, als hätte man seinen besten Freund verloren. Er war die Verkörperung meiner nonkonformistischen Ideale, vereint mit Weisheit und tiefer Bildung.«[605]

Die Beerdigung war auf Donnerstag, dem 2. Juni, sechzehn Uhr angesetzt. Am Tag zuvor tauchte dann doch noch eine kleine Notiz auf der letzten Seite der *Literaturnaja Gazeta* auf: »Die Verwaltung des Litfond der UdSSR gibt den Tod des Schriftstellers Boris Leonidowitsch Pasternak bekannt, der am 30. Mai im 71. Lebensjahr nach langer schwerer Krankheit starb, sie drückt der Familie des Verstorbenen ihr Beileid aus.«[606]

Kein einziges Wort über Zeit und Ort der Beerdigung. Handgeschriebene Ankündigungen auf großformatigen Papierbögen oder auf herausgerissenen Seiten von Schulheften wurden in den Vorortzügen und an den Kartenschaltern im Moskauer Kiew-Bahnhof sowie auf dem Bahnsteig in Peredelkino ausgehängt. Und dort, wo die Polizei die Ankündigungen wieder entfernte, wurden sie als rührendes Zeichen seiner Wertschätzung sofort durch neue Plakate mit folgender Meldung ersetzt: »Genossen! In der Nacht vom 30. auf den 31. Mai 1960 verstarb einer der großen Dichter der Neuzeit, Boris Leonidowitsch Pasternak. Die Trauerfeierlichkeiten finden am 2. Juni um 15:00 Uhr in Peredelkino statt.«

Der 2. Juni war ein heißer Sommertag. In Boris' geliebtem Garten blühten die rosaroten und weißen Blüten der Apfelbäume und Fliederbüsche um die Wette. Frisch geschnittene Kiefernzweige waren zum Schutz des Rasens auf dem Boden ausgebreitet. Seit dem frühen Morgen pilgerten schwarz gekleidete Menschen mit Fliederzweigen vom Bahnhof zum Friedhof von Peredelkino. Die Polizei war bereits an den Zugangsstraßen zum Dorf positioniert, und alle, die mit dem

Auto gekommen waren, mussten es stehen lassen und zu Fuß weitergehen.[607]

»Seit dem frühen Morgen brachten die Vorortzüge Trauergäste aus der Stadt nach Peredelkino; in Wellen strömten Freunde und Unbekannte, ortsansässige Bauern und Arbeiter zu seinem Haus, Leute, denen Pasternak immer wichtig gewesen war oder denen er jetzt wichtig geworden war; Alt und Jung – vorwiegend junge Menschen versammelten sich dort, um zum letzten Mal Abschied von ihm zu nehmen«, schrieb Lydia, die am Ende doch noch ihr Visum[608] bekommen hatte und drei Tage nach der Beerdigung eintraf. »Wie hatten sie es erfahren? Die drückende Hitze, die Wolken, die flüsternden Blätter müssen es ihnen verraten haben. Von Haus zu Haus, über Telefonleitungen, von Mund zu Mund verbreitete sich die tragische Nachricht über ganz Russland. Genau diese Stille war es, die es hinausposaunte.«

Der amerikanische Kritiker Irving Howe hatte Recht gehabt, als er 1959 schrieb: »Welcher Art Pasternaks Ansichten zur Zukunft der kommunistischen Welt sein mögen, weiß ich nicht. Aber ich glaube, dass falls und wenn die Freiheit in Russland wiederhergestellt wird, die Menschen ihn als jemanden betrachten werden, der vollkommen unabhängig von politischen Meinungen sich stets der Wahrheit ihres Leidens verschrieben hat. Und dafür werden sie ihn ehren.«[609] Und an jenem Tag, da ehrten sie ihn.

Als Olga von Ismalkowo zum Großen Haus ging, sah sie dort unzählige, ihr unbekannte Menschen versammelt. Die Straße vor seiner Datscha war mit Presseleuten aus dem Westen verstopft; einige von ihnen kletterten sogar auf Bäume oder stellten sich auf Kisten an den Zaun, um einen besseren Blick zu haben. Im Haus war der unter unzähligen Blumengestecken fast verborgene Sarg ins große Wohnzimmer geschafft worden. Boris trug den grauen Lieblingsanzug seines Vaters. Verschiedene Künstler fertigten abwechselnd Skizzen von ihm an. Olga schaute ihnen genauso über die Schulter, wie damals Boris seinem Vater Leonid, als jener Tolstoj auf dem Totenbett skizzierte. Maria Judina und Stanislaw Neuhaus spielten Chopin – getragene, tief bewegende Melodien erfüllten das Haus. Olga drängte sich vor, um Boris noch einmal zu sehen, und kehrte dann wieder zu jenem Platz auf der Veranda vor dem Haus zurück, wo sie die letzten Tage seiner Krankheit geweint hatte.

»Drinnen nahmen die Menschen Abschied von meinem Liebsten, der nun vollkommen regungslos dalag, indifferent ihnen allen gegenüber, während ich neben dieser Tür saß, die mir so lange verschlossen war«, schrieb sie. »Ich war noch immer wie betäubt, und ich hatte Ablenkung in den Trivialitäten des alltäglichen Lebens gefunden – etwa ein Kleid für die Beerdigung auszusuchen –, und allein schon die Müdigkeit verschaffte mir Seelenheil, ich tauchte ein in einen Schlaf, der mir die Hoffnung brachte, beim Aufwachen festzustellen, dass nichts von alledem tatsächlich geschehen war. Ich träumte, dass Boris mit einem Zweig an mein Fenster klopfte. Vielleicht war dieser schreckliche Tag mit dem Wind und der sengenden Sonne ja auch nur ein Traum?«

Kurz nach vier Uhr sah Olga, wie der Sarg herausgetragen wurde. Dahinter wehte Chopins *Marche funèbre* aus der geöffneten Tür der Datscha. Unter den Sargträgern waren Evgenij und Leonid, Boris' Söhne. Auf ein Zeichen hin »wurden aus den nun weit geöffneten Fenstern Blumen, Strauß für Strauß, in den Garten weitergegeben. Die Kränze und der Sargdeckel wurden aus der Haustür getragen. Dann erschien der Sarg auf dem Treppenpodest, schwankte leicht, als man ihn niedersetzte.«[610]

Irina schaute in Boris' Sarg und erblickte das Gesicht des Mannes, der am ehesten den Vater verkörperte, den sie nie hatte. Sie dachte, dass er wie ein Fremder aussah: erwachsen, ernst und distanziert. Später schrieb sie: »Manchmal entfernt der Tod alles Überflüssige aus einem Gesicht und zeigt die nackte Realität. Bei BL war es ganz anders. Obwohl er über den Tod meditiert, geschrieben, sich darauf vorbereitet hatte, gab es in seinem Leben keinen Platz dafür. Er gehörte nicht zu seiner Welt. Sie hatten keine gemeinsame Basis. Dem Tod war es nicht gelungen, in ihn einzudringen, er hatte ihn einfach durch sich ersetzt.«[611]

»Es gibt keinen Tod. Für uns gibt es keinen Tod«, schrieb Boris. »Es wird keinen Tod geben, weil die Vergangenheit vergangen ist. Es ist fast so: Es wird keinen Tod geben, weil jeder ihn schon gesehen hat. Er ist zu alt, und er langweilt alle, aber jetzt ist das Neue gefragt, und das neue Leben währt ewig ...«[612]

Olga folgte der Prozession hinter Pasternaks Sarg. Einmal wurde Olga von der Menge mitgerissen. Einigen Freunden, darunter Heinz Schewe und Ljussja Popowa, gelang es, sie über eine Abkürzung quer über ein frisch gepflügtes Kartoffelfeld zum Friedhof zu geleiten.

»Die ausgewählte Grabstätte hätte nicht schöner sein können«, schrieb Alexander Gladkow. »Sie lag auf einem nach allen Seiten offenen kleinen Hügel mit drei Kiefern, in Sichtweite des Hauses, in dem der Dichter die zweite Hälfte seines Lebens verbracht hatte.« Gladkow war überrascht von den vielen Trauergästen – nach seiner Schätzung kamen über dreitausend. »Für alle Anwesenden war es ein Tag von enormer Bedeutung – und allein diese Tatsache wurde zu einem weiteren Triumph für Pasternak.«[613]

Verstreut in der am Grab versammelten Menschenmenge

waren Reporter, Fotografen und Filmcrews mit ihren surrenden Kameras, die alle versuchten, die vordersten Plätze zu ergattern. Und natürlich KGB-Spitzel. »Die Prozession mit dem Sarg traf ein«, erinnerte sich Gladkow. »Bevor die Sargträger ihn neben dem Grab auf dem Boden absetzten, hoben sie ihn aus irgendeinem Grund hoch über die Menschenmenge, und zum letzten Mal sah ich das hagere, wunderbare Gesicht von Boris Leonidowitsch Pasternak.«[614]

Der Philosoph Valentin Asmus, Professor an der Moskauer Universität und einer von Boris' alten Freunden, trat vor. Es ist bitter, dass Pasternak die Zeremonien verwehrt wurden, die üblicherweise das Begräbnis eines Mitglieds des Schriftstellerverbands begleiteten. Doch diese Beerdigung wurde vom russischen Volk getragen, was Boris weitaus besser gefallen hätte als alles Offizielle und Sowjetische. »Es war eine Demonstration unverfälschter Trauer des Volkes«, sagte Olga.

Asmus hielt die Grabrede:

Wir haben uns hier versammelt, um uns von einem der größten russischen Schriftsteller und Poeten zu verabschieden, einem Mann, der mit vielen Talenten gesegnet war, sogar mit dem der Musik. Man mag seine Überzeugungen ablehnen oder annehmen, doch solange russische Dichtung in dieser Welt eine Bedeutung hat, solange wird Boris Leonidowitsch Pasternak zu den Größten dieser Gattung gehören.

Sein Widerspruch zu unserer Gegenwart hat nicht mit einem Regime oder einem Staat zu tun. Er strebte eine Gesellschaft höherer Ordnung an. Nie hat er daran gedacht, das Böse mit Gewalt zu bekämpfen, und das war sein Fehler.

Ich habe nie mit einem anderen Menschen gesprochen, der so viel, so schonungslos etwas von sich verlangte. Nur wenige können sich mit ihm vergleichen, wenn es um die Ehrlichkeit seiner Überzeugungen geht. Er war ein Demokrat im wahrsten Sinne des Wortes, einer, der wusste, wie man seine Autorenfreunde kritisieren konnte. Er wird immer ein Beispiel dafür bleiben, wie man seine Überzeugungen gegenüber seinen Zeitgenossen verteidigen kann, da er fest überzeugt war, im Recht zu sein. Er hatte die Fähigkeit, Menschlichkeit in allerhöchsten Worten auszudrücken.

Er hatte ein langes Leben. Doch es ist so schnell vorübergegangen, er war noch immer so jung und hatte noch so viel zu schreiben vor sich. Sein Name wird für immer unter den edelsten genannt werden.[615]

Dann rezitierte ein Schauspieler des Moskauer Kunsttheaters das Gedicht »Hamlet« aus der *Schiwago*-Gedichtsammlung. Obwohl weder das Gedicht noch der Roman in der Sowjetunion veröffentlicht worden war, schrieb der amerikanische Korrespondent von *Harper's Bazaar*: »Tausend Lippenpaare bewegten sich in schweigendem Einklang.«[616]

Der Lärm verebbt. Ich trete auf die Bühne.
Und gelehnt ans Pfostenholz der Tür,
Erlausche ich im Nachhall ferner Töne,
Was im Leben noch geschieht mit mir.

Durchs Visier von tausend Operngläsern
Starrt auf mich des Raumes Dunkelheit.
Abba, Vater, wenn es möglich wäre,
Lenke diesen Kelch an mir vorbei.

Zwar liebe ich dein eigensinnig Planen
Und bin, meinen Part zu spielen, gewillt.
Dieses aber ist ein andres Drama,
Diesmal, bitte, schon dein Ebenbild.

Fest gewickelt ist die Handlungsspule,
Und die Tore sind aufs End gestellt.
Ich bin allein: im Pharisäerrudel.
Leben ist kein Gang durch freies Feld.[617]

Unter den Trauergästen wurden Kopien von Boris' Gedicht
»August« verteilt. Wenn einer der Trauergäste ein Gedicht zu
Ende rezitiert hatte, redete ein anderer weiter. Irgendwann
stand ein junger Arbeiter auf und rief: »Wir danken dir im
Namen des Arbeiters! Wir haben auf dein Buch gewartet! Leider ist es aus wohlbekannten Gründen nicht erschienen. Aber
du hast den Namen des Schriftstellers mehr erhöht als irgendjemand sonst.«

Die Offiziellen vom Litfond, angesichts der stürmischen,
ungezähmten Energie der Menge nervös geworden, machten Anstalten, die Beerdigung zu beenden. Jemand trug den
Deckel zum Sarg. Olga, ein paar Schritte von Sinaida entfernt,
beugte sich über den Sarg und gab Boris einen Kuss auf die
Stirn. »Und der Nebel dieser schrecklichen letzten Tage löste
sich in Tränen auf. Ich weinte, weinte, weinte, konnte mich
nicht einmal ›der Leute wegen‹ beherrschen.«[618]

Sie erstarrte, und ein paar Augenblicke lang sprach sie
nicht, dachte sie nicht und weinte sie nicht, sondern bedeckte die Mitte des Sargs, die Blumen und den Leichnam
mit ihrem Körper, ihrem Kopf, ihrer Brust, ihrer Seele
und ihren Händen, die so groß waren wie ihre Seele«,

schrieb Pasternak über Laras Trauer um Juri Schiwago. »Das so lange zurückgehaltene Schluchzen erschütterte ihren ganzen Körper. Solange sie es vermochte, hatte sie sich beherrscht, doch plötzlich ging das über ihre Kräfte, die Tränen brachen hervor und netzten Wangen, Kleid, Hände und den Sarg, an den sie sich preßte.«[619]

»Jemand in grauen Hosen ... sagte aufgebracht: ›Genug jetzt, weitere Reden sind überflüssig. Schließt den Sarg!‹« Aus der Menge erschallten Rufe: »Der Dichter wurde ermordet!« Und die Menge brüllte: »Schande! Schande über sie!« Die Haushaltsgehilfin von Boris legte ein Exemplar eines Sterbegebets auf Boris' Stirn, und als der Sargdeckel auf den Sarg genagelt wurde, ertönten weitere Rufe aus der Menge: »Ruhm sei Pasternak!«[620]

Fast alle hatten Blumen mitgebracht, und während der Sarg in die Erde hinabgelassen wurde, reichten die Trauergäste die Blumen über die Köpfe der Menschenmenge vom einen zum nächsten. Die über die Köpfe der Menschen tanzenden Blumen erinnerten an das Wogen eines märchenhaften Blumenmeeres. In diesem Augenblick begannen plötzlich und unerwartet die Glocken der nahegelegenen Preobraschenski-Kirche zu läuten. Als der Sarg in das Grab gesenkt wurde und die ersten Klumpen Erde daraufﬁelen, skandierte die Menge: »Ruhm sei Pasternak! Hosianna! Gloria!« Die Worte hallten über die angrenzenden Felder.

Lange Zeit harrten viele der Trauergäste – Studenten, Revolutionäre, junge Frauen und Männer – am Grab aus. Sie blieben stehen, rezitierten Gedichte und zündeten Kerzen an. Abends gab es ein Gewitter mit heftigem Regen. Die Menschen legten die Hände über die Kerzen, um sie vor den Tropfen zu schützen, und rezitierten im flackernden Kerzenlicht weiterhin Gedicht um Gedicht.

Ein paar Tage nach dem Begräbnis kamen zwei hochrangige Beamte des KGB zum Kleinen Haus und verlangten von Olga die Aushändigung des Manuskripts von *Die blinde Schönheit*. Als sie sich beherzt zur Wehr setzte und sagte, dass es ihr nicht zustehe, es herauszugeben, antwortete einer der Männer: »Es täte mir leid, wenn ich Olga Wsewolodowna bitten müßte, uns an einen anderen Ort zu begleiten, den aufzusuchen für sie viel quälender sein würde als dieses Gespräch hier in ihrer Wohnung.« Der Kollege fügte hinzu: »Bedenken Sie, daß im Wagen noch sechs Leute sitzen – wir könnten Ihnen also leicht das Manuskript mit Gewalt abnehmen.«[621]

Es hatte wieder angefangen. Am 16. August, keine drei Monate, nachdem der KGB *Die blinde Schönheit* an sich genommen hatte, erschien er abermals an Olgas Tür. Ein rotgesichtiger dicker Mann mit selbstgefälligem Lächeln verkündete: »Sie haben uns natürlich erwartet, nicht wahr? Sie konnten doch nicht im Ernst glauben, dass Ihre kriminellen Handlungen straflos bleiben?« Sie durchstöberten das Kleine Haus und konfiszierten ihre wenigen noch verbliebenen, kostbaren Unterlagen. Dann wurde Olga in die Lubjanka gebracht. Ihre schlimmsten Befürchtungen, ohne den Schutz von Pasternaks Familiennamen möglicherweise sogar tödlichen Angriffen ausgeliefert zu sein, hatten sich bewahrheitet.

»Es war klar, dass sie beschlossen hatten, Pasternak nicht zu verfolgen«, schrieb Irina. »Sie wollten etwas anderes. Einfach nur Rache? … Er war keinen Millimeter von seinen Ansichten abgewichen und war in seinem Bett gestorben. Und er galt als Held! Es war unerträglich, doch nun hatte man die Maschinerie in Gang gesetzt mit dem Ziel, zu vernichten, zu demütigen und plattzumachen. Man brauchte dich nicht zu töten. Es genügte, sich über dich lustig zu machen, dich vor aller Welt zu beschmutzen, Geständnisse aus dir herauszupressen und dich auf dem Bauch kriechen zu lassen.«[622]

»Pasternak war zu berühmt, als daß man ihn auf die Dauer mit dem Brandmal ›Volksfeind‹ abstempeln konnte«, kommentierte Olga später. »Nach seinem Tod, als neue Überraschungen (wie etwa das Gedicht ›Nobelpreis‹) von ihm nicht mehr zu erwarten waren, hielten es die Obrigkeiten für besser, ihn ins Pantheon der sowjetischen Literatur aufzunehmen.«[623] Selbst sein erbitterter Feind Surkow machte eine 180-Grad-Wende, als er erklärte, Pasternak sei ein »ehrenhafter Dichter gewesen, den er persönlich hochgeschätzt habe«. Surkows Gift richtete sich nun gegen Olga. »Pasternaks Freundin Iwinskaja«, erklärte er, war »eine Abenteurerin, die ihn dazu gebracht hat, *Doktor Schiwago* zu schreiben und dieses Werk dann ins Ausland zu schicken, damit sie sich bereichern konnte.«[624]

Am 30. Januar 1961 berichtete die amerikanische Zeitschrift *Newsweek* von Olgas Inhaftierung:

Offensichtlich war Gerechtigkeit weniger wichtig als Rache, eine Rache, die die Männer von der Kulturorganisation im Kreml nicht gewagt hatten, am weltberühmten Pasternak selbst zu üben, genauso wenig wie sie es gewagt hatten, den berühmten Pianisten Swjatoslaw Richter dafür zu bestrafen, dass er bei Pasternaks Beerdigung gespielt hatte. Dahinter sahen die meisten westlichen Experten ein anderes Motiv. Wenn Mrs Iwinskaja als »femme fatale« verunglimpft werden konnte, die den alternden Autoren »korrumpiert« hatte, dann konnte die Regierung sich die Peinlichkeit des *Doktor Schiwago* ersparen und den jüngeren Pasternak wieder als großen sowjetischen Dichter herausstellen. In Moskau war bereits ein offizielles Komitee mit dem Ziel eingerichtet worden, genau das zu tun, doch die Welt würde es wohl kaum hinnehmen, Pasternaks Wahrheit zu einem solchen Schwindel verkehrt zu sehen.[625]

Am 18. August 1960 wurde Olga offiziell verhaftet. Ein paar Wochen später, am 5. September, holte der KGB auch Irina ab.

In der Lubjanka wurde Olga vom stellvertretenden Vorsitzenden des KGB, Wadim Tikunow, verhört. Hinter einem riesigen Schreibtisch thronte dieser fettleibige Mann und wedelte mit einem Exemplar des *Doktor Schiwago*: »Das haben Sie sehr clever verschleiert«, sagte er zu ihr, »aber wir wissen ganz genau, dass der Roman nicht von Pasternak, sondern von Ihnen geschrieben worden ist. Schauen Sie, er sagt das sogar selbst ...« Er deutete auf die erste Seite des Buches. Plötzlich sah Olga Boris' »Kraniche« vor ihren Augen fliegen. Boris hatte hineingeschrieben: »Du warst es, die das gemacht hat, Oljuscha! Niemand weiß, daß du es warst, die alles gemacht hat – Du hast mir die Hand geführt und hinter mir gestanden. Das alles habe ich dir zu verdanken.«

Tikunow musterte Olga »aus seinen winzigen, in Fettwülsten verpackten Augenschlitzen.« Olga starrte zurück und antwortete trocken: »Sie haben wahrscheinlich noch nie eine Frau geliebt. Sonst wüßten Sie, wie Liebende empfinden und was sie einander schreiben.«[626]

Ohne darauf einzugehen, fuhr Tikunow fort: »Pasternak hat selbst schriftlich zugegeben, daß er das Buch nicht geschrieben hat! Sie haben ihn aufgestachelt. Ehe Sie ihm über den Weg gelaufen kamen, war er nicht so bösartig. Sie haben ein Verbrechen begangen, und Sie haben Kontakte mit dem Ausland hergestellt ...«[627]

Drei Monate später fand die Verhandlung gegen Olga und

Irina vor einem Volksgericht in Moskau statt. Sie dauerte fünf Tage, vom 13. bis 18. Dezember 1960. »Nicht nur der Fall selbst war eine Farce, auch die ganze Verhandlung«, sagte Olga.[628] Die Anklage gründete sich von Anfang bis Ende auf Unwahrheiten. Mutter und Tochter wurden verschiedener Verbrechen gegen den Staat bezichtigt, darunter auch des Schmuggels. Es spricht für sich, dass die sowjetische Presse keinen Bericht über den Gerichtsprozess lieferte. Jedoch sickerten zweimal bestimmte Einzelheiten des Falles in ausländischen Rundfunksendern durch. Olga wurde beschuldigt, zu verschiedenen Zeitpunkten große Geldmengen in sowjetischer Währung erhalten zu haben, die illegal importiert worden waren, während Irina der Beihilfe zu diesen Verbrechen beschuldigt wurde. Als Beweis gegen sie wurde ihr Treffen mit Mirella Garritano verwendet, bei dem sie den Koffer für Boris in Empfang genommen hatte, der, wie sie geglaubt hatte, Bücher enthielt.

Diejenigen, die sowjetische Währung im Ausland gekauft und sie mutmaßlich rechtswidrig über die Grenze zur Weitergabe an Pasternak durch Olga und Irina gebracht hatten, wurden nicht strafrechtlich verfolgt.

Im Januar 1961 veröffentlichte Sergio d'Angelo in seinem Bestreben, auf Olgas und Irinas missliche Lage aufmerksam zu machen, einen Artikel im englischen *Sunday Telegraph*, in dem er einräumte, der Urheber des Plans gewesen zu sein, Honorare zu Pasternaks Lebzeiten an ihn zu transferieren, und von Pasternak dazu autorisiert worden zu sein. Er gab auch zu, nach Pasternaks Tod entsprechend dessen Anweisungen weiterhin Transfers an Olga veranlasst zu haben.

In seinem Artikel wies d'Angelo persönlich auf etwas Bemerkenswertes hin: Er, der Initiator der Transaktion, in deren Zusammenhang Olga legitimerweise nur als Begünstigte hätte betrachtet werden können, hatte noch nach Olgas Verhaftung die Sowjetunion besucht. Er warf die Frage auf, wieso es ihm erlaubt war, in den letzten August- und den ersten Septembertagen 1960 eine Woche lang ungehindert in Moskau zu verbringen und unbehelligt von den sowjetischen Autoritäten ein- und auszureisen.

In Wahrheit wurden Pasternak und Iwinskaja viel zu genau überwacht, als dass es möglich gewesen wäre, einen Plan für einen Transfer von Geldmitteln aus dem Ausland unentdeckt durchführen zu können.[629] Die sowjetische Polizei wusste, was vor sich ging. Aber sie beschloss, untätig zu bleiben, bis Pasternak tot war.

Aus dem oben Genannten ergibt sich klar und deutlich, dass die sowjetischen Machthaber nicht daran interessiert waren, die wahren Schmuggler verbotswidrig erworbener sowjetischer Währung zu fassen und zu bestrafen. Vielmehr benutzten sie diese Gelegenheit, über Olga Iwinskaja und deren Tochter die höchstmögliche Strafe zu verhängen, die in einen Vorgang involviert waren, über den die Geheimpolizei von Anfang an genauestens Bescheid wusste.

Als Pasternak kurz vor seinem Tod an Jacqueline de Proyart geschrieben hatte, dass er ihr, falls sie von ihm ein Telegramm mit der Mitteilung bekäme, er sei an Scharlach erkrankt, in Wirklichkeit sagen wollte, dass Olga verhaftet worden war, hatte er noch eine Ergänzung hinzugefügt: »In diesem Fall sollten Sie genauso laut Alarm schlagen, als wenn es um mich ginge, denn ein Angriff gegen sie ist in Wahrheit ein Schlag gegen mich.« Die westlichen Literaten taten ihr Bestes, für Olga so laut Alarm zu schlagen, wie sie konnten. Graham Greene, François Mauriac, Arthur Schlesinger jr., alle schrieben an die sowjetischen Behörden, während Bertrand Russell an Chruschtschow persönlich appellierte. David Carver, der Generalsekretär des PEN, setzte sich für sie ein bei Alexej Surkow, der inzwischen zum Generalsekretär des sowjetischen Schriftstellerverbands aufgestiegen war. Sergio d'Angelo schrieb Surkow einen scharfen, offenen Brief, in welchem er äußerte:

»Sie haben Pasternak immer gehasst und, getrieben von diesem Gefühl, haben Sie als erster Sekretär des Schriftstellerverbands eine Reihe schlecht durchdachter Handlungen vollzogen, mit denen Sie Ihrem Land einen Bärendienst erwiesen haben.« Dann fasste er zusammen: »Pasternaks Tod hat nicht genügt, um Ihre Boshaftigkeit zu befriedigen, der Sie jetzt mit Schmähungen und Verleumdungen zweier wehrloser Frauen Luft machen, die zudem *ernsthaft krank* sind. Ich habe keine Illusionen und glaube nicht, dass es Ihnen möglich sein wird, Ihr Verhalten zu ändern oder Augenmaß und Menschlichkeit zu zeigen. Doch Sie sollten nicht der Illusion verfallen, ›die nutzlose Korrespondenz über die Iwinskaja-Affäre geschlossen‹ zu haben, wie Sie in Ihrem Brief schreiben: Das Gewissen aller zivilisierten und aufrichtigen Menschen wird nicht zulassen, dass diese Korrespondenz ›geschlossen‹ wird, bis der Gerechtigkeit Genüge getan wurde.«[630]

Olga wurde zur Höchststrafe von acht Jahren und Irina zu drei Jahren Haft verurteilt. Beide wurden in den Gulag geschickt, in das Arbeitslager 385/14 in Taischet, fast fünftausend Kilometer von Moskau entfernt.[631] Dort in der Provinz Irkutsk in Ostsibirien wehte der Wind so stark, dass man sich mit dem Rücken gegen ihn stemmen musste.

»Die Reise nach Sibirien war lang und schrecklich«, schrieb Olga. »Im Januar herrschten die strengsten Fröste, und die Zwischenstopps, auf denen wir die Nacht in kalten, feuchten Zellen verbringen mussten, waren eine große Qual. Ira trug nur einen leichten Übergangsmantel für den Frühling oder den Herbst (aus dunkelblauem englischem Bouclé) und in ihrem törichten Fimmel, sich immer nach der neuesten Mode zu kleiden, hatte sie ihn noch dazu kürzer gemacht. Mein Herz blutete, als ich ihre Arme unter den viel zu kurzen Ärmeln herausragen sah.«

Nach einem Monat Lagerhaft wurde Taischet geschlossen und Olga und Irina abermals einige tausend Kilometer quer durch die UdSSR nach Potjma überstellt. In den Jahren der Chruschtschow-Regierung, als die riesigen Arbeitslager-Komplexe in Sibirien und im fernen Norden nach und nach aufgelöst wurden, entwickelten sich die mordwinischen Lager zu Zentren für die Internierung »politischer« Gefangener. Olga kannte natürlich die Hölle von Potjma; Irina bis zu einem gewissen Maß ebenfalls, da sie sich an die Geschichten ihrer Mutter erinnerte und an Boris' fantastische Postkarten, als »vom Herbst 1950 an die kleine Republik Mordwinien in unser Leben trat und es nie wieder verlassen sollte.« Die beiden Frauen wussten nicht, ob ihre Verschickung nach Sibirien dem Chaos in der Organisation der Lager zu verdanken war oder einem weiteren sadistischen Scherz der Regierung.

Nicht ohne inneres Zittern erinnere ich mich an den nächtlichen Fußmarsch bei fünfundzwanzig Grad Frost ins Lager Taischet. Es war eine unbewegliche, silberne, mondhelle sibirische Nacht, junge sibirische Kiefern warfen blaue Schatten auf den Schnee. Zu beiden Seiten der Straße streckten riesige graue nördliche Föhren ihre Zweige aus, denen das geisterhafte Licht unwahrscheinliche Ausmaße verlieh.... Man hatte keinen Schlitten zur Bahnstation geschickt, und die Wachmannschaft wollte nicht warten. So gingen wir, begleitet von zwei gespenstischen Schatten mit Gewehren ins Unbekannte, stolpernd, frostbebend. Für einen Einheimischen war die Kälte gewiß nicht schlimm; aber uns Moskauer, an diese bittere Kälte nicht gewöhnt, durchdrang sie bis auf die Knochen.[632]

In *Doktor Schiwago* hatte Pasternak bereits eine düstere Vorahnung, wie der Sowjetstaat mit Olga umzugehen gedachte: »Eines Tages verließ Lara das Haus und kehrte nicht zurück. Offensichtlich war sie auf der Straße verhaftet worden und später irgendwo gestorben oder verschollen, eine namenlose Nummer in einer verschwundenen Häftlingsliste in einem der unzähligen gemeinschaftlichen oder nur für Frauen bestimmten Konzentrationslager des Nordens.«[633]

EPILOG

Gedenken Sie dann meiner

Olga verbrachte dreieinhalb Jahre, die Hälfte ihrer Strafe, im Gefängnis. Sie wurde 1964 im Alter von zweiundfünfzig entlassen. Irina kam zwei Jahre früher frei, nachdem auch sie die Hälfte ihrer Strafe abgesessen hatte. Olga hatte aus dem Gefangenenlager an Chruschtschow geschrieben und um die vorzeitige Entlassung ihrer Tochter gebeten, die »mir direkt vor den Augen langsam wegstirbt.«[634]

Die Bedingungen in Potjma waren »unerträglich, unvorstellbar«, erinnert sich Irina. »In eiskalten Wintern und glutheißen Sommern arbeiteten wir auf den Feldern. In jeder Baracke lebten sechzig Frauen, ständig lief das Radio, von sechs Uhr morgens bis Mitternacht plärrte Propaganda aus den Lautsprechern.« Irina hatte Georges Nivat im Sommer 1960 heiraten wollen. Mehrere Wochen nach Pasternaks Tod setzten die Behörden ein Datum für Irinas Hochzeit fest – zehn Tage nach Ablauf von Georges' Visum. Eine Erneuerung seines Visums wurde abgelehnt, und er war gezwungen, Russland zu verlassen.

Georges Nivat setzte sich mit aller Kraft für Olgas und Irinas Entlassung aus dem Gulag ein. Über einen Freund bat er Königin Elisabeth von Belgien, das erste Mitglied des Königshauses, welches 1958 die Sowjetunion besuchte, sich direkt an Chruschtschow zu wenden. »Würde Boris Pasternak, den ich wie einen Vater liebte, noch leben, wäre all das nie geschehen«, schrieb er.[635]

Irina heiratete Georges nicht, doch sie blieben Freunde. Sie lernte ihren zukünftigen Mann, Wadim Kosovoi, einen politischen Dissidenten, in Potjma kennen. Wegen der Trennung nach Geschlechtern wechselten sie im Lager kein Wort miteinander, doch sie sahen sich von weitem und begannen, mit Unterstützung anderer Häftlinge, die heimlich ein briefliches Netzwerk installiert hatten, Briefe auszutauschen. Nach ihrer Entlassung vertiefte sich ihre Liebesbeziehung. Irina hat die letzten dreißig Jahre in Paris gelebt und zwei Kinder geboren. »Frankreich hat mitgeholfen, viele der russischen Wunden zu heilen, die vor dreißig Jahren zugefügt wurden«, sagt sie.[636] Olgas geliebter Sohn Mitja starb 2005.

Leonid Pasternak, Boris' Sohn mit Sinaida, starb mit achtunddreißig. Er erlitt einen tödlichen Herzinfarkt in seinem Auto nahe der Presnja-Straße in der Innenstadt Moskaus – er starb fast im gleichen Alter und in der Nähe der Stelle, an der Juri Schiwago in einer Straßenbahn an einem Herzinfarkt stirbt. Leonids Ehefrau Natascha sprach von einem Mysterium in Boris Pasternaks »Schöpfung«. Es war, als »habe er im Unterbewusstsein den Tod seines Sohnes beschrieben. So vieles, wovon er schrieb, enthielt schlimme Vorahnungen.«

Olga Iwinskaja starb 1995 mit dreiundachtzig Jahren in Moskau. Vor ihrem Tod schrieb sie einen Bittbrief an den russischen Präsidenten Boris Jelzin und bat um die Rückgabe aller Briefe von Boris und anderer kostbarer Dokumente, die der KGB nach dessen Tod aus dem Kleinen Haus mitgenommen hatte. Ihre Bitte wurde nicht erfüllt.

Chruschtschow, der im Ruhestand die Zeit fand, *Doktor Schiwago* zu lesen, bedauerte, wie man mit Pasternak umgegangen war. Er räumte ein, dass es ihm möglich gewesen

wäre, die Publikation des Romans zuzulassen, dass er aber
»untätig geblieben war«. Chruschtschow erkannte an, dass die
Entscheidung, den Roman in Russland zu verbieten und Boris
zu zwingen, auf den Nobelpreis zu verzichten, auch lange Zeit
danach »einen schlechten Nachgeschmack hinterließ. Die
Menschen entfachten einen Proteststurm gegen die Sowjetunion, die Pasternak verboten hatte, ins Ausland zu reisen,
um den Preis entgegenzunehmen.«[637]

1987 rehabilitierte der sowjetische Schriftstellerverband
Boris posthum, ein Schritt, der seinem Werk in der Sowjet-
union Legitimität verschaffte. Dadurch wurde 1988 die Pu-
blikation von *Doktor Schiwago* in Russland ermöglicht.
Hunderte Menschen vor den Moskauer Buchläden standen
Schlange, um auf die Lieferung des Buches zu warten.

Am 9. Dezember 1989 lud die Schwedische Akademie Pasternaks ältesten Sohn Evgenij und seine Frau nach Stockholm
ein, um die Goldmedaille für den Literatur-Nobelpreis 1958 zu
erhalten, einunddreißig Jahre, nachdem man Boris gezwungen hatte, ihn abzulehnen. Als Evgenij vortrat, um den Preis
stellvertretend für seinen Vater entgegenzunehmen, überwäl-
tigten ihn die Emotionen.

* * *

Als ich mit *Lara* begann, war ich insgeheim besorgt, ich
könnte herausfinden, dass Boris Olga benutzt hatte. Erleichtert stellte ich bald vielmehr fest: Die Machthaber waren es,
die Olga benutzten. Es ist richtig, dass Boris ihr den Schutz
versagte, als er sich nicht öffentlich zu ihr »bekannte«. Doch
er liebte sie. Ich glaube, dass die Tiefe und die Leidenschaft
seiner Hingabe sich von allem unterschied, was er für seine
Ehefrauen empfand. Nicht nur aus Dankbarkeit, dass Olga
mit ihrer Liebe ihr Leben riskierte und dass sie zu ihm hielt.

Sondern weil sie ihn verstand; sie wusste instinktiv, dass er, um innere Erfüllung zu finden, *Doktor Schiwago* schreiben musste.

Obwohl er ihr das Einzige, was sie sich so sehnlichst wünschte, nicht gab – er verließ seine Frau nicht für sie –, so tat er doch von dem Augenblick an, als er ihr seine Liebe gestand, alles, was ihm angesichts seiner familiären Situation möglich war, um ihr und ihrer Familie Ehre zu erweisen. Er unterstützte sie finanziell, er liebte Irina wie die Tochter, die er nie hatte, und er vertraute Olga sein kostbarstes Gut an – sein Werk. Er suchte ihren Rat, ihre Unterstützung beim Redigieren und Abtippen. Und was ist *Doktor Schiwago* anderes als sein langer und mit Herzblut geschriebener Liebesbrief an sie?

Ich war während meiner Arbeit überrascht, eine tolerantere Zuneigung zu Boris zu entwickeln. Ich kam mir wie eine enge Freundin oder eine Verwandte eines Mannes vor, die feststellt, dass sie ihn allmählich liebgewinnt, und die deshalb gern über einige nervtötende Eigenheiten hinwegsieht – in Boris' Fall über seine selbstverliebten Monologe, seine falsche Bescheidenheit, seine Eitelkeit, seine Gier nach großem Drama. Als Boris begann, *Doktor Schiwago* zu schreiben und unter dem Druck der Sowjetmacht nicht einknickte, keimte Bewunderung in mir auf. Ich verneige mich vor seiner monumentalen Courage, besonders vor seiner Entscheidung, Feltrinelli sein Werk zu überlassen und es, koste es, was es wolle, zu veröffentlichen.

Als ich begann, mich für ihn zu engagieren, verzieh ich ihm in erster Linie seine Unzulänglichkeiten, wie es Olga und Irina auch taten. Ich erkannte, wie komplex der Mann war und die Situation, in der er steckte. Die Widersprüchlichkeit seines Charakters. Er war Held und Feigling, Genie und blauäugiger Narr, gequälter Neurotiker und nüchterner Stratege. Seine Loyalität zu Russland und dessen Volk geriet nie ins Wanken. Seine Loyalität zu Olga war nie unerschütterlich. Trotz allem, was sie für ihn tat, obwohl sie sogar bereit war, für ihn zu sterben, konnte sie sich nicht auf ihn verlassen.

Oft habe ich mich unendlich darüber geärgert, dass er so schwach war: Seine Briefe an Olga aus Tiflis erbosten mich, in denen er ihren Heiratswunsch zurückwies und ihrer beider mythische Beziehung viel wichtiger fand als etwas so Banales und Alltägliches wie eine Ehe. Olga hatte Recht, er hatte Unrecht. Hätte er sie geheiratet, hätten die sowjetischen Behörden es nicht gewagt, sie nach seinem Tod so grausam zu behandeln.

Dann wieder fühlte ich mit ihm. Als ich über die Attacken gegen ihn nach der Verleihung des Nobelpreises schrieb, war seine Verzweiflung offensichtlich, seine Qual unerträglich. Wäre Olga nicht gewesen, hätte er vielleicht Selbstmord begangen. Sie war seine Kraft, als sein Entschluss am Ende doch nicht realisiert wurde; sie war sein Leitstern, als alles um ihn herum in grenzenloser Dunkelheit lag. Wenn sie getrennt waren, zeigen seine Briefe, wie sehr er sie liebte, wie sehr sie ihm fehlte und wie sehr er sie brauchte.

Doch trotz seiner enormen Strahlkraft rettete er sie letztlich nicht. Ich kann nachvollziehen, dass er am Ende seines Lebens keine Energie mehr hatte zu kämpfen. All seine Kraft war erschöpft, als er sich den Machthabern widersetzte, um die Veröffentlichung von *Doktor Schiwago* zu erreichen. So stellte er wenigstens sicher, dass Olga, seine Lara, nie in Vergessenheit geraten würde. Während sie in der Lubjanka für ihn kämpfte, setzte er ihr auf den Seiten seines Buches ein strahlendes Denkmal. Sie verlor zwei seiner Kinder; das Vermächtnis von *Doktor Schiwago* ist das einzige Kind der beiden. Mit Juris Gedichten, der wahren Frucht ihrer Liebe, erlangen Lara und Juri Unsterblichkeit. Die ganze Zeit beabsichtigte Pasternak, sich zu erlösen, indem er Olga als Lara Unsterblichkeit verlieh. Vielleicht hatte er auf einer Ebene Recht: Ihre Liebe würde unsterblich bleiben. Wie er in *Doktor Schiwago* schrieb:

Sie hatten einander nicht unter Zwang, nicht »von Leidenschaft versengt« geliebt, wie das oft fälschlich dargestellt wird. Sie hatten einander geliebt, weil alles ringsum es so wollte: die Erde unter ihnen, der Himmel über ihnen, die Wolken, die Bäume. Ihre Liebe gefiel ihrer Umgebung vielleicht noch mehr als ihnen selbst.[638]

Zeiten werden vergehen. Viele große Zeiten. Ich werde schon nicht mehr da sein. Es wird keine Rückkehr zur Väter- oder Vorväter-Zeit sein, was auch doch nicht nötig und wünschenswert ist. Aber das Edle, das Schöpferische und Große wird endlich wieder nach langem Scheiden zum Vorschein kommen. Das wird ein Ergebniszeitalter sein. Ihr Leben wird dann am reichsten, am fruchtbarsten sein. Gedenken Sie dann meiner.

Boris Pasternak, 1958[639]

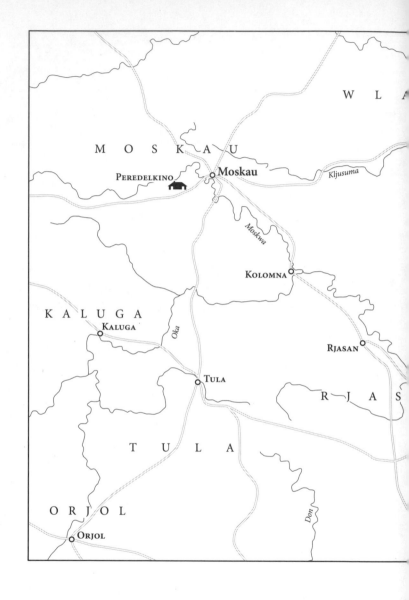

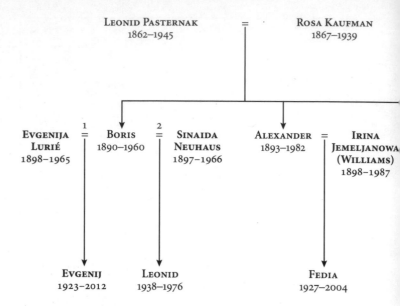

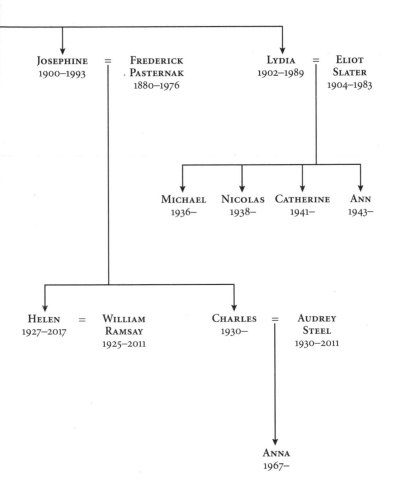

JOSEPHINE = FREDERICK   LYDIA = ELIOT
1900–1993   PASTERNAK   1902–1989   SLATER
            1880–1976   1904–1983

MICHAEL   NICOLAS   CATHERINE   ANN
1936–   1938–   1941–   1943–

HELEN   =   WILLIAM   CHARLES   =   AUDREY
1927–2017   RAMSAY   1930–   STEEL
            1925–2011   1930–2011

ANNA
1967–

Danksagung und Bemerkung zu den Quellen

Zwei Ereignisse haben mein Interesse an Boris' und Olgas Liebesgeschichte ausgelöst. Das erste war 1990, als ich in meiner jungen Karriere als Journalistin vorankommen wollte. Zur Erinnerung an Pasternaks hundertsten Geburtstag schlug ich dem *Spectator*-Magazin einen Artikel vor, der die wahre Lara enttarnen sollte. Da ich beschämend wenig über die Geschichte meiner Familie wusste, besuchte ich anschließend meine neunzig Jahre alte Großmutter Josephine Pasternak in ihrem Haus in Oxford. Fünfundfünfzig Jahre, nachdem sie ihren Bruder Boris zum letzten Mal gesehen hatte, schilderte sie mir lebhaft jenes letzte Treffen. Sie starb drei Jahre später. Josephine machte mich auch mit ihrem Freund Sir Isaiah Berlin bekannt. Er lud mich, ebenfalls in Oxford, zum Mittagessen ein, und ich fühlte mich geehrt, dass ich seinen faszinierenden Erinnerungen an Boris und die Sage um die Veröffentlichung von *Doktor Schiwago* lauschen durfte.

Als Olga Iwinskaja 1995 in Moskau starb, bat mich der Londoner *Evening Standard*, ihren Nachruf zu recherchieren und zu schreiben. Nachdem ich den Artikel abgegeben hatte, blieb eine starke Traurigkeit zurück, so sehr hatte mich ihre Geschichte und das nagende Gefühl bewegt, dass über ihre Liebesbeziehung mit Boris zu viel ungesagt geblieben war.

Fünfzehn Jahre später wusste ich, dass ich bereit und willens war, *Lara* zu schreiben. Im Februar 2010 reiste ich mit meinem Vater nach Moskau, wo Evgenij Pasternak, siebenundachtzig, und seine Frau Elena uns bewirteten. Bei hausgemachtem Zitronenschnaps beantwortete Evgenij geduldig meine Fragen zu seinem Vater, obwohl er während seines Lebens schon ausführlich über dieses Thema geschrieben hatte. Als ich mich verabschiedete, schenkte er mir ein wunderbares *Biographical Album*, eine Sammlung aus Gesprächen, Briefen und Fotos, die deren Sohn Petr zusammengetragen und privat publiziert hatte und zu dem Evgenij einen einführenden Aufsatz beigesteuert hatte. Später in Peredelkino sprach Natascha Pasternak, die mit Boris' Sohn Leonid verheiratet war, sehr ausführlich über ihren Schwiegervater, über dessen Tod und über die Schwierigkeiten, mit denen Olga am Ende ihres Lebens zu kämpfen hatte. Dies sind kostbare Erinnerungen für mich, da sowohl Natascha als auch Evgenij inzwischen gestorben sind.

Zwei Monate nach meinem Ausflug nach Moskau besuchte ich die Stanford University in Kalifornien. Die Hoover Institution, die alle Archivunterlagen aufbewahrt, die von meiner Großmutter Josephine Pasternak gestiftet worden sind, veranstaltete ein internationales Symposium mit dem Titel »The Pasternak Family: Surviving the Storms.« Ich wurde eingeladen, eine Rede über »Josephine Pasternak und ihr letztes Treffen mit Boris: Berlin 1935« zu halten. Es war wunderbar, so viele weitere Familienmitglieder dort zu treffen, besonders Petr Pasternak, den Enkel von Boris. Und auch Jacqueline de Proyart, die sich regelmäßig mit Boris traf und *Schiwago* auf Französisch übersetzt hat. Die Konferenz fiel zusammen mit der Buchvorstellung der *Family Correspondence 1921–1960* (herausgegeben von Maya Slater), der ersten englischen Übersetzung der Briefe von Boris an seine Familie von dessen Neffen Nicolas Pasternak Slater. Ich bin Nicolas zu Dank verpflichtet, da ich in *Lara* reichlich aus diesen Briefen geschöpft habe und das Buch ohne sie weitaus ärmer wäre. Sie sind ein wunderschön geschriebener und bewegender Bericht vom Leben des Schriftstellers während der zweiundvierzigjährigen Trennung von seiner Familie.

Ich wünschte, ich hätte Olga Iwinskaja persönlich begegnen können, aber ich schätze mich ausgesprochen glücklich, dass ich mit Irina Kosovoi, geborene Jemeljanowa, Olgas Tochter, Zeit verbringen durfte. Zunächst stand sie einem Treffen mit mir zurückhaltend gegenüber. Sie hatte bereits ihre eigenen Aufzeichnungen in *Légendes de la rue Potapov* veröffentlicht und war skeptisch, was meine Motive betraf, *Lara* zu schreiben. Von einer Pasternak erwartete sie kein Mitgefühl für ihre Mutter. Wir trafen uns zwei Mal in Paris, und die Zeit, in der ich sie in ihrer Wohnung interviewte, bedeutet mir ganz besonders viel. Sowohl die *Légendes de la rue Potapov* als auch die Memoiren ihrer Mutter, *Lara*, bildeten die hauptsächlichen Quellen meiner Nachforschungen.

Eine weitere faszinierende und wertvolle Quelle waren die fünfzehn Akten, gekennzeichnet mit »Pasternak Correspondence«, die der Archivar des Verlags HarperCollins in deren Archiven in Glasgow gefunden hatte. Diese unveröffentlichen Dokumente beinhalten Kopien der vollständigen Korrespondenz um die Veröffentlichung von *Doktor Schiwago* in Großbritannien zwischen den damaligen Collins Publishers und Pantheon Books in den USA. Es gibt außerdem viele ausführliche Aktennotizen und Berichte über Anstrengungen, Olga nach ihrer abermaligen Internierung im Gulag freizubekommen.

Meine Nachforschungen führten mich auch nach Mailand, wo Carlo Feltrinelli mich in der außergewöhnlichen

Feltrinelli Foundation herumführte. Es war ein emotionaler und aufregender Moment, als er das Originalmanuskript von *Doktor Schiwago* aus einem Archiv nahm und mir einen Blick darauf gestattete. Ich war gerührt, wie sorgsam die Feltrinelli Foundation die Korrespondenz zwischen Giangiacomo Feltrinelli und Boris Pasternak archiviert hatte. Diese zwei couragierten Männer hatten viel gemeinsam, und auch wenn sie sich nie persönlich trafen, tritt die Zuneigung zueinander in all diesen Briefen glasklar hervor.

Und schließlich gebührt meine Dankbarkeit und Wertschätzung allen Nachstehenden, die mir so viel Liebe, Zeit, Hilfe, Weisheit, Expertise und Unterstützung bei der Recherche und dem Verfassen von *Lara* haben zukommen lassen. Meine zutiefst empfundene Dankbarkeit gilt allen:

Audrey Pasternak, Charles Pasternak, Daisy Pasternak, Josephine Pasternak, Irina Kosovoi, Evgenij Pasternak, Natascha Pasternak, Carlo Feltrinelli, Eugenie Furniss, Arabella Pike, Kate Johnson, Laura Brooke; Lottie Fyfe, Dawn Sinclair, Liz Trubridge, Michael Engler, Betsy Bernardaud, Linda Bernard, Marlene Brand-Meyer, Rafaella de Angelis, Richard Cohen, Ross Clarke, Tina Campbell, Jane Stratton, Jenny Parrot, Neil Cornwell, Minna Fry, Ala Osmond, Daisy Finer, Lucy Cleland, Mark Palmer, Anna Dickinson, Victoria Fuller, Lara Fares, Yvonne Williams, Judith Osborne, Richard Furgerson, Monika Barton, Katya Pilutsky and Linda Matthews-Denham.

Anmerkungen

Zu meinen wichtigsten Quellen zählen:

Olga Iwinskajas *Lara: Meine Zeit mit Pasternak* (Hoffmann und Campe Verlag, Hamburg, 1978), Irina Jemeljanowas *Légendes de la rue Potapov* (Fayard, 1997) und Autoreninterviews mit Familienmitgliedern von Pasternak (siehe Danksagung).

Mit Hilfe der Bibliographie können interessierte Leser ohne großen Aufwand weitere Referenzen ausfindig machen.

PROLOG: SPINNENNETZE ENTWIRREN

1   Boris Pasternak: *Fifty Poems*, Lydia Pasternak Slater (Übers.) (London: Unwin Books, 1963), S. 13.

2   Johanna Renate Döring-Smirnow (Hrsg.): *Boris Pasternak: Eine Brücke aus Papier. Die Familienkorrespondenz 1921–1960*, mitgeteilt von Evgenij und Jelena Pasternak, Gabriele Leupold (Übers.) (Frankfurt am Main: S. Fischer, 2000), S. 329.

3   Christopher Barnes: *Boris Pasternak: A Literary Biography*, Band 2, 1928–1960 (Cambridge: Cambridge University Press, 1998), S. 4.

4   Edith Clowes (Hrsg.): *Doktor Shiwago: A Critical Companion* (Evanston, IL: Northwestern University Press, 1995), S. 12.

5   Die Russische Revolution ist der Sammelbegriff für die Revolutionen vom Februar und Oktober 1917, welche die zaristische Autokratie demontierten und schließlich zum Aufstieg der Sowjetunion führten.

6   Boris Pasternak: *Fifty Poems*, S. 13.

7   Peter Finn, Petra Couvée: *Die Affäre Schiwago: Der Kreml, die CIA und der Kampf um ein verbotenes Buch*, Jutta Orth, Jörn Pinnow (Übers.) (Darmstadt: Wissenschaftliche Buchgesellschaft, 2016), S. 38.

8   Lydia Pasternak Slater: *New York Times,* Buchbesprechung, 29. Oktober 1961.

9   Clowes (Hrsg.): *Critical Companion*, S. 12; Evgeny Pasternak: *Boris Pasternak: The Tragic Years 1930–1960* (London: Collins Harvill, 1990), S. 298.

10   Boris Pasternak: *Sicheres Geleit*, Johannes von Guenther (Übers.) (Stuttgart: Philipp Reclam jun., 1971), S. 19.

11   *Doktor Shiwago,* S. 564.

12   Olga Iwinskaja: *Lara: Meine Zeit mit Pasternak*, Heddy-Pross-Weerth (Übers.) Hoffmann und Campe Verlags Hamburg, 1978. Hier und im Folgenden zitiert nach der Lizenzausgabe erschienen bei Bertelsmann Club GmbH, Gütersloh, 1980.

13   Guy de Mallac: *Boris Pasternak: His Life and Art* (Norman, OK: University of Oklahoma Press, 1981), S. 204.

14   Simon Sebag Montefiore: *Stalin: Am Hof des roten Zaren,* Hans Günter Holl (Übers.) (Frankfurt am Main: S. Fischer Taschenbuch Verlag, 2005).

15   Finn, Couvée: *Die Affäre Schiwago*, S. 48.

16   *Doktor Shiwago*, S. 371.

17   Clowes (Hrsg.): *Critical Companion*, S. 20.

18   Robert Bolt, zitiert in *Daily Mail*, 25.11.2002.

19   Omar Sharif, zitiert in *Daily Express*, Juni 1993.

20   Iwinskaja: *Lara*, S. 40.

21   *Doktor Shiwago*, S. 459.

1 EIN MÄDCHEN AUS ANDEREN KREISEN

22   Iwinskaja: *Lara*, S. 33.

23   ebd., S. 32.

24   Finn, Couvée: *Die Affäre Schiwago*, S. 57.

25   Iwinskaja: *Lara*, S. 34.

26   Andrej Wosnessenski: *Begegnung mit Pasternak. Ausgewählte Prosa*, Margit Bräuer, Ilse Tschörtner und Johann Warkentin (Übers.) (Berlin: Aufbau-Verlag, 1984), S. 8.

27   Iwinskaja: *Lara*, S. 34.

28 *Doktor Shiwago*, S. 364.

29 Iwinskaja: *Lara*, S. 31.

30 Clowes (Hrsg.): *Critical Companion*, S. 15.

31 Barnes: *Literary Biography*, S. 18 f.

32 Evgeny Pasternak: *Boris Pasternak*, S. 57.

33 Autoreninterview Evgenij Pasternak, Moskau, Februar 2010.

34 Boris Pasternak: *Gedichte und Poeme*, Fritz Mierau (Hrsg.), Kerstin Hensel, Richard Pietraß (Nachdichtung) (Berlin: Aufbau-Verlag, 1996), S. 179.

35 *Doktor Shiwago*, S. 631.

36 ebd., S. 502 f.

37 Clowes (Hrsg.): *Critical Companion*, S. 16.

38 Boris Pasternak, Olga Freudenberg: *Briefwechsel 1910–1954*, Rosemarie Tietze (Übers.) (Frankfurt am Main: S. Fischer, 1986), S. 232.

39 Iwinskaja: *Lara*, S. 30.

40 ebd., S. 35.

41 ebd., S. 36.

42 ebd., S. 35.

43 ebd., S. 39.

44 ebd., S. 41.

45 ebd.

46 Irina Jemeljanova: *Légendes de la rue Potapov* (Paris: Fayard, 1997), S. 16.

47 Jemeljanova: *Légendes*, S. 18.

48 Autoreninterview Irina Jemeljanowa, Paris, September 2015.

49 Iwinskaja: *Lara*, S. 34 f.

50 ebd., S. 42.

51 Iwinskaja: *Lara*, S. 34 f.

52 Autoreninterview Irina Jemeljanowa.

53 Jemeljanova: *Légendes*, S. 13.

54 ebd.

55 Autoreninterview Irina Jemeljanowa.

56 Iwinskaja, *Lara*, S. 43.

57 *Doktor Shiwago*, S. 373.

58 Maya Slater (Hrsg.): *Boris Pasternak: Family Correspondence 1921–1960*, Nicholas Pasternak Slater (Übers.) (Stanford, CA: Hoover Institution Press, 2010), S. 321.

59 Iwinskaja: *Lara*, S. 39.

60   Autoreninterview Josephine Pasternak, Oxford, Oktober 1990.

61   *Die Familie Pasternak: Erinnerungen, Berichte, Aufsätze*, Paul J. Mark (Hrsg.), Ursula Marty, Paul J. Mark (Übers.) (Würzburg: Königshausen & Neumann, 1977), S. 103.

62   Johanna Renate Döring-Smirnov (Hrsg.): *Eine Brücke aus Papier*, S. 413.

63   Autoreninterview Evgenij Pasternak.

64   Puschkin-Museum für bildende Künste: Abteilung Sammlungen aus Privatbesitz (Museumskatalog, Moskau, 2004), S. 94.

65   Autoreninterview Charles Pasternak, Oxford, April 2015.

66   Leonid Pasternak und Josephine Pasternak: *The Memoirs of Leonid Pasternak*, Jennifer Bradshaw (Übers.) (London: Quartet Books, 1982), S. 44.

67   ebd.

68   Autoreninterview Josephine Pasternak.

69   *Die Familie Pasternak*, S. 9.

70   Peter Levi: *Boris Pasternak* (London: Century Hutchinson, 1990), S. 23.

71   Boris Pasternak: *Über mich selbst: Versuch einer Autobiographie*, Reinhold von Walther (Übers.), Heddy Pross-Weerth (überarbeitet und ergänzt) (Frankfurt am Main: Fischer Taschenbuch Verlag, 1990), S. 20.

72   ebd., S. 77.

73   ebd., S. 83 ff.

74   Autoreninterview Charles Pasternak.

75   Pasternak: *Über mich selbst: Versuch einer Autobiographie*, S. 11.

76   ebd.

77   ebd., S. 11 f.

78   Slater (Hrsg.): *Family Correspondence*, S. 337 f.

79   Leonid Pasternak und Josephine Pasternak: *Memoirs*, S. 177.

80   Boris Pasternak: *Biographical Album*, S. 175.

81   *Doktor Shiwago*, S. 241 f.

82   ebd., S. 229 f.

83   Josephine Pasternak: *Tightrope Walking*, (Bloomington, IN: Slavica, 2005) S. 127.

84   *Doktor Shiwago*, S. 287 f.

85   ebd., S. 201 f.

86   ebd., S. 161 f.

87   Döring-Smirnov (Hrsg.): *Eine Brücke aus Papier*, S. 343.

88   Barnes, *Literary Biography*, S. 105.
89   Josephine Pasternak: *Patior*, The London Magazine 6 (September 1964), S. 42–57.
90   ebd.
91   ebd.
92   ebd.
93   ebd.
94   Döring-Smirnov (Hrsg.): *Eine Brücke aus Papier*, S. 336.
95   ebd., S. 395.
96   Autoreninterview Josephine Pasternak.
97   Döring-Smirnov (Hrsg.): *Eine Brücke aus Papier*, S. 413.
98   Slater (Hrsg.): *Family Correspondence*, S. 285.
99   Boris Pasternak: *Poems*, S. 309.

3 DER WOLKENGUCKER

100 Evgeny Pasternak: *Boris Pasternak*, S. 31.
101 Autoreninterview Josephine Pasternak.
102 Boris Pasternak: *Poems*, S. 314.
103 Autoreninterview Josephine Pasternak.
104 Josephine Pasternak: *Tightrope Walking*, S. 168.
105 Mallac: *Boris Pasternak*, S. 105 f.
106 Josephine Pasternak: *Tightrope Walking*, S. 190.
107 Iwinskaya: *Lara*, S. 455.
108 Döring-Smirnov (Hrsg.): *Eine Brücke aus Papier*, S. 211 f.
109 Barnes: *Literary Biography*, S. 41.
110 *Doktor Shiwago*, S. 61.
111 ebd., S. 497.
112 Mallac: *Boris Pasternak*, S. 126.
113 Döring-Smirnov (Hrsg.): *Eine Brücke aus Papier*, S. 246.
114 ebd., S. 265.
115 ebd., S. 266.
116 ebd., S. 246.
117 Slater (Hrsg.): *Family Correspondence*, S. 231.
118 Autoreninterview Isaiah Berlin, Oxford, Oktober 1990.
119 Autoreninterview Josephine Pasternak.
120 Barnes: *Literary Biography*, S. 101 f.
121 Autoreninterview Josephine Pasternak.

122 Döring-Smirnov (Hrsg.): *Eine Brücke aus Papier*, S. 254.
123 Döring-Smirnov (Hrsg.): *Eine Brücke aus Papier*, S. 268, 272.
124 Döring-Smirnov (Hrsg.): *Eine Brücke aus Papier*, S. 271.
125 Mallac: *Boris Pasternak*, S. 126.
126 Pasternak: *Über mich selbst: Versuch einer Autobiographie*, S. 69.
127 Autoreninterview Josephine Pasternak.
128 Finn, Couvée: *Die Affäre Schiwago*, S. 76.
129 ebd., S. 76.
130 Mallac: *Boris Pasternak*, S. 127.
131 Barnes: *Literary Biography*, S. 71.
132 Finn, Couvée: *Die Affäre Schiwago*, S. 44.
133 Boris Pasternak: *Biographical Album*, S. 277.
134 Finn, Couvée: *Die Affäre Schiwago*, S. 46.
135 Boris Pasternak: *Biographical Album*, S. 277.
136 Finn, Couvée: *Die Affäre Schiwago*, S. 47.
137 Olga R. Hughes: *The Poetic World of Boris Pasternak* (Princeton, London: Princeton University Press, 1974), S. 136.
138 Finn, Couvée: *Die Affäre Schiwago*, S. 8.
139 Evgeny Pasternak: *Boris Pasternak*, S. 74.
140 Levi: *Pasternak*, S. 174.
141 Barnes: *Literary Biography*, S. 144.
142 ebd., S. 68.
143 Autoreninterview Natascha Pasternak, Peredelkino, Februar 2010.
144 Rosa Mora: »*The History of Hell*«, Independent, 8. Januar 1995.
145 Boris Pasternak: *Biographical Album*, S. 293.
146 Evgeny Pasternak: *Boris Pasternak*, S. 107.
147 Finn, Couvée: *Die Affäre Schiwago*, S. 53.
148 Levi: *Pasternak*, S. 180.
149 Finn, Couvée: *Die Affäre Schiwago*, S. 43.
150 Mallac: *Boris Pasternak*, S. 141.
151 ebd., S. 158 f.
152 Barnes: *Literary Biography*, S. 148.
153 Johanna Renate Döring-Smirnov (Hrsg.): *Eine Brücke aus Papier*, S. 378.
154 Finn, Couvée: *Die Affäre Schiwago*, S. 70.
155 Mallac: *Boris Pasternak*, S. 59.
156 Iwinskaja: *Lara*, S. 160.
157 Ronald Grigor Suny: *The Making of the Georgian Nation* (Bloomington, IN: Indiana University Press, 1994), S. 272.

158 Boris Pasternak: *Biographical Album*, S. 299.
159 Barnes: *Literary Biography*, S. 130.
160 Autoreninterview Natascha Pasternak.

4 WIR STEHEN UNTER SPANNUNG

161 Autoreninterview Irina Jemeljanowa.
162 Iwinskaja, *Lara*, S. 44.
163 ebd., S. 45.
164 ebd., S. 46.
165 *Doktor Shiwago*, S. 654 f.
166 Autoreninterview Irina Jemeljanowa.
167 ebd.
168 ebd.
169 Iwinskaja, *Lara*, S. 49.
170 *Doktor Shiwago*, S. 379 f.
171 Barnes: *Literary Biography*, S. 239.
172 *Doktor Shiwago*, S. 653 f.
173 Ivinskaya: *A Captive of Time*, S. 25.
174 Iwinskaja: *Lara*, S. 48.
175 ebd., S. 48.
176 Autoreninterview Charles Pasternak.
177 Autoreninterview Natascha Pasternak.
178 Alexander Gladkov: *Meetings with Pasternak* (London: Collins and Harvill, 1977), S. 136 f.
179 *Doktor Shiwago*, S. 507 f.
180 Finn, Couvée: *Die Affäre Schiwago*, S. 66.
181 Iwinskaja: *Lara*, S. 211.
182 *Doktor Shiwago*, S. 104.
183 Iwinskaja: *Lara*, S. 212.
184 *Doktor Shiwago*, S. 108.
185 Autoreninterview Irina Jemeljanowa.
186 Josephine Pasternak: *Tightrope Walking*, S. 82.
187 *Doktor Shiwago*, S. 498.
188 Autoreninterview Irina Jemeljanowa.
189 *Doktor Shiwago*, S. 81.
190 Finn, Couvée: *Die Affäre Schiwago*, S. 65.
191 Andrej Wosnessenski: *Begegnung mit Pasternak*, S. 12.

192 Finn, Couvée: *Die Affäre Schiwago*, S. 67.
193 György Dalos: *Olga – Pasternaks letzte Liebe: Fast ein Roman*. Elsbeth Zylla (Übers.) (Hamburg: Europäische Verlagsanstalt, 1999), S. 10.
194 ebd., S. 9.
195 Döring-Smirnov (Hrsg.): *Eine Brücke aus Papier*, S. 288.
196 Finn, Couvée: *Die Affäre Schiwago*, S. 92 f.
197 Boris Pasternak: *Poems*, S. 18.
198 Slater (Hrsg.): *Family Correspondence*, S. 228.
199 *Doktor Shiwago*, S. 378.
200 Jemeljanova: *Légendes*, S. 21.
201 Autoreninterview Irina Jemeljanowa.
202 Döring-Smirnov (Hrsg.): *Eine Brücke aus Papier*, S. 415.
203 Pasternak, Freudenberg: *Briefwechsel 1910–1954*, S. 307.
204 Pasternak: *Family Correspondence 1921–1960*, S. 309.
205 Autoreninterview Irina Jemeljanowa.
206 ebd.
207 ebd.
208 Jemeljanova: *Légendes*, S. 24.
209 Döring-Smirnov (Hrsg.): *Eine Brücke aus Papier*, S. 426.
210 ebd., S. 427.
211 ebd.
212 Pasternak, Freudenberg: *Briefwechsel 1910–1954*, S. 351.
213 *Doktor Shiwago*, S. 325.
214 Döring-Smirnov (Hrsg.): *Eine Brücke aus Papier*, S. 427 f.
215 Autoreninterview Evgenij Pasternak.

5 GRETCHEN IM KERKER

216 Iwinskaja, *Lara*, S. 110.
217 ebd., S. 30.
218 ebd., S. 55.
219 ebd., S. 113.
220 Jemeljanova: *Légendes*, S. 36.
221 Iwinskaja: *Lara*, S. 11.
222 ebd., S. 113.
223 ebd., S. 114.
224 ebd., S. 117.
225 ebd., S. 117.

226 ebd., S. 117.

227 ebd., S. 118.

228 ebd., S. 122.

229 ebd., S. 120.

230 Pasternak, Freudenberg: *Briefwechsel 1910–1954*, S. 363.

231 Boris Pasternak: *Briefe nach Georgien*, Heddy Pross-Weerth (Übers.) (Frankfurt am Main: Fischer Taschenbuch Verlag, 1989), S. 99.

232 *Doktor Shiwago*, S. 500.

233 Iwinskaja, *Lara*, S. 122.

234 ebd., S. 123.

235 Finn, Couvée: *Die Affäre Schiwago*, S. 77.

236 Iwinskaja: *Lara*, S. 123.

237 Iwinskaja: *Lara*, S. 123.

238 ebd.

239 ebd.

240 ebd., S. 126.

241 ebd.

242 Finn, Couvée: *Die Affäre Schiwago*, S. 79.

243 Iwinskaja: *Lara*, S. 127.

244 Jemeljanova: *Légendes*, S. 39–46.

245 *Doktor Shiwago*, S. 680.

246 Iwinskaja: *Lara*, S. 127.

247 ebd., S. 128.

248 Jemeljanova: *Légendes*, S. 46.

249 Boris Pasternak: *Biographical Album*, S. 355.

250 Iwinskaja: *Lara*, S. 242.

251 ebd.

252 Zoia Maslenikova: *Portret Borisa Pasternaka* (Moskau: Sovetskaia Rossiia, 1990), zitiert in Clowes (Hrsg.): *Critical Companion*, S. 18.

253 Döring-Smirnov (Hrsg.): *Eine Brücke aus Papier*, S. 457.

254 Ivinskaya: *A Captive of Time*, S. 221.

255 Iwinskaja: Lara, S. 105.

256 Döring-Smirnov (Hrsg.): *Eine Brücke aus Papier*, S. 428.

257 Clowes (Hrsg.): *Critical Companion*, S. 6.

258 *Doktor Shiwago*, S. 201 f.

259 Iwinskaja: *Lara*, S. 122.

260 ebd., S. 127.

261 Autoreninterview Irina Jemeljanowa.

262 Iwinskaja: *Lara*, S. 131.

263 ebd.
264 ebd.
265 ebd., S. 131 f.
266 Finn, Couvée: *Die Affäre Schiwago*, S. 82.
267 Iwinskaja: *Lara*, S. 132.
268 ebd., S. 134.
269 ebd.
270 Autoreninterview Irina Jemeljanowa.
271 Finn, Couvée: *The Zhivago Affair*, S. 73, 286.
272 Iwinskaja: *Lara*, S. 132.
273 Autoreninterview Irina Jemeljanowa.
274 Jemeljanova: *Légendes*, S. 46.

6 KRANICHE ÜBER POTJMA

275 Iwinskaja: *Lara*, S. 135.
276 ebd.
277 ebd., S. 136.
278 ebd.
279 ebd.
280 Autoreninterview Irina Jemeljanowa.
281 Iwinskaja: *Lara*, S. 154.
282 ebd., S. 137.
283 ebd.
284 ebd.
285 Autoreninterview Irina Jemeljanowa.
286 ebd.
287 Ivinskaya: *A Captive of Time*, S. 118.
288 ebd.
289 ebd., S. 138.
290 ebd., S. 141.
291 ebd., S. 138.
292 ebd., S. 139.
293 ebd., S. 141.
294 ebd., S. 143.
295 Pasternak: *Gedichte und Poeme*, S. 387.
296 ebd., S. 144.
297 ebd., S. 143.

298 Autoreninterview Irina Jemeljanowa.

299 Iwinskaja: *Lara*, S. 145.

300 *Doktor Shiwago*, S. 668 ff.

301 ebd., S. 554 f.

302 ebd., S. 602.

303 Pasternak, Freudenberg: *Briefwechsel 1910–1954*, S. 343.

304 ebd.

305 *Doktor Shiwago*, S. 492.

306 ebd., S. 542.

307 Boris Pasternak: *Biographical Album*, S. 363.

308 ebd.

309 Ein Werst ist eine russische Längeneinheit, die etwa 1,068 Kilometern entspricht.

310 ebd.

311 Autoreninterview Irina Jemeljanowa.

312 Iwinskaja: *Lara*, S. 147 f.

313 ebd., S. 147.

314 Mallac: *Boris Pasternak*, S. 204.

315 Iwinskaja: *Lara*, S. 172.

316 Niederschrift zum Fall von Frau Iwinskaja und ihrer Tochter, aus den Archiven des HarperCollins Verlages.

317 Oljuscha, mein Täubchen: Iwinskaja: *Lara*, S. 146.

318 Jemeljanova: *Légendes*, S. 48.

319 Autoreninterview Irina Jemeljanowa.

320 Iwinskaja: *Lara*, S. 50.

321 ebd., S. 50 f.

7 EIN MÄRCHEN

322 Iwinskaja: *Lara*, S. 51.

323 ebd.

324 Memorandum aus den Archiven des HarperCollins Verlages.

325 Clowes (Hrsg.): *Critical Companion*, S. 19.

326 *Doktor Shiwago*, S. 493 f.

327 ebd., S. 545.

328 Iwinskaja: *Lara*, S. 51.

329 *Doktor Shiwago*, S. 550.

330 ebd., S. 663.

331 ebd., S. 664.
332 Barnes: *Literary Biography*, S. 179.
333 Autoreninterview Irina Jemeljanowa.
334 Iwinskaja: *Lara*, S. 52.
335 ebd.
336 ebd.
337 ebd., S. 60.
338 ebd.
339 Mallac: *Boris Pasternak*, S. 207.
340 Iwinskaja: *Lara*, S. 151.
341 ebd., S. 59.
342 Jemeljanova: *Légendes*, S. 68.
343 ebd., S. 67.
344 Mallac: *Boris Pasternak*, S. 206.
345 Finn, Couvée: *Die Affäre Schiwago*, S. 91 f.
346 ebd.
347 Clowes (Hrsg.): *Critical Companion*, S. 136.
348 ebd., S. 141.
349 Iwinskaja: *Lara*, S. 60.
350 ebd., S. 61.
351 ebd., S. 62 f.
352 ebd., S. 62.
353 Jemeljanova: *Légendes*, S. 57.
354 Iwinskaja: *Lara*, S. 62.
355 ebd., S. 64 f.
356 Slater (Hrsg.): *Family Correspondence*, S. 405.
357 Iwinskaja: *Lara*, S. 68.
358 ebd., S. 202.
359 ebd.
360 ebd.
361 ebd.
362 ebd., S. 202 f.
363 Jemeljanova: *Légendes*, S. 86.
364 Mallac: *Boris Pasternak*, S. 195.
365 Iwinskaja: *Lara*, S. 229.
366 Iwinskaja: *Lara*, ebd.
367 ebd., S. 231.
368 ebd.
369 Clowes (Hrsg.): *Critical Companion*, S. 36, 140.

370 Boris Pasternak: *Essay in Autobiography*, S. 119.
371 Jemeljanova: *Légendes*, S. 87.

8 DER ITALIENISCHE ENGEL

372 Bericht über Sergio d'Angelos Treffen mit Boris Pasternak, www.pasternakbydangelo.com.
373 ebd.
374 ebd.
375 ebd.
376 ebd.
377 Finn, Couvée: *Die Affäre Schiwago*, S. 12 f.
378 www.pasternakbydangelo.com.
379 www.pasternakbydangelo.com.
380 Finn, Couvée: *Die Affäre Schiwago*, S. 18.
381 ebd.
382 ebd.
383 ebd.
384 Iwinskaja: *Lara*, S. 232 f.
385 ebd., S. 233.
386 ebd.
387 Paolo Mancosu: *Smugglers, Rebels, Pirates: Itineraries in the Publishing History of Doktor Shiwago* (Stanford, CA: Hoover Institution Press, 2015), S. 2.
388 Mallac: *Boris Pasternak*, S. 210.
389 Mancosu: *Smugglers*, S. 27.
390 Mallac: *Boris Pasternak*, S. 210.
391 www.pasternakbydangelo.com.
392 Finn, Couvée: *Die Affäre Schiwago*, S. 100.
393 Iwinskaja: *Lara*, S. 236 f.
394 ebd., S. 237.
395 ebd., S. 237 f.
396 ebd., S. 237.
397 ebd., S. 237 f.
398 www.pasternakbydangelo.com.
399 Finn, Couvée: *Die Affäre Schiwago*, S. 102.
400 ebd.
401 Autoreninterview Charles Pasternak.

402 Finn, Couvée: *Die Affäre Schiwago*, S. 103.
403 ebd.
404 www.pasternakbydangelo.com.
405 Ivinskaya: *A Captive of Time*, S. 219.
406 ebd., S. 238.
407 ebd., S. 240.
408 ebd., S. 241.
409 Finn, Couvée: *Die Affäre Schiwago*, S. 106.
410 Autoreninterview Isaiah Berlin.
411 Frances Stonor Saunders: *The Writer and the Valet* (London Review of Books, 25. Sept. 2014)
412 Finn, Couvée: *Die Affäre Schiwago*, S. 107.
413 Döring-Smirnov (Hrsg.): *Eine Brücke aus Papier*, S. 431.
414 ebd.
415 www.pasternakbydangelo.com.
416 ebd.
417 ebd.
418 ebd.
419 Finn, Couvée: *Die Affäre Schiwago*, S. 110.
420 Finn, Couvée: *Die Affäre Schiwago*, S. 110 f.
421 Iwinskaja: *Lara*, S. 243 f.
422 Finn, Couvée: *Die Affäre Schiwago*, S. 114.
423 Boris Pasternak: *Biographical Album*, S. 373.
424 ebd., S. 375.
425 Iwinskaja: *Lara*, S. 413 f.
426 Boris Pasternak: *Biographical Album*, S. 377.
427 Gladkov: *Meetings with Pasternak*, S. 149.
428 ebd.
429 ebd., S. 148 f.
430 Finn, Couvée: *Die Affäre Schiwago*, S. 120.
431 ebd., S. 120 f.
432 Iwinskaja: *Lara*, S. 247.
433 Jemeljanova: *Légendes*, S. 89.
434 ebd.
435 Finn, Couvée: *Die Affäre Schiwago*, S. 125.
436 Döring-Smirnov (Hrsg.): *Eine Brücke aus Papier*, S. 454.
437 ebd., S. 439 f.
438 Mancuso: *Smugglers*, S. 1.
439 Mallac: *Boris Pasternak*, S. 271.

440 Boris Pasternak: *Biographical Album*, S. 381.

441 Döring-Smirnov (Hrsg.): *Eine Brücke aus Papier*, S. 432.

442 Finn, Couvée: *Die Affäre Schiwago*, S. 108.,

443 Neil Cornwell: *Pasternak's Novel: Perspectives on ›Doctor Zhivago‹* (Keele, 1986), S. 12.

444 Finn, Couvée: *Die Affäre Schiwago*, S. 108.

445 aus den Archiven des HarperCollins Verlags.

446 aus den Archiven des HarperCollins Verlags.

447 Ann Pasternak Slater: ›*Rereading: Dr. Zhivago*‹, The Guardian, 6.11.2010.

448 aus den Archiven des HarperCollins Verlags.

449 Finn, Couvée: *Die Affäre Schiwago*, S. 128.

450 ebd., S. 130.

451 Finn, Couvée: *Die Affäre Schiwago*, S. 140.

452 ebd., S. 140.

453 Mancosu: *Smugglers*, S. 9.

454 Finn, Couvée: *Die Affäre Schiwago*, S. 145.

455 Mancosu: *Smugglers*, S. 10.

456 Finn, Couvée: *Die Affäre Schiwago*, S. 153.

457 Mancosu: *Smugglers*, S. 10.

458 Finn, Couvée: *Die Affäre Schiwago*, S. 158.

459 Slater (Hrsg.): *Family Correspondence*, S. 405.

460 Barnes: *Literary Biography*, S. 333 f.

461 Autoreninterview Irina Jemeljanowa.

462 ebd.

463 ebd., S. 337.

464 Slater (Hrsg.): *Family Correspondence*, S. 397.

465 Gladkov: *Meetings with Pasternak*, S. 152 f.

466 Evgeny Pasternak: *Boris Pasternak*, S. 235.

467 Boris Pasternak, Kurt Wolff: *Im Meer der Hingabe, Briefwechsel 1958–1960*. Evgenij Pasternak, Elena Pasternak (Hrsg.), unter Mitarbeit von Fedor Poljakov (Frankfurt am Main: Peter Lang, 2010), S. 36.

468 der italienische Schriftsteller Alberto Moravia.

469 Slater (Hrsg.): *Family Correspondence*, S. 405 f.

470 Ein Kritiker und Literaturwissenschaftler, der Kinderbücher schrieb und übersetzte. Er übersetzte Rudyard Kipling, Arthur Conan Doyle, Mark Twain und G. K. Chesterton.

471 Iwinskaja: *Lara*, S. 259.
472 Finn, Couvée: *Die Affäre Schiwago*, S. 181.
473 ebd.
474 ebd.
475 ebd., S. 181 f.
476 Jemeljanova: *Légendes*, S. 94.
477 Finn, Couvée: *Die Affäre Schiwago*, S. 182.
478 ebd., S. 183.
479 Boris Pasternak, Kurt Wolff: *Im Meer der Hingabe*, S. 76.
480 Iwinskaja: *Lara*, S. 260.
481 ebd.
482 Iwinskaja: *Lara*, S. 261.
483 Finn, Couvée: *Die Affäre Schiwago*, S. 188.
484 Gladkov: *Meetings with Pasternak*, S. 166 f.
485 Iwinskaja: *Lara*, S. 262.
486 Jemeljanova: *Légendes*, S. 96–7.
487 ebd.
488 Iwinskaja: *Lara*, S. 263.
489 ebd.

10 DIE AFFÄRE PASTERNAK

490 Iwinskaja: *Lara*, S. 265.
491 ebd.
492 Evgeny Pasternak: *Boris Pasternak*, S. 236.
493 Finn, Couvée: *Die Affäre Schiwago*, S. 192.
494 Iwinskaja: *Lara*, S. 266.
495 ebd., S. 270.
496 ebd., S. 271.
497 ebd.
498 ebd.
499 ebd., S. 273.
500 Jemeljanova: *Légendes*, S. 116.
501 Finn, Couvée: *Die Affäre Schiwago*, S. 198.
502 Iwinskaja: *Lara*, S. 269.
503 ebd., S. 274.
504 Finn. Couvée: *Die Affäre Schiwago*, S. 177. Von den 821 Nobel-Laureaten, denen der Preis seit seiner Einführung 1901 verliehen worden war,

haben ihn nur sechs Menschen abgelehnt: die drei deutschen Wissenschaftler, Boris Pasternak, der vietnamesische Politiker Le Duc Tho (1973) and Jean-Paul Sartre (1964).

505 Iwinskaja: *Lara*, S. 274.
506 Finn, Couvée: *Die Affäre Schiwago*, S. 200.
507 Iwinskaja: *Lara*, S. 275.
508 Finn, Couvée: *Die Affäre Schiwago*, S. 201.
509 Autoreninterview Irina Jemeljanowa.
510 Iwinskaja: *Lara*, S. 276.
511 Jemeljanova: *Légendes*, S. 95.
512 ebd., S. 100.
513 Mallac: *Boris Pasternak*, S. 235–236.
514 Iwinskaja: *Lara*, S. 277.
515 ebd.
516 ebd., S. 278.
517 ebd., S. 278.
518 ebd., S. 278 f.
519 Autoreninterview Irina Jemeljanowa.
520 ebd.
521 Jemeljanova: *Légendes*, S. 109.
522 Iwinskaja: *Lara*, S. 300.
523 ebd., S. 301.
524 ebd., S. 302.
525 Jemeljanova; *Légendes*, S. 129.
526 Iwinskaja: *Lara*, S. 305.
527 ebd., S. 305 f.
528 ebd., S. 306.
529 Iwinskaja: *Lara*, ebd.
530 ebd., S. 307.
531 ebd., S. 307.
532 ebd., S. 279.
533 ebd., S. 280.

11 BIN UMSTELLT, VERLOREN, BEUTE

534 Iwinskaja: *Lara*, S. 314.
535 ebd., S. 316.

536 Michail Scholochow ist der Autor des Romans *Der stille Don*, der in der Sowjetunion ein Klassiker ist. Dieser Heldenroman erschien zwischen 1925 und 1940 in vier Bänden. In den früheren Teilen des Romans wird dem Autor eine relativ objektive Darstellung des Bürgerkriegs zugebilligt – sowohl den Roten wie den Weißen werden Gräueltaten zugeschrieben. Scholochow erhielt 1965 den Nobelpreis für Literatur.

537 ebd.

538 Evgeny Pasternak: *Boris Pasternak*, S. 238.

539 Boris Pasternak: *Fifty Poems*, S. 22.

540 Iwinskaja: *Lara*, S. 319.

541 ebd., S. 320.

542 Döring-Smirnov (Hrsg.): *Eine Brücke aus Papier*, S. 461.

543 Slater (Hrsg.): *Family Correspondence*, S. 407 f.

544 Iwinskaja: *Lara*, S. 331.

545 Jemeljanova: *Légendes*, S. 135.

546 Iwinskaja: *Lara*, S. 334.

547 ebd., S. 325 f.

548 ebd., S. 326.

549 ebd., S. 327.

550 ebd., S. 339.

551 Finn, Couvée: *Die Affäre Schiwago*, S. 232.

552 Iwinskaja: *Lara*, S. 341.

553 Mallac: *Boris Pasternak*, S. 244.

554 Iwinskaja: *Lara*, S. 342.

555 ebd., S. 419 f.

556 ebd., S. 420.

557 ebd., S. 423.

558 ebd., S. 425.

559 ebd., S. 427.

560 ebd., S. 351.

561 Finn, Couvée: *Die Affäre Schiwago*, S. 225.

562 ebd., S. 226.

563 ebd., S. 227.

564 Boris Pasternak: *Fifty Poems*, S. 22.

565 Iwinskaja: *Lara*, S. 352.

566 Jemeljanova: *Légendes*, S. 138.

567 ebd., S. 149.

568 Iwinskaja: *Lara*, S. 325.

569 Jemeljanova: *Légendes*, S. 155.

570 Iwinskaja: *Lara* S. 336.

571 Iwinskaja: *Lara*, S. 355.

572 ebd., S. 358.

573 Carlo Feltrinelli: *Senior Service: A Story of Riches, Revolution and Violent Death* (London: Granta Books, 2013), S. 217.

574 Jemeljanova: *Légendes*, S. 157.

575 Iwinskaja: *Lara*, S. 358.

576 Paolo Mancosu: *Inside the Zhivago Storm: The Editorial Adventures of Pasternak's Masterpiece* (Mailand: Fondazione Giangiacomo Feltrinelli, 2013), S. 366.

577 Iwinskaja: *Lara*, S. 359.

578 ebd., S. 361.

579 ebd., S. 429.

580 ebd., S. 429.

581 ebd., S. 362. (Konstantin Bogatyrjow war Irina zufolge ein »fantastischer Übersetzer, der später vom KGB ermordet wurde«.)

582 Barnes: *Literary Biography*, S. 371.

583 Autoreninterview Irina Jemeljanowa.

584 Jemeljanova: *Légendes*, S. 162.

585 Autoreninterview Natascha Pasternak.

586 Iwinskaja: *Lara*, S. 79.

587 ebd., S. 363.

588 Döring-Smirnov (Hrsg.). *Eine Brücke aus Papier*, S. 473.

589 Der Infarkt, ein lokaler Bereich toten Gewebes aufgrund einer Störung der Blutzufuhr in diesem Bereich, wurde in Boris' Herzen vermutet.

590 Slater (Hrsg.), *Family Correspondence*, S. 417.

591 Iwinskaja: *Lara*, S. 363.

592 Autoreninterview Irina Jemeljanowa.

593 Döring-Smirnov (Hrsg.): *Eine Brücke aus Papier*, S. 474.

594 ebd., S. 475.

595 Boris Pasternak: *Biographical Album*, S. 395.

596 Autoreninterview Natascha Pasternak.

597 Iwinskaja: *Lara*, S. 431.

598 Josephine Pasternak: *Indefinability: An Essay in the Philosophy of Cognition* (Kopenhagen: Museum Tusculanum Press, 1999), S. ix.

599 Iwinskaja: *Lara*, S. 367.

600 Übersetzung aus dem Gedicht ›August‹ von Pasternak, eingemeißelt in den Pasternak-Grabstein auf dem Friedhof von Wolvercote, Oxford.

601 Iwinskaja: *Lara*, S. 367.

602 *Doktor Shiwago*, S. 625.

603 ebd., S. 563.

604 Jemeljanova: *Légendes*, S. 169.

605 Finn, Couvée: *Die Affäre Schiwago*, S. 234.

606 Iwinskaja: *Lara*, S. 369.

607 Boris Pasternak: *Fifty Poems*, S. 23.

608 Lydia bekam zwei Tage nach Boris' Tod ein Visum ausgestellt. Vierzig Jahre, nachdem sie Russland verlassen hatte, reiste sie wieder dorthin zurück und schlief in jener Nacht in dem Bett, in dem ihr geliebter Bruder gestorben war.

609 Clowes (Hrsg.): *Critical Companion*, S. 43.

610 Iwinskaja: *Lara*, S. 373.

611 Jemeljanova: *Légendes*, S. 174.

612 Boris Pasternak: *Biographical Album*, S. 397.

613 Gladkov: *Meetings with Pasternak*, S. 179 ff.

614 ebd.

615 Finn, Couvée: *Die Affäre Schiwago*, S. 267.

616 ebd., S. 268.

617 *Doktor Shiwago*, S. 646.

618 Iwinskaja: *Lara*, S. 375.

619 *Doktor Shiwago*, S. 623.

620 Iwinskaja: *Lara*, S. 375.

621 ebd., S. 378.

622 Jemeljanova: *Légendes*, S. 214.

623 Iwinskaja: *Lara*, S. 384.

624 ebd.

625 *Newsweek*, 30.1.1961.

626 Iwinskaja: *Lara*, S. 388.

627 ebd., S. 388.

628 ebd., S. 393.

629 aus den Archiven des HarperCollins Verlags.

630 ebd.

631 Feltrinelli: *Senior Service*, S. 246.

632 Iwinskaja: *Lara*, S. 426.

633 *Doktor Shiwago*, S. 626.

634 Finn, Couvée: *Die Affäre Schiwago*, S. 286.

635 ebd., S. 281.

636 Autoreninterview Irina Jemeljanowa.

637 Mallac: *Boris Pasternak*, S. 235.

638 *Doktor Shiwago*, S. 624.

639 Gerd Ruge: *Pasternak. Eine Bildbiographie* (München: Kindler Verlag, 1958), S. 125.

Die Zitate aus DOKTOR SCHIWAGO wurden entnommen aus:

Boris Pasternak: Doktor Shiwago. Übersetzt von Thomas Reschke. Übertragung der Gedichte von Richard Pietraß. Frankfurt: S. Fischer Verlag, 2014; © Giangiacomo Feltrinelli Editore, Mailand 1957, © S. Fischer Verlag, 2014; © Aufbau Verlag GmbH & Co. KG, Berlin 1992, 2008 für die deutsche Übersetzung von Thomas Reschke sowie die Übertragung der Gedichte von Richard Pietraß

Auswahlbibliographie

Barnes, Christopher. Boris Pasternak: A Literary Biography. Bd. 2, 1928–1960. Cambridge University Press, 1998

Clowes, Edith W. (Hrsg.). Doctor Zhiwago: A Critical Companion. Northwestern University Press, 1995

Cornwell, Neil. Pasternak's Novel: Perspectives on »Doctor Zhivago«. Department of Russian Studies, Keel University, 1986

Emilianova, Irina. Légends de la rue Potapov. Fayard, 1997

Felttrinelli, Carlo. Senior Service: A Story of Riches, Revolution and Violent Death. Granta Books, 2013

Finn, Peter und Petra Couvée: The Zhivago Affair: The Kremlin, the CIA, and the Battle over a Forbidden Book. Harvill Sacker, 2014 (Die Affäre Schiwago. Theiss, Konrad, 2016)

Gladkov, Peter. Meetings with Pasternak. Collins and Harvill Press, 1977

Iwinskaya, Olga. A Captive of Time: My Years with Pasternak. Collins and Harvill Press, 1978 (Lara: Meine Zeit mit Pasternak. Übers. von Heddy Pross-Weerth. Hoffman und Campe, 1978)

Mallac, Guy de. Boris Pasternak: His Life and Art. University of Oklahoma, 1981

Mancosu, Paolo. Inside the Zhivago Storm: The Editorial Adventures of Pasternak's Masterpiece. Mailand, Fondazione Giangiacomo Feltrinelli, 2013

Smugglers, Rebells, Pirates: Itineraries in the Publishing History of Doctor Zhivago. Hoover Institution Press, 2015

Montefiore, Simon Sebag. Stalin: The Court of the Red Tsar. Weidenfeld & Nicolson, 2003 (Stalin: Am Hof des roten Zaren. S. Fischer Verlag, 2005)

Museum Guidebook: Museum of the Private Collection, Pushkin State Museum of Fine Arts, 2004

Pasternak, Alexander. A Vanished Present. Oxford University Press, 1984.

Pasternak, Boris. Biographical Album. Moskau, Gamma Press, 2007

Doctor Zhivago. Übers. von Max Hayward & Manya Harari, Harvill Press, 1996 (Doktor Shiwago. Übers. von Thomas Reschke. S. Fischer Verlag, 2014)

An Essay in Autobiography. Collins and Harvill Press, 1959

Family Correspondence 1921–1960. Übers. von Nicolas Pasternak Slater, Hoover Institution Press, 2010

Fifty Poems, übers. und mit einer Einführung von Lydia Psternak Slater, George Allen & Unwin Ltd, 1963

The Last Summer. Penguin Books, 1959

Zhenia's Cjildhood. Allison & Busby Ltd, 1982

Pasternak, Evgeny. Boris Pasternak: The Tragic Years 1930–1960. Collins Harvill, 1990

Pasternak, Josephine. Indefinability: An Essay in the Philosophy of Cognition. Mit einer Einleitung von Michael Slater, Museum tusculanum Press, 1999
Tightrope Walking: A Memoir. Slavica Publishers, 2005

Pasternak, Leonid. Memoir of Leonid Pasternak. Übers. von Jennifer Bradshaw, mit einer Einleitung von Josephine Pasternak. Quartet Books, 1982

www.pasternakbydangelo.com

Slater, Maya (Hrsg.).Boris Pasternak: Family Correspondence 1921–1960. Übers. von Nicolas Pasternak Slater, Hoover Institution Press, 2010

Namensregister

Ortsregister

Bildnachweis

Viktor Martinowitsch

Paranoia

Roman

399 Seiten, gebunden, btb 71418
Aus dem Russischen von Thomas Weiler
und mit einem Nachwort von Timothy Snyder

»Aktueller kann ein politischer Roman nicht sein.«
FAZ

Ein totalitäres Regime im Osten Europas. Ein junger
Schriftsteller, eine geheimnisvolle Unbekannte – falsche
Behauptungen, Verhöre, Lügen und Intrigen.
Die Grenze zwischen Realität und Albtraum verschwimmt.
Die Paranoia schlägt zu.

**Ein hochspannender politischer Thriller und eine
tragische Geschichte von Liebe und Verrat.**

btb